Ook al voelt men zich gewond

De Utrechtse universiteit

tijdens de Duitse bezetting

1940 – 1945

CIP-GEGEVENS KONINKLIJKE BIBLIOTHEEK DEN HAAG

Walsum, Sander van

Ook al voelt men zich gewond: De Utrechtse universiteit tijdens
de Duitse bezetting 1940 - 1945 / Sander van Walsum;
[Eindredactie Twan Geurts]. - Utrecht: Universiteit Utrecht.
Met lit. opg.
ISBN 90-393-0658-3
Trefw.: Rijksuniversiteit Utrecht; Geschiedenis; Wereldoorlog II.

Sander van Walsum

Ook al voelt men zich gewond

De Utrechtse universiteit

tijdens de Duitse bezetting

1940 – 1945

april 1995

 Universiteit Utrecht

Inhoud

4

Ten Geleide

In 1931 verscheen een bundel historiografische opstellen van de hand van de Utrechtse historicus G.W. Kernkamp onder de titel *Van Menschen en Tijden*. Kernkamp, in 1936 de geschiedschrijver van de Utrechtse universiteit, had een uitgesproken mening over zijn vak. Zo schreef hij in het voorbericht bij de genoemde bundel: "...de geschiedschrijving, ook al stelt zij zich uitsluitend de wederopwekking van het verleden ten doel, draagt het navelmerk van den tijd, die haar baarde..."

Datzelfde geldt natuurlijk ook voor de geschiedschrijving van de late twintigste eeuw. Deze kenmerkt zich enerzijds door een zeer uitgebreide onderwerpkeuze –niets ontsnapt aan de aandacht van de historici– en anderzijds door soms heftige discussies over de status van het verleden. Wat dat laatste betreft worden vragen gesteld over de kenbaarheid van het verleden, de wenselijkheid dan wel de mogelijkheid van een objectieve geschiedschrijving, kortom, men spreekt soms niet meer van het verleden, maar van een constructie van het verleden.

In die zin draagt ook deze tegenwoordige geschiedschrijving, ruim zestig jaar na de woorden van Kernkamp, het navelmerk van de tijd. Wanneer sommige van de zogenaamd postmoderne historici er op wijzen dat "Waarheid" met een hoofdletter niet te bereiken valt, en het streven ernaar niet wenselijk is, dan is dat misschien een afspiegeling van het feit dat onze tijd afgerekend heeft met de ideologieën. Wij zijn onze zekerheden kwijtgeraakt, onze normen en waarden dreigen steeds relatiever te worden. Tegenwoordige historici hebben daarom soms de neiging niet over het verleden zelf te schrijven, maar over de herinnering aan dat verleden, over de plaats van die herinnering in het leven van de historische actoren.

Het voor u liggende boek van Sander van Walsum over de belangrijke wederwaardigheden van de Utrechtse universiteit gedurende de Tweede Wereldoorlog heeft alle kenmerken van de door Kernkamp geformuleerde opvatting over geschiedschrijving. Het boek heeft heel duidelijk een "wederopwekking van het verleden" tot doel. Van Walsum heeft geen wetenschappelijke alomvattendheid voor ogen, maar wil de lezer meevoeren naar een tijd toen "Waarheid" wel degelijk een betekenis had. Hij laat echter tevens zien hoe tegelijkertijd voor de Utrechtse universitaire gemeenschap de situatie niet zwart-wit was, maar dat er een enorm grijs gebied bestond tussen wat wij gemakshalve "goed en fout" noemen. In die zin draagt het boek "het navelmerk van den tijd".

Het is ook op een aantal andere punten een produkt van zijn tijd. Het werd geschreven met het oog op het herdenkingsjaar 1995, zonder dat het alleen maar een gelegenheidswerkje moest worden. Het initiatief van Sander van Walsum om de bezettingsgeschiedenis van de Utrechtse universiteit te beschrijven is mede aanleiding geweest tot het idee –de metafoor van het navelmerk doortrekkend– om de bestaande activiteiten op het gebied van de geschiedschrijving van de Universiteit Utrecht te bundelen en verder te stimuleren.

Het College van Bestuur heeft daarom een "Commissie Geschiedschrijving Universiteit Utrecht" in het leven geroepen en een fonds ingesteld. De commissie hoopt, als de financiële middelen dat toestaan, de komende jaren van zich te laten horen door middel van lezingen, congressen en publikaties. Het boek dat voor u ligt is daartoe een eerste aanzet.

Leen Dorsman
secretaris Commissie Geschiedschrijving Universiteit Utrecht

De auteur

Sander Anton van Walsum (1957)

is hoofdredacteur van het Utrechts

Universiteitsblad.

Van 1978 tot 1985 studeerde hij

geschiedenis aan de Universiteit Utrecht.

Na zijn afstuderen werkte hij als

redacteur Binnenland voor NRC Handels-

blad en als verslaggever voor Elsevier.

Foto : Evelyne Jacq

Verantwoording

De bezettingsgeschiedenis van de (Rijks-) Universiteit Utrecht heeft zich tot dusverre niet in een overmatige belangstelling van de eigen instelling kunnen verheugen. Kenmerkend hiervoor is een korte briefwisseling uit 1949 tussen de auteur van een boek over de oorlog (dat in feite alleen over het verzet ging) en het toenmalige college van curatoren. De eerste verzocht om informatie over de wederwaardigheden van de RUU tijdens de Duitse bezetting. Wat hij kréég was welgeteld één A-viertje met zeer onvolledige kengetallen, en één wapenfeit van het verzet: de brandstichting in de centrale studentenadministratie in december 1942. Meer aandacht werd de episode kennelijk niet waard geacht. Deze reactie hangt met twee omstandigheden samen: de bezetting hield de mensen in deze toekomstgerichte tijd überhaupt niet zo sterk meer bezig, en een oorlogsverhaal waarin het verzet een betrekkelijk bescheiden rol speelt sprak helemáál niet tot de verbeelding. In beide zaken is inmiddels verandering gekomen. Oorlog en bezetting zijn weer actueel. Het verschijnsel zèlf is op zíjn beurt inmiddels weer het voorwerp van studie en discussie geworden. Bovendien – en dat lijkt op een bijna voltooide 'Kriegsbewältigung' te duiden – wordt het verzet slechts nog tot een van de vele aspecten van de bezetting gerekend, en kunnen historici zich de luxe veroorloven zich ook met de niet-heroïsche en 'alledaagse' kanten van de oorlog bezig te houden.

Daarom verschijnt het eerste boek over de RUU tijdens de Duitse bezetting pas nu. Aan het thema is weliswaar een hoofdstuk gewijd in het boek 'Tussen ivoren toren en grootbedrijf', dat in 1986 ter gelegenheid van het zeventigste lustrum van de RUU werd uitgegeven, maar dat had niet de pretentie meer te zijn dan een kroniek. Nu, negen jaar later, is de bezettingsgeschiedenis van de Utrechtse universiteit het enige voorwerp van een meer uitgebreide studie. Hiervoor stonden de auteur ook meer bronnen beschikbaar dan diens voorganger. Zo is hem door het College van Bestuur van de Universiteit Utrecht toestemming gegeven gebruik te maken van de (tot nog toe gesloten) zuiveringsarchieven van het voormalige college van curatoren en de academische Senaat, en heeft hij inzage gehad in archieven van personen en instellingen die eerder niet geïnventariseerd, laat staan ontsloten waren.

De gedachte om het tiende bevrijdingslustrum aan te grijpen om de universiteitsgeschiedenis op schrift te stellen, dateert uit 1993. Het College van Bestuur van de Universiteit Utrecht heeft in dat jaar een door de faculteit der Letteren te beheren fonds in het leven geroepen waaruit historische studies naar de eigen instelling kunnen worden bekostigd. De auteur van dit boek prijst zich gelukkig als eerste van dit stipendium gebruik te hebben mogen maken, en dankt het College van Bestuur voor de financiële en logistieke steun die het hem heeft geboden. Voor de inhoudelijke begeleiding dankt hij dr L. J. Dorsman en prof.dr W. W. Mijnhardt van de vakgroep Geschiedenis.

Deze studie wordt geflankeerd door een aantal publieksactiviteiten in het teken van vijftig jaar bevrijding. Ze worden gepresenteerd tijdens de Universiteitsdag van 22 april 1995, die geheel is gewijd aan dit thema. Diezelfde dag is in het Academiegebouw een tentoonstelling te bezichtigen die als visualisering van dit boek kan worden beschouwd. De hier getoonde foto's en documenten maken vervolgens deel uit van de tentoonstelling 'Een gewone stad in een ongewone tijd' die in mei in het Utrechtse Centraal Museum wordt ingericht. Daarnaast heeft een aantal studenten van de vakgroep Theater-, Film- en Televisiewetenschap een film vervaardigd over de oorlogservaringen van Utrechtse alumni.

Met dit boek heb ik in grote, soms impressionistische, lijnen een instituutsgeschiedenis willen schrijven. Dit uitgangspunt brengt met zich mee dat de 'grote actualiteit' −al datgene wat zich buiten de universiteit heeft afgespeeld− slechts van belang is voorzover deze het studie-object raakt. Ik hoop niettemin enig inzicht te geven in de plaats die de universiteit in de toenmalige samenleving innam. Een ander gevolg van mijn themakeuze is dat een integrale beschrijving van het Utrechts studentenverzet ontbreekt. Zo zijn de zogenoemde pilotenhulp, de vervalsingscentrales en de acties van sabotagegroepen buiten beschouwing gebleven, en beperkt de aandacht voor de illegale pers zich tot de invloed die hiervan (bijvoorbeeld tijdens de 'tekenkwestie' van 1943) uitging op de studenten. Daarmee heb ik het belang van het verzet uiteraard niet willen relativeren. De lotgevallen van de bovengrondse universiteit en die van haar illegaal opererende studenten wijken echter zo van elkaar af, en raken elkaar op den duur zó weinig, dat deze zich niet in één verhaal laten optekenen. Het Utrechts studentenverzet komt overigens in extenso aan de orde in het op 29 maart 1995 verschenen boek 'Utrecht in Verzet' van mevrouw T. Spaans-van der Bijl.

Bij mijn documentatie heb ik uit drie bronnen geput: de archieven van de universiteit, die van de gezelligheidsverenigingen, en een aantal interviews met oud-studenten (zie bronnenoverzicht). De enige serieuze problemen die ik hierbij heb ondervonden, deden zich bij de tweede categorie voor; veel gezelligheidsverenigingen, vooral die waaraan de jaren zeventig het minst onopgemerkt zijn voorbijgegaan, hebben hun verleden minder geëerbiedigd dan hun koestering van tradities doet vermoeden. Unitas vormt eigenlijk de enige uitzondering op die regel, terwijl het Utrechtsch Studenten Corps momenteel grote vorderingen maakt bij het herstellen van de schade die eerder door desinteresse is aangericht. Het verleden van SSR Utrecht is echter vrijwel zoekgeraakt. Dat van Veritas wacht in de vorm van vijf meter dozen op reconstructie. En van de UVSV-in-oorlogstijd is welgeteld één schriftje met notulen van ledenvergaderingen bewaard gebleven. Het gevolg is dat ik een aantal verenigingen minder aandacht heb kunnen schenken dan zij misschien waard zijn. Hopelijk kan deze omissie ooit nog eens worden gerepareerd.

Sander van Walsum
Utrecht, maart 1995

Inleiding

Het laatste vooroorlogse groepsportret van de 119 hoogleraren en lectoren van de Rijksuniversiteit te Utrecht* dateert van 11 april 1940. Om het nageslacht te tonen hoe men de vormen in acht neemt, wordt de diesviering –de verjaardag van de universiteit– op film vastgelegd. De beschikbare registratietechnieken worden nog niet ten volle benut: geluid ontbreekt. Wat rest, is een stoet twee-dimensionale hoogwaardigheidsbekleders die met hun toga's, baarden en snorren voor de stomme film lijken te zijn geschapen.

Het tafereel had zich ook tien of twintig jaar eerder kunnen voltrekken. In dezelfde ambiance, en met dezelfde actoren. Want de universiteit was tijdloos. Niet uit behoudzucht, maar omdat wetenschap zich nu eenmaal onttrok aan de waan van de dag.

De oorlog was verder weg dan dertig dagen en –pakweg– duizend kilometer. De vraag of hij ooit dichterbij zou komen, was te beangstigend om onder ogen te zien. En de realiteit was al beroerd genoeg. Mede onder invloed van de mobilisatie was het aantal ingeschreven studenten in het cursusjaar 1939-'40 teruggelopen van 2.725 (in 1938) tot 2.359 –onder wie 516 vrouwen. De wetenschappelijke produktiviteit, uitgedrukt in het aantal promoties, was eveneens ongunstig beïnvloed door de politieke situatie. Werden in het jaar 1938-'39 nog 76 proefschriften verdedigd, in 1939-'40 waren dat er nog maar 46. De studentenverenigingen namen een met de nood der tijden sporende soberheid in acht. Binnen bepaalde grenzen uiteraard. Want sommige vormen van vermaak en openbaar vertoon waren nu eenmaal inherent aan het studentenleven. Van politiek engagement was binnen de verenigingen geen sprake. Hier en daar werden handtekeningen ingezameld om de regering tot meer bewapeningsactiviteit aan te sporen. Af en toe werd er aandacht gevraagd voor het treurige lot van joodse vluchtelingen. Maar in de regel gingen de vensters naar de buitenwereld weer op slot als het binnen te koud dreigde te worden. A-politiek was men niet uit laksheid, maar uit beginsel. "Vanuit die ongebondenheid kon je je gedachten ruimer en zuiverder laten gaan", heette het. Zwijgen over 'de toestand' deed men ook om de 'burchtvrede' te bewaren. Van de verenigingsleden waren immers ook 'andersdenkenden' lid, aanhangers van de vele –in de regel piepkleine– zwarte en bruine organisaties die Nederland in die dagen kende. "De gezamenlijkheid woog zwaarder dan wat ons scheidde. Het eerste werd gecultiveerd, over het tweede zwegen we."

De film van de dies wordt op 16 september 1940 tijdens de hooglerarenkrans getoond. Sinds de opnamen zijn vijf maanden en vijf oorlogsdagen verstreken. Tastbare veranderingen hebben de recente gebeurtenissen dan nog niet teweeg gebracht. Toch moeten de aanwezigen het gevoel hebben naar de wereld van gisteren te kijken. Hoe die zich zal onderscheiden van de wereld van morgen weet niemand. Wat men wèl weet, is dat de universiteit niet

---

* In 1992 werd de *Rijksuniversiteit te Utrecht* officieel omgedoopt tot *Universiteit Utrecht*. In deze historische uitgave wordt uiteraard de oorspronkelijke benaming gebezigd.

meer over haar eigen lot zal kunnen beschikken - hoe mild of hard het regime ook zal worden. En die wetenschap is al bedrukkend genoeg. De universiteit, die tot nog toe over een grote autonomie had beschikt, heeft zich te voegen naar de grillen van een bezetter waarvan zij het gedrag nog niet kent. Daarbij staat haar, zoals iedere individuele burger, één doel voor ogen: overleven. Dit streven komt op gespannen voet te staan met de academische waarden die weldra tot de wereld van gisteren zullen behoren.

I

De studenten en de schok van het nieuwe

'Nu, júist nu, moeten we goed ons best doen'

DE DUITSE INVAL kondigde zich in Utrecht aan zoals hij zich overal in Nederland aankondigde. Overtrekkende vliegtuigen vlogen richting Engeland, maar bleken híer te moeten zijn. De derdejaars biologie-student Hettie Voûte sloeg het schouwspel vanuit de slaapkamer van haar ouders, die een huis aan de Kromme Nieuwegracht bewoonden, gade. Enkele uren voordat koningin Wilhelmina dat op de Hilversumse radio deed, noemde zij de inval waarvan zij wist getuige te zijn "een schandelijke schending van onze neutraliteit". Zij vond de luchtarmada niettemin een 'fantastisch gezicht'.[1]

De vijfdejaars scheikunde-student Th. van Rhijn, woonachtig aan de Maliebaan, werd gewekt door zijn hospita. De bewegingen in de lucht weerspiegelden zich in rumoer op straat. Van Rhijn toog onmiddellijk naar de sociëteit PHRM aan het Janskerkhof, waar hij vele mede-corpsleden aantrof. "Leden van gezelligheidsverenigingen gingen als vanzelfsprekend naar hun sociëteit. Je wilde wat doen, en op de sociëteit informeerde je naar de mogelijkheden".[2]

De juridisch student J.B.F. van Hasselt, fiscus van de sociëteitscommissie, bevond zich al enige uren in de catacomben van wat door corpsleden 'hare majesteit's eerste herberg' werd genoemd. Met die bestemming hing zijn missie ten nauwste samen. Met enige verenigingsgenoten was hij sinds de zeer vroege ochtend bezig de inhoud van de wijnkelder te vernietigen, waarmee gevolg werd gegeven aan een heuse regeringsopdracht. "Die Duitsers mochten natuurlijk niet bezopen worden, dus met veel animo hebben we alles in die sloot gegooid die voor de sociëteit langsloopt. Niemand had daarna nog zin om wat te drinken, want door de alcoholwalm die vanuit dat slootje opsteeg, waren wij bijkans bedwelmd geraakt".[3]

Over de Nederlandse krijgskansen maakten weinigen zich illusies. Utrecht bevond zich weldra vlak achter het front. "In de nacht na de slag rond de Grebbeberg kwamen massa's Nederlandse soldaten naar Utrecht", herinnert Van Hasselt zich. "Ze waren nogal onredderd en gedemoraliseerd. Voor hen hebben we toen de sociëteit opengesteld. We hebben van alle kanten brood en worsten aangesleept om die mensen een beetje behoorlijk te eten te geven." Wijn kon de gasten niet meer worden aangeboden, dus werd er vooral bier en jenever geserveerd. "Wij maakten die dagen een flinke omzet", zegt toenmalig Senator H. Leopold.[4]

Van Rhijn was inmiddels ingedeeld bij de verkeersdienst. "Omdat er veel militaire auto's door Utrecht reden, had de politie behoefte aan mensen die het verkeer hielpen regelen. Ik zie mij daar nog staan op de kruising van de Maliebaan en de Nachtegaalstraat. De militaire voertuigen reden over de Maliebaan, en het civiel verkeer verplaatste zich op de Nachtegaalstraat. Het was de bedoeling dat ze allemáál bleven rijden, en als niet-militair probeerde je ook de burgers hun rechten te geven. Maar van die militairen kregen we voortdurend op ons lazer als we hen even wilden tegenhouden."

Ook Hettie Voûte was bij de civiele hulptroepen ingelijfd. In 1939 had zij —met het oog op de ontwikkelingen waarvan zij vreesde dat zij zich zouden gaan voordoen— een Rode Kruis-diploma gehaald. "Als je die cursus volgde, moest je je verplichten tot drie jaar dienst. Ik heb daar in '39 natuurlijk wel even over gepiekerd: zal ik mij daar zolang voor beschikbaar stellen. Uiteindelijk heb ik het toch maar gedaan. Maar een heleboel mensen hebben zich door die drie jaar laten afschrikken. Om die reden waren bij de gewondenzorg betrekkelijk weinig studenten betrokken." Zij werd in de meidagen ingeschakeld bij de inrichting van een militair noodhospitaal in het homeopatisch ziekenhuis achter zwembad Den Hommel. Dat was een spoedklus. "We hadden er helemaal niet op gerekend dat al die gewonden naar Utrecht zouden komen. In de kuststreek was voldoende opvangcapaciteit beschikbaar, maar daar waren die Duitse parachutisten geland. Vandaar dat in aller ijl naar Utrecht moest worden uitgeweken. Mijn werk hield in dat ik met militairen in een grote vrachtwagen door Utrecht reed om her en der aardappelen, touw en verduisteringspapier in te slaan voor dat ziekenhuis. Het was allemaal best goed geregeld. Mijn dienst ressorteerde onder het leger, dus dat liep allemaal wel."

Senator Leopold liep zich tijdens de meidagen op het Janskerkhof in zijn mooie pak te verbijten over zijn schamele bijdrage aan de oorlogsinspanning. "Ik had graag willen meevechten, maar was ongeschikt bevonden voor alle vormen van militaire dienst. Ik had, onder de oksels gemeten, anderhalve centimeter te weinig borstomvang. Op die leeftijd ben je een soort denneboom, dus de juiste omvang moet je dan nog krijgen. Ik heb die afkeuring destijds nog gevierd, samen met anderen die hetzelfde was overkomen. Daar waren interacademiale boksers bij, en raceroeiers: afgekeurd vanwege die anderhalve centimeter." Gelijk vele verenigingsgenoten, stelde hij zich beschikbaar voor de luchtbescherming: "wachtlopen op de tweede trans van de Domtoren met een telefoontoestel en een verrekijker waarmee overvliegende toestellen konden worden geïdentificeerd. Ik heb vanaf mijn post de olie-opslag van Amsterdam zien branden, en de Rotterdamse binnenstad in lichterlaaie zien staan. Het was prachtig weer. Je kon het halve land overzien. Op 15 mei gebeurde er helemaal niets meer. Ik zag wel dat de inundatie van de Hollandse waterlinie niet erg succesvol verliep, en ik zag dooie paarden op de weg liggen. Toen kwam dat telefoontje op het toestel dat daar stond: 'het hoeft allemaal niet meer. Kom maar naar beneden'."

Hettie Voûte moest na de capitulatie de geweren verzamelen van gewonde

Nederlandse militairen. "Die gooiden we buiten op een hoop. Op een gegeven moment kwam mijn oudste broer, die de situatie kennelijk beter taxeerde dan ik, langs met een klein autootje waarin hij grote bossen lelietjes der dalen vervoerde voor de gewonde soldaten. Hij zei toen: 'geef mij een paar van die wapens'. Ik heb het níet gedaan. Nee, daar kan ik nu nòg spijt van hebben. Ik was in dienstverband, dus zulke dingen dééd je niet. Waanzinnig! Ik wou dat ik kon zeggen dat ik handelvol wapentuig aan hem had gegeven, maar ik heb het niet gedaan. Jammer... héél jammer."

Neutraliteit

Haast nog meer dan over de Duitse inval zelf was men ontsteld over het feit dat de Nederlandse neutraliteit van nul en generlei waarde was gebleken. Van Hasselt: "Wij geloofden weliswaar niet in vadertje Colijn, maar dat Nederland bij de oorlog betrokken zou raken, geloofden slechts weinigen. Koningin Wilhelmina zei het al: 'Den Haag was een slaapstad, en iedere nacht legde men het hoofd te rusten op het kussen van de neutraliteit'. Daar gelóófden wij in. Te meer omdat die neutraliteitspositie voor Nederland ook in materieel opzicht buitengewoon gelukkig was. In de eerste wereldoorlog had Nederland er in elk geval enorm aan verdiend. Nederland heeft gefloreerd bij de slavenhandel en –later– de wapenhandel. Het werd nooit hardop gezegd, maar zo was het wèl natuurlijk." Zelfs voor Hettie Voûte, die zich omringd wist door "zeer bewust levende mensen" die het nationaal-socialisme als een reële dreiging zagen, "had die neutraliteit, hoe belachelijk dat ook was, toch wel degelijk betekenis."

Het vertrouwen in de neutraliteitspolitiek bracht met zich mee dat men, ook geestelijk, volstrekt onvoorbereid was op de bezetting. Steekwoorden in de omschrijving van de gemoedstoestand na de meidagen zijn: verdoofd, ontworteld en gedesoriënteerd. De vooroorlogse studentenwereld was bij uitstek a-politiek geweest. Hettie Voûte: "De Utrechtse studenten gingen er zelfs prat op dat zij a-politiek waren. Vanuit die ongebondenheid kon je je gedachten ruimer en zuiverder laten gaan, vond men. Die houding had dus een soort morele achtergrond. In het rooie Amsterdam lag dat allemaal een beetje anders, maar in Utrecht was men in beginsel a-politiek. Tot 'mijn' club, de UVSV, drong het inzicht dat je met die gedachte niet meer kon volstaan, en dat je kleur moest bekennen, zelfs na de meidagen van 1940 nauwelijks door. Ik vond het daarom eigenlijk een heel vervelende club." En wat voor de UVSV gold, gold voor alle gezelligheidsverenigingen. Die tendens werd –aanvankelijk althans– door de bezetting eerder versterkt dan dat ze erdoor verzwakt raakte. De wereld zoals men die kende, en waarin het vooral voor het elite-gezelschap der studenten goed toeven was, lag in duigen en de politiek had afgedaan. De Nederlandse regering was, in de toenmalige optiek, eenvoudig opgelost. En toen ze zich vanuit Londen per radio tot het Nederlandse volk begon te richten, maakte ze op hen die hier überhaupt nota van namen beslist geen vastberaden indruk. Koningin Wilhelmina onderscheidde zich in dat opzicht weliswaar positief van haar ministers, maar haar ballingschap werd haar door vele Nederlanders nog lange tijd kwalijk genomen. Toen de tandheelkunde-student en (gedemobiliseerde) militair Otto Backer Dirks in juni 1940 vanuit Duitse krijgsgevangenschap in Utrecht terugkeerde, ontwaarde hij "nog een duidelijke stemming tégen koningin Wilhelmina".[5] Ook binnen het bij uitstek orangistische Utrechtsch Studenten Corps.

NSB-studenten

Radicale politieke doctrines waren onder de Utrechtse studenten nooit geweldig aangeslagen, en daaraan veranderde de bezetting niets. Van Rhijn: "Er waren mensen die zekere sympathieën hadden voor de NSB. De vice abactis in mijn Senaat (die van 1938-'39, SvW) was er bijvoorbeeld zo een. Hij was weliswaar nooit lid van die club geweest, maar voelde wel wat voor die ideeën. Toen de oorlog eenmaal uitbrak, was daar natuurlijk geen sprake meer van." Dat was ook de ervaring van Leopold. "Ik kende wel mensen die zich aangetrokken voelden tot allerlei autoritaire clubs. Niet de NSB weliswaar, maar het Diets Studentenverbond, Zwart Front en Verdinaso. NSB'ers wàren er wel. Zo had je die jongen met die hazelip, Beekman. Die zou later gemene zaak maken met de Duitsers bij de liquidatie van de studentenverenigingen. Welnu, van die mensen wìst je waar ze stonden. Daar werd in het algemeen niet moeilijk over gedaan zolang ze maar niet getuigden in woord of gebaar. Wil je NSB'er zijn? Prima, zolang wij er maar niets van merken. Dat was ongeveer de stemming. Tot de oorlog althans. Toen de Duitsers er eenmaal waren, kòn de NSB echt niet meer. Maar dat hing minder samen met het gedachtengoed van de NSB dan met zijn associatie met de Duitsers. Tegen de NSB'ers binnen de vereniging behoefden geen speciale maatregelen te worden getroffen. Zij kwámen op een goed moment gewoon niet meer. Ook omdat ze überhaupt niet als acceptabele figuren werden gezien. De scheidslijn was: ben je pro-Duits, of ben je alleen maar voorstander van een zekere mate van aanpassing aan moderne ideeën of politieke stromingen. Maar goedpraten wat die Duitsers deden was een hachelijke onderneming."

Een van degenen die het betrof, een latere voorman van de Utrechtse afdeling van het nationaal-socialistische Studentenfront, acht deze weergave van de stemming binnen het USC in grote lijnen juist, met dien verstande dat hij de meidagen van 1940 niet als een cesuur heeft ervaren. "Nee, ik ben gewoon de sociëteit blijven bezoeken, en ik ben blijven roeien. Ik kreeg niet eens een aparte skiff toegewezen, maar bleef deel uitmaken van de acht met wie ik ook vóór de meidagen roeide. Als er vijandigheid tegenover mij heerste, heb ik daar niets van gemerkt. Voorwaarde was wel dat je je aan de code hield. En die behelsde: niet over politiek praten. Dat was vóór de oorlog het geval, en dat was tijdens de bezetting nog steeds zo. Sterker nog: zelfs ná 1945 is mijn rol tijdens de bezetting mij niet zo heel zwaar aangerekend. Kort na mijn vrijlating, in het voorjaar van 1947, bezocht ik de Varsity. Hier werd ik weliswaar niet uitbundig, maar wel heel vriendelijk begroet door voormalige roeivriendjes. We pakten de draad eigenlijk weer op waar we die in 1941 hadden laten liggen. De gezamenlijkheid woog zwaarder dan wat ons scheidde. Het eerste werd gecultiveerd, en over het tweede zwegen we".[6]

Schijn-normaliteit

De overheersende reflex na de meidagen van 1940 was dus: behoud het oude, en negeer het nieuwe zo veel mogelijk. Leopold: "De meesten van ons hebben idioot lang aan de schijn van normaliteit vastgehouden." Nederland had zijn zelfstandigheid verloren, dus koesterde men de souvereiniteit in eigen kring. Symbolisch voor de houding die men tegenover de boze buitenwereld aannam, was een incident dat de rector magnificus Kruyt (1940-'41) in zijn rectoraatsdagboek optekende; "Vrijdag trokken WA-mannen langs de USC-sociëteit, waarop de gordijnen werden dichtgetrokken. Enkele WA'ers drongen daarop naar binnen, waar niemand enige aandacht aan hen schonk".[7] De besturen van de gezelligheidsverenigingen consulteerden in mei en juni 1940 de leden over de houding die tegenover de nieuwe machthebbers moest worden aangenomen. De beleidslijn die uit deze conclaven resulteerde was tamelijk helder: men diende zich van de gewijzigde verhoudingen bewust te zijn, en moest zich onthouden van daden waaraan de Duitsers aanstoot zouden kunnen nemen.[8] Zoals het zingen van vaderlandse liederen. Veronachtzaming van dit gebod leidde op 31 mei 1940 tot een 'rel' in de sociëteit PHRM van het Utrechtsch Studenten Corps, waarvan het college van curatoren −dat zich voorheen nooit met interne verenigingsaangelegenheden bemoeide− op 4 juni een verslag ontving van een getuige. "Toen hij op PHRM kwam, hoorde hij dat om ongeveer elf uur het gezelschap van tien à vijftien personen, waaronder één of twee kapiteins (ritmeesters) en overigens bestaande uit luitenants, meest officieren der cavalerie, het Wilhelmus zingend waren binnengekomen. Dat gezelschap heeft −volksliederen brallend, en in hevig twistgesprek met de Kroegcommissie die tot rust en vermijding van provocatie aanmaande− den tijd tot één uur doorgebracht. Zij zijn toen dwars door de omheining op het Janskerkhof geloopen, en stoorden zich niet aan de schildwacht".[9] Maar dergelijke incidenten, die voor de oorlog niet vermeldenswaard zouden zijn geweest, waren zeldzaam. In het algemeen werd de 'van verantwoordelijkheidsbesef getuigende' gedragslijn door de studenten overgenomen.

Bij de UVSV stond de bezettingstoestand tijdens de algemene ledenvergadering van 28 mei 1940 niet als discussiepunt op de agenda, maar werd er een korte mededeling door de praeses, L. de Langen, aan gewijd. Die sprak de verwachting uit dat de vereniging "zal blijven bestaan en waarschijnlijk in belangrijkheid (zal) winnen, niet alleen als gezelligheidshuis, maar ook als woon- en werkplaats. Men zal trachten alles op de oude voet, aangepast aan de tijdsomstandigheden, voort te zetten." Gesprekken "omtrent de toestand" werden door de praeses op last van de rector magnificus verboden. Niettemin wekte zij de leden op "vol moed en geestkracht dezen tijd door te gaan".[10] En daarmee was het puntje 'oorlog' afgehandeld. Daarna kwam een aantal huishoudelijke kwesties aan de orde; De samenstelling van de novitiaatscommissie 1940 (waarvan onder anderen Hettie Voûte deel uitmaakte), de 'engagementen' en huwelijken waarbij UVSV-leden betrokken waren, en de kwestie van het glas waarmee de tuin sinds de vernietiging van de wijnvoorraad bezaaid was. Men sprak af dat de leden tijdens de theemiddagen scherven zouden gaan rapen.

Tot de gedragslijn waaraan de studenten zich committeerden, behoorde ook het leveren van een zekere bijdrage aan de wederopbouw van het land. Zo ging een groot (zij het niet te specificeren) aantal Utrechtse studenten in mei naar Rhenen −dat tijdens de slag om de Grebbeberg ernstig was gehavend− om daar te helpen bij de leniging der noden onder de burgerbevolking. Van Hasselt was één van hen. "Ik heb daar zo'n veertien dagen gewerkt: onderbrengen van mensen die dakloos waren geworden. Ik zocht adressen voor hen, en probeerde huisraad en dergelijke te regelen. De overheersende moraal in de verenigingen was eertijds: niet te veel in jezelf keren, maar de burgerbevolking helpen waar dat mogelijk en wenselijk was. Dat werd als een erezaak beschouwd." Op 6 juni bood het USC zijn diensten aan de 'regeringscommissaris voor den arbeid', De Quay, aan. De Senaat betuigde zijn instemming met 'diens' Opbouwdienst (een voorloper van de omstreden Nederlandse Arbeidsdienst), en bezon zich nog op de oproep van De Quay aan medische studenten om eventueel werk in Duitsland te aanvaarden.[11] Het engagement kwam verder tot uiting in de inzameling van kleren en andere goederen ten behoeve van de oorlogsslachtoffers, en het bieden van 'nazorg' aan gewonde Nederlandse militairen. Derdejaars UVSV'sters begonnen in september met het breien van truien voor armlastige Utrechtse kinderen −die echter op de overdracht zouden moeten wachten tot 5 december− waarbij men gebruik maakte van de net geïntroduceerde en nog niet op de bon zijnde kunstvezelwol.[12] Maar ook wie liefdadigheid wilde bedrijven, kon zich weldra op een hellend vlak blijken te bevinden. In november werden onder de leden van verschillende gezelligheids-verenigingen collectanten voor de Winterhulp geworven.[13] Was de respons wat mager, of zelfs vijandig, dan wilde een verenigingsbestuur de oproep nog wel eens bekrachtigen. De praeses van de UVSV richtte zich tijdens de ledenvergadering van 25 november (waarop ze zou worden gedechargeerd) met een vermaning tot de aanwezigen omdat een aanmeldingslijst voor de Winterhulp spoedig na zijn bevestiging was beklad. Zij verzocht "diegenen die bezwaar hebben tegen de door het Bestuur opgehangen papieren, deze rechtstreeks aan het Bestuur mede te deelen, en zich niet als straatjongens te gedragen".[14]

Tot de post-capitulatie-reflexen behoorde ook een verhoogde studie-ijver. In het najaar van 1940 studeren relatief veel studenten af.[15] Verenigings-periodieken beklagen zich erover dat vooral ouderejaars het sociëteitsleven in toenemende mate voor gezien houden om zich aan de studie te kunnen wijden.[16] Volgens toenmalig student G. Puchinger diende de studie bij menigeen als compensatie van de neerslachtigheid waar de algemene toe-stand zoveel aanleiding toe gaf. "Wij stelden ons op het standpunt: nu, júist nu, moeten we goed ons best doen. De studie was nog een autonoom gebied... Dàt konden de Duitsers ons tenminste niet afnemen".[17]

Colijn

Voor wie rondliep met het verlangen 'iets' te doen wat aan de verandering van die 'algemene toestand' kon bijdragen, was het een enorm frustrerende tijd. Otto Backer Dirks woonde in de zomer van '40 een lezing bij van de voormalige minister-president Colijn in de sociëteit van het USC, en werd getroffen door het defaitisme dat daar heerste. "Dat was vlak na de verschijning van die brochure van hem: Op de Grens van twee Werelden. Hij zei daar letterlijk dat wij de Duitsers onze samenwerking moesten aanbieden, al was het alleen maar om met enig succes de terugkeer van de koningin te kunnen bepleiten. Ik ben toen ontzettend geschrokken van dat verhaal. Temeer omdat Colijn een opvatting vertolkte die onder brede lagen van de bevolking leefde. Ook onder studenten, zoals ik toen heb kunnen vaststellen." Het door Colijn geschetste perspectief vond uiteraard geen enthousiast onthaal, maar boezemde evenmin veel huiver in. Die Duitsers gedroegen zich immers zo keurig. Leopold: "Dat goodwill-offensief van de Duitsers in de zomer van 1940 ging vrij ver. Ik zag eens een Duits officier in Utrecht een papiertje van straat oprapen met zo'n gezicht van: 'Bei uns macht man das so'. Heel arrogant natuurlijk, maar ach, als dat nou àlles is. Ik heb in die tijd ook wel met Duitsers gepraat, en die hebben mij met zoveel woorden gewaarschuwd voor de dingen die zouden gaan komen wanneer de militaire bezetting zou worden gevolgd door een politieke *Nachschub*. De Duitsers hadden het zichzelf zoveel gemakkelijker gemaakt als ze die Nachschub achterwege hadden gelaten. Als we een louter militaire bezetting hadden gehad met een militair doel, namelijk: de kustlijn in handen houden, dan zou het Nederlandse volk dat tot op zekere hoogte wel hebben geaccepteerd. Want van een verzetsgeest was aanvankelijk hoegenaamd geen sprake."

Hettie Voûte was tot hetzelfde inzicht gekomen: er is weliswaar veel veranderd, maar er gebéurt helemaal niets. "Iedereen zei: het valt allemaal ontzettend mee, terwijl men niet in de gaten had dat de winkels werden leeggeroofd en dat onze voorraden met karrevrachten naar Duitsland gingen. Maar niemand werd er nog door geraakt omdat er nog zoveel wàs. Ikzelf ben door de aanvankelijke vriendelijkheid van de Duitsers geen moment aan het twijfelen gebracht. Ik vertrouwde ze voor geen cent. Het was heel frustrerend om niets te kunnen doen, en je woede niet te kunnen ventileren. Dus ging je je in arrenmoede afreageren bij het gemeenschapshuis van de NSB aan de Kromme Nieuwegracht. Daar stonden elke avond weet ik hoeveel fietsen, en daar kon je heerlijk banden doorsnijden, of duivelsdrek – dat ik uit het laboratorium had meegenomen– op de zadels gooien. Ontzettend kinderachtige dingen, maar je had het gevoel dat je tenminste iets dééd!"

2   De universiteit in de eerste bezettingsmaanden

Snelle gewenning aan het ongewone

HET UNIVERSITAIR BEDRIJF had gedurende de meidagen vrijwel stilgelegen. De hoogleraar verloskunde De Snoo had op dinsdag 14 mei nog examen afgenomen bij 28 studenten,[18] maar van andere onderwijsactiviteiten was het college van curatoren niets bekend. Het niet-onderwijzend personeel was op de winkel blijven passen, en de curatoren zelf kwamen geregeld bijeen. De Senatus Contractus, het 'dagelijks bestuur' van de academische Senaat (het plenum van alle hoogleraren), vergaderde ook een aantal keren, "zelfs op beide Pinksterdagen".[19] Eén maal was hierbij ook aanwezig jhr mr dr L.H.N. Ridder Bosch van Rosenthal, de commissaris der koningin in de provincie Utrecht en lid van het college van curatoren. Diens optreden maakte, gelijk de rede die hij eerder had gehouden voor de ambtenaren van het provinciehuis,[20] grote indruk op de aanwezigen. "Deze autoriteit zette", aldus rector magnificus prof.dr F.H. Quix, "den toestand waarin ons land naar zijn inzicht verkeert uiteen, wees op den zeer moeilijken tijd die ons allen ongetwijfeld wacht, en spoorde ons aan met een warm beroep op onze nationale gevoelens en onze liefde voor de Universiteit, ons –ook in de vervulling van de taak welke de wetenschap van ons vraagt, zonder de rem welke het werkelijkheidsbesef van ons eischt uit het oog te verliezen– als goede en trouwe Nederlanders te blijven gedragen".[21] In de rede waarin Quix deze zin produceerde, zei hij verder dat de Senaat zich in verband met de oorlogstoestand niet had kunnen laten vertegenwoordigen bij de begrafenis van de bijzonder hoogleraar prof.dr J. van Gelderen[22] die zelfmoord had gepleegd nadat hem de tijding van de Duitse inval had bereikt. Een andere hoogleraar, prof.dr U.G. Bijlsma, ontbrak toen de universiteit haar werkzaamheden hervatte omdat hij zich bij het uitbreken van de oorlog in toenmalig Nederlands-Indië bevond. Verder waren twee privaat-docenten het land ontvlucht.[23]

Op 20 mei 1940 was, aldus het jaarboek van de universiteit, alles weer 'normaal' in Utrecht en kon worden begonnen met de inventarisatie van de schade die de oorlog had veroorzaakt. Die viel in materieel opzicht nogal mee. Alleen een gebroken ruit in het pand Trans 10, het onderkomen van het college van curatoren, werd in verband gebracht met de gebeurtenissen tijdens de meidagen: een militair voertuig zou te hard door het smalle straatje zijn gereden.

Ontvangst Duitse commandant

De schade was hersteld toen op donderdag 23 mei, 15.00 uur, de commandant van de Duitse bezettingstroepen in Utrecht arriveerde voor een kennismakingsgesprek met de rector magnificus. Het initiatief was van de Duitser uitgegaan, die zich daarvoor telefonisch tot Quix' privé-adres had gewend. "Toen mijn vrouw antwoordde dat de Rector bereid zou zijn bij den commandant te komen op een uur dat deze zelf zou wenschen, kreeg zij ten antwoord dat niet hij plaats en uur voor dit onderhoud wilde bepalen, doch dat hij wenschte dat de Rector dit zou doen".[24] Quix maakte daarop een afspraak, liet de vergaderkamer van het college van curatoren 'keurig' voor de ontvangst in orde maken, en informeerde bij burgemeester Ter Pelkwijk– die de Duitser al eerder had ontmoet –hoe hij zich ten overstaan van de bezettingsautoriteiten moest gedragen. "De burgemeester deelde mij mede dat hij den commandant met eene buiging ontvangen had, echter geen hand had toegestoken, en dat het gesprek zeer beleefd gevoerd was." Dat was ook de ondervinding van de rector magnificus. De commandant zette omstandig het beleid uiteen dat de Duitsers in Nederland zouden gaan voeren. De kern van de boodschap: het maatschappelijk, cultureel en economisch leven zou door de nieuwe machthebbers intact worden gelaten. De commandant sprak zelfs de stoutmoedige verwachting uit dat de economie wel zou varen onder het nieuwe continentale stelsel. Desgevraagd verzekerde de commandant Quix dat tegen niemand om reden van ras of politieke overtuiging zou worden opgetreden. De autonomie van de universiteit zou worden gerespecteerd, mits de bereidheid tot samenwerking die hij bij de gemeentelijke overheid had waargenomen ook getoond werd door het universiteitsbestuur. "Sinds hij Utrecht was binnengetrokken had hij slechts één bevel uitgevaardigd. Dat was het bevel tot inkwartiering. Hij hoopte dat dit het eerste en het laatste bevel zou blijven." Veel zou ook afhangen van de houding die de studenten tegen de nieuwe overheid aan de dag zouden leggen. "Hij hoopte dat ik als Rector zou medewerken om te bereiken dat ook in de studentenwereld een juist begrip van den toestand zou doordringen", besloot Quix zijn verslag.

De rector magnificus meende in de geest van dit verzoek te handelen door kort na dit onderhoud de besturen der gezelligheidsverenigingen met klem te ontraden discussies over 'de toestand' te entameren. Voor het overige volstond de universiteit enige tijd met een afwachtende houding. Alleen ten behoeve van de achttien in Utrecht woonachtige "inlandsche en Chineesche" studenten uit Nederlands-Indië die geen contact meer konden onderhouden met hun broodheer, moest onmiddellijk actie worden ondernomen. De gezelligheidsverenigingen zamelden reeds in mei geld in om de ernstigste noden te lenigen, maar de secretaris van de Senaat, prof.dr L.M.R. Rutten, zette zich in voor een structurele oplossing van het probleem. Uitgaande van een toelage van tachtig gulden per maand –die de Indonesische studenten in Leiden op dat moment kregen uitgekeerd– meende Rutten over een fonds van ten minste 1.500 gulden te moeten beschikken. Hij deed hiervoor (vergeefs) een beroep op de gemeente Utrecht, op het Universiteitsfonds en de gezelligheidsverenigingen. Die brachten in juni duizend gulden bijeen. Dat bedrag was echter in juni al uitgekeerd toen ook Nederlandse studenten wier ouders of voogd in Nederlands Indië woonden een beroep op het noodfonds gingen doen. Rutten voerde een inventarisatie uit onder de 76 studenten die het betrof, en kwam op basis hiervan tot het inzicht dat 59 van hen nog slechts twee maanden het hoofd boven water konden houden, dat veertien studenten vanaf eind juni een beroep op het fonds zouden moeten gaan doen, en dat drie als onmiddellijk hulpbehoevend moesten worden aangemerkt. Zij kregen wekelijks een voorschot van de universiteit van vijf gulden.[25] Toen de hoop op een spoedig herstel van de verbindingen met Indië in het najaar van 1940 ijdel bleek, trof het departement van Onderwijs, Kunsten & Wetenschappen (zoals het toen nog heette) een definitieve −maar nauwelijks royalere− regeling.

Ambtenarenverklaring

De overheid legde spoedig een actievere houding aan de dag dan waarvan op grond van de uitspraken van de (overigens niet bevoegde) commandant van de Duitse bezettingstroepen in Utrecht mocht worden uitgegaan. Op 22 juni 1940 −een week voor de eerste verjaardag van een lid van het koninklijk huis, prins Bernhard, tijdens de bezetting− werd vlagvertoon vanaf openbare gebouwen verboden.[26] Op 24 juni werd het zogenoemde ambtenarenverbod −de sinds 1934 van kracht zijnde bepaling dat ambtenaren geen lid mochten zijn van NSB, NSNAP-Kruyt, NSNAP-Van Rappard, Zwart Front, Nederlandsche Volkspartij en hun mantelorganisaties− buiten werking gesteld.[27] Onder de hoogleraren was inmiddels ongerustheid ontstaan over de zogenoemde ambtenarenverklaring die volgens enkele dagbladen spoedig ter ondertekening aan hen zou worden voorgelegd. Hoe de tekst van dit document precies zou luiden wist men op dat moment nog niet, maar het lag in de rede dat het om de belofte zou gaan dat niets tegen het Duitse Rijk of de Duitse weermacht zou worden ondernomen. In een brief aan het college van curatoren vroegen de voorzitter en secretaris van de academische Senaat zich af "of deze eed of verklaring onder goedkeuring en toestemming der wettige Nederlandsche overheid kan worden afgelegd of getekend, en eveneens welke de gevolgen zouden kunnen zijn voor die leden, die de overtuiging toegedaan zouden kunnen zijn dat de eer en plicht als Nederlander zich verzet tegen het afleggen van een verklaring tegenover een vreemde mogendheid".[28] Het curatorium wist het ook niet, en zond de brief van de Senaat door naar de secretaris-generaal van het departement van Onderwijs, Kunsten en Wetenschappen, Van Poelje. Die antwoordde op 1 juli dat er inderdaad een ambtenarenverklaring in de maak was, maar dat die weinig meer beoogde dan dat men zich van de gewijzigde omstandigheden rekenschap gaf. Er laten zich, zo besloot Van Poelje zijn sussende brief, "toestanden denken waartegen het gemoed veel feller zich verzetten zou dan tegen het tijdelijk gehoorzamen aan de vertegenwoordigers van den overwinnaar, die op hun beurt slechts hun plicht doen".[29] Hiermee was de brandende zorg van de Senaat kennelijk weggenomen. Op het schrijven van Van Poelje werd verder niet gereageerd. En toen van de ambtenaren in augustus inderdaad de ondertekening werd gevergd van een onthoudingsverklaring –die veel gemeen had met de loyaliteitsverklaring die drie jaar later voor beduidend meer commotie zou zorgen–, werd ze door alle aan de RUU verbonden ambtenaren getekend.

Protestnota Geyl

Op 16 september draagt Quix het rectoraat over aan prof.dr H.R. Kruyt. Deze eminente scheikundige krijgt vrijwel meteen met de eerste anti-joodse maatregel van de Duitse overheid te maken. Zij bepaalt dat joden niet langer in aanmerking komen voor het ambt van hoogleraar. Binnen de academische Senaat heerst hierover veel ongenoegen. Op instigatie van de historicus prof.dr P.C.A. Geyl wordt een protestnota opgesteld met de bedoeling die naar de secretaris-generaal van het departement Onderwijs te zenden. Geyl legt het stuk op 22 september aan Kruyt voor. Die is het met de toonzetting weliswaar niet eens, maar zegt toch toe zijn handtekening toe te voegen aan de (inmiddels lange) lijst van ondertekenaars. Als privé-persoon wel te verstaan, en niet als rector magnificus. Hij wilde van de niet-benoembaarheid van joden namelijk geen universiteitskwestie maken, zoals hij Geyl ter verklaring van zijn standpunt meedeelde.[30] Binnen het college van curatoren rees echter weerstand tegen Kruyts aandeel in het protest. De curatoren De Savornin Lohman en De Geer van Jutphaas (secretaris van het college) meenden, aldus Kruyt in zijn rectoraatsdagboek, "dat men op deze kwestie geen kansloze strijd moet voeren, (en) liever zijn positie sterk moet houden".[31] Kruyt bleek gevoelig voor dit argument, en deelde Geyl op 26 september mee van ondertekening van het petitionnement af te zien. Hoeveel Utrechtse hoogleraren het stuk uiteindelijk hebben ondertekend is niet bekend, maar uit het dagboek van Kruyt valt op te maken dat het er veel minder zijn geweest dan in Amsterdam (Stedelijke Universiteit) en Leiden waar soortgelijke protestnota's door ongeveer tachtig procent der hoogleraren werden ondertekend.[32]

Hellend vlak

Op vrijdag 27 september brengt Kruyt een kennismakingsbezoek aan de 'Beauftragte' van de Rijkscommissaris in de provincie, Joachim, die domicilie heeft gekozen in het fraaie pand Maliebaan 12. Daar hoeft Kruyt, die zijn dagboekaantekeningen met curieuze details pleegt te larderen, slechts twee minuten te antichambreren voor hij wordt ontvangen door Joachim. Die informeert niet –zoals Kruyt vreesde– naar de handtekeningenactie onder de hoogleraren, maar naar de eigenaardigheden van de Nederlandse universiteiten. Wat, zo wil hij weten, behelst het instituut 'bijzonder hoogleraar'. En hoe wordt de rector magnificus gekozen? Joachim heeft vooral belangstelling voor de 'a-politieke' studentenwereld. "Hoe voelen ze", vraagt hij aan Kruyt. "Anti-Duits of anti-Engels? Ik: ze voelen zich pro-Nederlands; ze uiten zich altijd sterk nationalistisch Nederlands".[33] Het gesprek duurt drie kwartier. Om elf uur zit Kruyt weer op zijn fiets. Kwalificaties als 'plezierig' of 'hoffelijk' die zijn voorganger in dergelijke gevallen nogal eens bezigde, komen in Kruyts beschrijvingen van zijn ontmoetingen met Duitse gezagdragers zelden voor. Ze vormden het voort-vloeisel van een ambt dat hij niet had geambieerd, maar waarvan zijn anciënniteitspositie in de Senaat had bepaald dat het hem toeviel. De tijds-omstandigheden brachten nu eenmaal met zich mee dat hij andere instan-ties en personen op zijn weg vond dan hij misschien prettig vond. Per geval moest worden bepaald of gehoor moest worden gegeven aan een uitnodi-ging of opdracht van de bezettende overheid. Een overheid waarvan men eertijds nog niet wist wat ze met het bezette gebied voorhad, en waarmee –volgens de in 1937 geformuleerde richtlijnen van de toenmalige Neder-landse regering– moest worden samengewerkt voorzover dit verenigbaar was met de Nederlandse belangen.[34] Kruyt probeerde voortdurend te bepa-len waar hij zich op het hellende vlak bevond, en ging hierbij te rade bij personen die doorgaans een rekkelijk standpunt innamen.

Zo bereikte hem op 25 september via de secretaris van de Stedelijke Uni-versiteit te Amsterdam, De Groot, de uitnodiging om de zaterdag daarop aanwezig te zijn bij de oprichtingsplechtigheid van de Kultuurkring (de K gaf de ideologische lading al enigszins weer) in de Pulchri Studio in Den Haag ter gelegenheid waarvan de Amsterdamse hoogleraar dr G.A.S. Snij-der een lezing zou houden. Tot de aanwezigen zou, zo werd Kruyt gemeld, ook "Excellentie Seisz Inquart" (sic!) behoren.[35] Desondanks –of juist daarom– adviseerde De Groot aan de uitnodiging gehoor te geven. Die-zelfde mening was de waarnemend secretaris-generaal van het departement van Onderwijs, Reinink, toegedaan.

Zo waren Kruyt, secretaris Rutten, en vertegenwoordigers van àlle andere Nederlandse universiteiten (alleen de secretaris van de RUG, Van de Corput, liet verstek gaan) aanwezig bij de bijeenkomst die Kruyts Amsterdamse collega Brouwer later zou kenschetsen als "een van de meest ellendige bezigheden die ik als rector heb moeten doorstaan".[36] Kruyt laat zijn gemoedstoestand onvermeld in het –voor ambtelijke doeleinden bestemde– rectoraatsdagboek. Van de bijeenkomst in de Pulchri Studio meldt hij alleen dat hij door Reinink werd geïntroduceerd bij Seyss Inquart. Hoe lang hij met de Rijkscommissaris heeft gesproken, en waarover het gesprek ging laat hij ons niet weten. De dagbladen daarentegen, stonden uit-voerig stil bij de plechtigheid. De Nieuwe Rotterdamsche Courant drukte zelfs de redevoeringen van Snijder en die van Seyss Inquart integraal af in zijn editie van 29 september. Uiteraard onthielden de kranten zich van com-mentaar op de woorden van de Rijkscommissaris (die dan ook betrekkelijk nietszeggend waren), maar ze putten nog volop uit hun laatste restje pers-vrijheid om de toespraak van Snijder te hekelen. Diens geste tegenover Seyss Inquart om zijn rede in het Duits te houden viel verkeerd, maar meer nog trokken commentatoren van leer tegen Snijders bewering dat de Neder-landse wetenschap en cultuur zich voor de oorlog vooral hadden openge-steld voor 'westerse' invloeden, en zich hadden afgesloten voor alles wat uit het oosten kwam. De Tijd schreef hier op 8 oktober over; "Wanneer wij (...) in alle oprechtheid ons de vraag stellen waarom op bepaalde gebieden een verwijdering is gekomen, dan ligt de oorzaak daarvan niet in een onbe-hoorlijk critisch vooroordeel tegenover de Duitsche ontwikkeling en geestesgesteldheid, maar eerder in de propaganda van Nederlandsche bewegingen en partijen die bepaalde Duitsche zaken ook bij ons klakkeloos ingang willen doen vinden".[37] Ook Kruyt en zijn collega-rectores overwogen bezwaar aan te tekenen tegen de beweringen van Snijder. In een concept-brief betoogden zij dat de samenwerking met Duitse wetenschappers voor de oorlog even innig, zoniet inniger was geweest als die met niet-Duitse collega's, maar waarschuwden zij tevens tegen het verder aanhalen van de banden omdat de wetenschap niet gebaat is bij een te eenzijdige oriëntatie, zeker niet wanneer dit op grond van ideologische in plaats van vakinhoudelijke argumenten zou gebeuren.[38] De brief bleef onverzonden, omdat de auteurs meenden dat het niet tot hun competentie behoorde om de uitspraken van Snijder te weerleggen, maar dat dit een taak was voor de Nederlandsche Akademie van Wetenschappen. Die voelde zich hiervoor echter onvoldoende aangesproken, misschien omdat ze niet was uitgenodigd voor de lezing van Snijder.

Gijzelaars

Hoe snel men gewend raakte aan de ongewone tijdsomstandigheden, bleek toen een aantal Utrechtse hoogleraren op 7 oktober in gijzeling werd genomen als reactie op de internering van Rijksduitsers in Nederlands-Indië. Het betrof prof.dr ir J.I.M.J. Schmutzer (die al op 13 juli in verband met diens 'Deutschfeindlichkeit' in hechtenis was genomen), prof.jhr dr B.C. de Savornin Lohman, prof.dr S. van Brakel, prof.dr P.C.A. Geyl en de bijzonder hoogleraren prof.dr E.C.J. Mohr en prof.dr G.A.Ph. Weyer.[39] Het gezelschap werd, aldus Kruyt in zijn dagboek naar "Buchwalde bij Weimar" afgevoerd,[40] waar zich op 24 oktober prof.dr F.C. Gerretson bij hen voegde. De laatste werd op 1 november alweer in vrijheid gesteld, maar de achterblijvers gingen een detentie in die enkele maanden (Van Brakel) of bijna vier jaar (Geyl) zou duren. In Utrecht werd op deze inbreuk op de gekoesterde universitaire autonomie nauwelijks gereageerd. Kruyt en zijn vrouw brachten een bezoek aan de echtgenotes van de gegijzelden, en de secretaris van het college van curatoren, De Geer, zegde Kruyt toe tegen de gijzeling te zullen protesteren (welke actie overigens niet zijn weerslag vond in de archieven). De waarnemend secretaris-generaal van Onderwijs evenwel, achtte "actie van de zijde der Universiteit nutteloos en ongewenst"), [41] voor welke influistering Kruyt zich ontvankelijk toonde.

Duitse justitie

Inmiddels hadden ook enige Utrechtse studenten ervaring opgedaan met de Duitse rechtsopvattingen. Het eerstejaars corpslid Enklaar werd op 19 oktober gearresteerd nadat hij −in vervolg op een diner in Bilthoven waar hij op studentikoze wijze met vuilisemmers in de weer was geweest− op het Neude een Duits militair bord had beschadigd. Voor dit klein vergrijp bleef hij in voorarrest tot zijn zaak op 11 november voor een Duitse militaire rechtbank diende. Hij werd tot twee maanden gevangenisstraf, zonder aftrek, veroordeeld. Kruyts ergernis gold niet zozeer het straffe optreden van de Duitse rechter, maar meer het onverantwoordelijke gedrag van Enklaar.[42]

In een brief aan diens ouders sprak Kruyt de hoop uit dat van de straf een louterende invloed zou uitgaan. Eerder had hij een verzoek van de rector van het USC om bij de rechter op clementie aan te dringen categorisch van de hand gewezen.[43]

Kan ter verklaring van deze houding in het bovenstaande geval nog worden gewezen op het feit dat betrokkene ook niet geheel vrijuit gaat, anders ligt dat bij twee Utrechtse studenten – W.F.H. Hoetjer en A.W.F. Hagenaar– die op 13 augustus 1940 (na een voorarrest van ruim een maand) door het Duitse Feldkriegsgericht tot respectievelijk drie en twee jaar tuchthuisstraf werden veroordeeld wegens vermoeden van 'Feindbegunstigung' – een straf waartegen geen beroep mogelijk was. Zij hadden, in een poging indruk te maken op hun omgeving, gesuggereerd dat zij contacten met Engeland onderhielden. Toen de politie bij Hoetjer een brief van diens verloofde aantrof waarin zij erop aandrong zich niet met illegaal werk in te laten, werd hij gearresteerd. Op 10 september, bijna een maand na zijn veroordeling, schreef hij een brief aan het college van curatoren waarin hij verzocht om ondersteuning van een verzoek om strafvermindering of verlof om in de gevangenis zijn Indologie-studie te hervatten. De toestand waarin hij zich bevond, deprimeerde hem in hoge mate. De 'zenuwtoevallen' waaraan hij zei al vijftien jaar te lijden, namen sinds de aanvang van zijn detentie in frequentie en hevigheid toe. Bij een geregelde studie meende hij veel baat te hebben. De secretaris van curatoren stelde zich echter op het onbegrijpelijk starre standpunt dat het "niet op den weg van Curatoren (ligt) om stappen te doen in strafzaken tegen studenten. Ook al ware dit anders, dan zou een verzoek om gratie niet kunnen worden opgesteld zonder onderzoek of zoodanig verzoek gemotiveerd is, m.a.w.: zonder kennis van de stukken".[44] Wat hem betreft was hier de kous mee af. De voorzitter van het college, dr H.Th. 's-Jacob, legde de zaak echter aan een bevriend jurist voor (de curator mr dr J. Donner). Die bevestigde dat de Duitse instanties hun dossiers voor Nederlanders gesloten hielden, zodat een verzoek om gratie of strafvermindering niet onderbouwd kon worden, en dus zinloos was. Kennelijk heeft de universiteit het hierbij laten zitten. Pogingen om Hoetjer en Hagenaar op andere wijze te helpen dan door het ondersteunen van een verzoek tot strafvermindering, zijn niet ondernomen, getuige het feit dat De Geer niet op de hoogte bleek te zijn van Hoetjers verblijfplaats toen het Nederlandse Rode Kruis hier op 14 juni 1941 naar informeerde.[45]

3 De joodse hoogleraren ontslagen

'Berusting onder stil protest'

I N OKTOBER 1940 werd aan de hoogleraren opnieuw een document ter ondertekening voorgelegd. Ditmaal betrof het de afstammingsverklaring, door Kruyt niet-jood verklaring genoemd. Hierop moest de kerkelijke gezindheid van ouders en grootouders worden ingevuld. Kruyt meldde in zijn rectoraatsdagboek dat in Leiden een 'weigercampagne' tegen deze maatregel gaande was, maar had zelf tegen invulling van het document geen bezwaar. "Ik heb als mijn mening gezegd dat het hier een vraag van mr Reinink betreft (zij het onder vermelding van Duitse opdracht) en ik geen bezwaar gevoeld heb het eigen Nederlandse Departement te antwoorden." En zo dachten de meeste Utrechtse hoogleraren er kennelijk over. "Zover ik wist, heeft niemand in Utrecht bezwaar gevoeld, althans mij niet kenbaar gemaakt".[46] Wat de hoogleraren betreft klopt dit. Van de bijzonder hoogleraren echter, weigerden twee te tekenen. Het betrof prof.dr S.F.J.H. Berkelbach van der Sprenkel en prof.dr M.J.A. de Vrijer. Deze beriepen zich overigens niet op overwegingen van principiële aard, maar meenden – tot zij door de secretaris van curatoren op andere gedachten werden gebracht – niet te hóeven tekenen omdat zij geen ambtenaar waren. De enig bekende uiting van protest is afkomstig van de bijzonder hoogleraar G.J.W. Genité die de formulieren (ingevuld) retourneerde "onder aanteekening dat ondergeteekende met weerzin aan deze on-Nederlandsche opdracht heeft voldaan".[47] De privaatdocent mevrouw dr H.A. Bakker hield het verzoek van de secretaris van curatoren om de verklaring in te vullen enige tijd in "ernstig beraad", maar deed uiteindelijk toch wat van haar werd verlangd.

Het is curieus dat elk weerwerk tegen de afstammingsverklaring uitbleef terwijl nog geen twee maanden eerder door vele hoogleraren tegen de ambtenarenverklaring werd geopponeerd. Misschien vreesden velen het lot van de gegijzelde collega's te moeten delen indien zij zouden weigeren de verklaring in te vullen. Het feit dat Geyl, in september de spil van het verzet tegen de ambtenarenverklaring, tot de gegijzelden behoorde zal ook aan de Utrechtse dociliteit hebben bijgedragen. Verder moet niet worden uitgesloten dat de tekst van het document als vrij onschuldig werd ervaren, omdat 'joods' niet als etnische categorie werd gebruikt, maar als aanduiding van een kerkelijke gezindheid.[48] Deze definitie stelde hen die het formulier gewetensvol wensten in te vullen geregeld voor problemen. Zo deelde prof.dr J. Roos de secretaris van curatoren mee niet te weten tot welk kerkgenootschap zijn grootouders hadden behoord. "Ik ben bereid tot het verzamelen van de betreffende gegevens, indien dit noodig mocht zijn".⁴⁹ Roos kon zich de moeite besparen; ondanks de onvolledigheid van zijn afstammingsverklaring werd hij als jood aangemerkt, en kort daarop geschorst. De assistent dr L. A. Hulst verklaarde dat drie van zijn grootouders "van rassenstandpunt uit" weliswaar joods waren, maar wellicht niet tot een joods kerkgenootschap hadden behoord. "Indien de verschillende gegevens aanvulling behoeven, had ondergeteekende daarvan gaarne bericht".⁵⁰

Schorsingen

Voor alle verklaringen aan afzender waren geretourneerd, bepaalde de Duitse overheid dat een ieder die twee 'voljoodsche' grootouders had onmiddellijk moest worden geschorst. Er deden al enige tijd geruchten de ronde dat zo'n maatregel in de maak was. Tijdens een vergadering in Amsterdam op 13 november drongen deze tot Kruyt door. Hij deed geen moeite een en ander te verifiëren, en stelde de kwestie in zijn dagboek vervolgens een week niet aan de orde. Op 21 november echter, vernam hij van prof.dr V. J. Koningsberger (Wis- en Natuurkunde) –die goed op de hoogte was van wat onder de studenten leefde– dat de mogelijke afzetting van joodse hoogleraren de gemoederen zeer had verhit. "Men wil activiteit", zo gaf Kruyt zijn woorden weer. "Er gingen stemmen voor staking op, of eventueel niet bezoeken van colleges van plaatsvervangers, ja zelfs een verzoek aan de overheid om dan maar de Universiteit te sluiten. Ik uitte mijn afkeer van dergelijke verwoestende middelen".⁵¹ 's Avonds woonde Kruyt een uitvoering bij van de USTV, de toneelvereniging van Unitas, in het K&W-gebouw aan de Mariaplaats. Hij stelde er tot zijn genoegen vast dat, in overeenstemming met de richtlijn van zijn voorganger, de rector magnificus en de secretaris van de Senaat in protocollair opzicht boven de burgemeester waren geplaatst. Na afloop van de "niet onverdienstelijke uitvoering" stelde hij het mogelijke ontslag van joodse hoogleraren aan de orde tijdens een gesprek met de burgemeester. Die bevestigde dat een dergelijke maatregel weldra zou worden afgekondigd.

De burgemeester bleek goed geïnformeerd. Reeds de volgende dag, vrijdag 22 november, deelde De Geer op gezag van Reinink aan de rector magnificus mee dat drie Utrechtse hoogleraren en vier (hoofd-) assistenten 'sofortig' moesten worden ontslagen. Het betrof prof.dr L.S. Ornstein, prof.dr J. Wolff (beiden verbonden aan de faculteit Wis- en Natuurkunde), prof.dr J. Roos (Diergeneeskunde) en de assistenten I. Katz, F. Fischer, A. Pais en J. van der Hoeden. Als kennelijk doekje voor het bloeden had Reinink zijn mededeling vergezeld doen gaan van de verzekering dat hij zich zou beijveren voor een 'Ehrenariërschap' voor de drie hoogleraren, en de hoogst geplaatste assistent, Van der Hoeden. Deze 'gunst', die de Duitsers in hoogst uitzonderlijke gevallen aan 'onmisbaar geachte Joden' toekenden, zou de betrokkenen vrijwaren van vervolgingsmaatregelen. De Geer informeerde meteen "of zulk een aanvraag hun welgevallig is". In het geval van Roos deed hij dat, aldus Kruyt in zijn dagboek, "in zo ongegrijpelijke termen, dat Roos natuurlijk ja zeide. Ik heb het gepreciseerd, waarop Roos zeide jood te zijn en daaraan niet getornd wenste te zien".[52] Ook in andere opzichten verschaften De Geer en Kruyt de hoogleraren met hun mondelinge toelichting niet altijd de hiermee beoogde duidelijkheid. Zo wilde Roos van hen weten of 'sofortig' moest worden uitgelegd als 'op staande voet'. De Geer meende van niet —al wist hij niet wanneer de maatregel wèl van kracht zou worden—, Kruyt dacht van wel.

Op zaterdag 23 november ontvingen de joodse ambtenaren een brief van het departement die uitsluitsel gaf. "Ingevolge opdracht van den Rijkscommissaris voor het bezette Nederlandsche gebied ter zake van niet-arisch overheidspersoneel en met dat personeel gelijkgestelden, breng ik te Uwer kennis dat U met ingang van heden van de waarneming van Uw functie (...) is ontheven. De Rijkscommissaris heeft bepaald dat de betrokkenen voorlopig in het genot blijven van hunne wedden".[53] Degenen die dit schrijven ontvingen zullen geen troost hebben ontleend aan de wetenschap dat zij uit hun ambt waren ontheven —en niet waren *ontslagen* (zoals Kruyt hun een dag eerder nog had meegedeeld)— maar voor de universiteiten bracht dit subtiele verschil met zich mee dat zij de plaatsen die met de schorsing van de joodse werknemers waren opengevallen, voorlopig niet als vacatures hoefden te beschouwen en dus konden volstaan met het aantrekken van tijdelijke plaatsvervangers. Daarmee meenden zij zich buiten de door de Duitsers gecreëerde werkelijkheid te kunnen plaatsen, terwijl de vervulling van een vacature legitimiteit zou hebben verschaft aan de maatregel waarvan die vacature het gevolg was. Lang zou deze situatie overigens niet meer duren. Op 21 februari 1941 werd de ontheffing van joodse ambtenaren omgezet in ontslag (nadat de betrokkenen eerder al het genot van periodieke verhogingen van hun salaris was ontzegd), en werd hun wedde teruggebracht tot 85 procent van het laatst genoten inkomen gedurende de eerste drie maanden tot zeventig procent gedurende de volgende vijf jaren.[54]

Overleg

Kruyt geeft in zijn dagboek geen uiting aan de droefheid die hij moet hebben gevoeld toen hij drie van zijn collega's van hun ontheffing in kennis stelde. Hij toont zich alleen geërgerd over het feit dat hij op een zo slordige manier over de maatregel is ingelicht, wat hem de curieuze uitspraak ontlokt dat "de zaak te Amsterdam wel heel wat *fraaier* (cursivering van auteur) is behandeld dan hier". Zijn collega van de Stedelijke Universiteit aldaar, Brouwer, was tijdig door burgemeester De Vlugt op de hoogte gebracht. Dat kan, meent Kruyt, hebben samengehangen met de omstandigheid dat in Amsterdam meer personen —dertien hoogleraren en lectoren— waren uitgesloten dan in Utrecht.

Kruyt onderhoudt dezer dagen intensief contact met Brouwer. "Wij zijn het eens dat, wat ook anderen deden, de Rector tot het laatst op zijn post blijft zolang geen actieve mensonterende daad van hem verlangd wordt. Hij represeert (sic!) de eeuwenoude continuïteit der universiteit".[55] In zijn ambtsuitoefening wordt de 'Joodse kwestie' nogal wrang geflankeerd door 'business as usual'. Meteen na hun pijnlijke onderhoud met de hoogleraar Roos, bespreken Kruyt en De Geer de tekortkomingen in de verzending van het jaarboek der universiteit (die niet alle lectoren hebben ontvangen). 's Middags woont Kruyt de viering van het lustrum van Unitas Pharmaceuticorum bij, "niet als Rector, maar als erelid".

De dag daarop komt het zojuist in het leven geroepen College van Interacademiaal Overleg (CIO) —een overlegorgaan waarin vertegenwoordigers van de Nederlandse universiteiten zitting hebben— in Amsterdam ten huize van prof.dr P. Scholten bijeen om zich te beraden over de vraag of, en zo ja: op welke wijze, door de universiteiten moest worden gereageerd op de jongste gebeurtenissen. Afgesproken wordt dat de hoogleraren zich tijdens hun colleges over de zaak zullen uitspreken, en deze gelegenheid tevens aangrijpen om de aanwezige studenten tot kalmte te manen. Dat namelijk, lijkt men op dat moment het meest te vrezen: dat studenten gaan demonstreren of —erger nog— staken. Denkbeeldig is die vrees allerminst, zoals men in Delft en Leiden binnen een week kan vaststellen. De studenten tonen zich sterker onder de indruk van de eerste echte repressiemaatregel dan de hoogleraren, wier verantwoordelijkheden hen nogal eens beletten uiting te geven aan hun gevoelens. Nog voor de universiteiten in conclaaf gaan om een gepaste maar niet te manifeste reactie te formuleren, zijn in Utrecht enige honderden adhesiebetuigingen voor de geschorste hoogleraren verzameld, heeft de Nederlandse Studenten Federatie (NSF) bij het college van secretarissen-generaal tegen de Duitse maatregel geprotesteerd, en zijn de eerste stakingsoproepen uitgegaan.[56] Terug in Utrecht, vraagt Kruyt aan Koningsberger zich op de hoogte te stellen van de stemming binnen de gezelligheidsverenigingen (die als vliegwiel van eventuele acties kunnen gaan fungeren). Van hun vertegenwoordigers krijgt hij de toezegging dat zij niets ondernemen zonder voorafgaand overleg met hem. Koningsberger raadt de studenten aan in dezen de leiding van de hoogleraren te aanvaarden, en te wachten op wat zij de volgende week tijdens hun colleges zullen opmerken. Intussen, het is zondag 24 november, heeft Kruyt een bezoek gebracht aan de geschorste hoogleraren Ornstein en Wolff "die gelaten hun lot aanvaarden en dankbaar voor getoond medegevoel zijn".[57] Verder heeft Kruyt die dag veel contact met hoogleraren, en poogt hij de door het CIO geformuleerde gedragslijn ingang te doen vinden. Veel moeite hoeft hij hiervoor niet te doen. Hoe groot de verontwaardiging binnen de academische Senaat ook is, er gaan geen stemmen op voor protestuitingen met een meer dan symbolische betekenis. Sommige hoogleraren overwegen een rouwband te gaan dragen. Kruyt weerhoudt hen hiervan: "Wanneer moet zoiets eindigen?" Anderen willen een protestverklaring laten rouleren. Ook dit riekt Kruyt te veel naar 'demonstratie'. Zijn adagium is (en blijft): "Laat men zich als individuen uiten, niet als corporaties."

En zo kwam het dat enige Utrechters spraken terwijl de universiteit zweeg.

Rede Koningsberger

Op maandag 25 november en de daarop volgende dagen stelde een aantal hoogleraren de schorsing van hun joodse collega's publiekelijk aan de orde.

De als apologie bedoelde kroniek 'De Utrechtsche Universiteit tijdens de Bezetting 1940-1945' (die in 1945 –vermoedelijk– door Koningsberger is geschreven), meldt dat de meeste Utrechtse hoogleraren zich tijdens college over de kwestie uitspraken (zij het in tamelijk ingetogen bewoordingen). Uit de overige bronnen blijkt echter niet dat meer dan een handjevol hoogleraren dit heeft gedaan. Tot hen behoren in elk geval prof.dr L.M.R. Rutten (secretaris van de Senaat en hoogleraar Wis- en Natuurkunde), prof.dr J. Severijn (Godgeleerdheid), prof.dr A.J.P. van den Broek (Geneeskunde), prof.dr J. Boeke (Geneeskunde), Koningsberger en Kruyt (in zijn hoedanigheid van hoogleraar).

Koningsberger was in Utrecht, en vermoedelijk in het hele land (prof.dr R.P. Cleveringa zou zijn vermaarde rede pas een dag later houden), de eerste hoogleraar die tegen de schorsingsmaatregel protesteerde:

"Mijn geweten gebiedt mij hier met diepe smart en teleurstelling te gedenken de ontheffing uit de uitoefening van hun ambt van een aantal Nederlandsche collega's uitsluitend om redenen van afkomst en geloof. Terwijl mijn groote sympathie naar hen uitgaat, voel ik dat wij allen deelen in den smaad die hun is aangedaan. Immers: sinds 1579, het jaar waarin in het tegenwoordige Groot-Auditorium onzer Universiteit de Unie van Utrecht werd gesloten, was het steeds het hoogste Nederlandsche ideaal niemand om zijn ras of geloof te vervolgen. Daarom beteekent voor mij deze maatregel een miskenning van het Nederlandsche volkskarakter, dat dit alles moet gevoelen als een beleediging van de Nederlandsche Universiteiten, van de Nederlandsche Wetenschap en daarmee van het Nederlandsche Volk zelf. Ik weet dat de overgroote meerderheid van mijn gehoor dit evenzeer gevoelt als ik. Toch zeg ik dit niet om U op te wekken tot eenige handeling die als illegaal of illoyaal tegenover de bezettende overheid kan worden aangemerkt. Integendeel. Blijft volharden in Uw bewonderenswaardige zelfbeheersching, en vergeet nimmer hoe belangrijk het voor de geheele menschheid zou zijn indien een volk zich onder alle omstandigheden blijvend zou weten te gedragen naar de geschreven en ongeschreven wetten van menschelijkheid en fatsoen".[58]

Nadat Koningsberger deze woorden had gesproken, verliet hij de collegezaal. De tekst van de rede liet hij bewust op de lessenaar liggen, opdat –aldus Kruyt– zijn woorden bij navertelling goed zouden worden weergegeven. Het tekstvel werd echter, "goed bedoeld, maar onjuist", door een van de toehoorders verbrand om Koningsberger tegen de mogelijke gevolgen van zijn optreden te beschermen. De secretaris van curatoren, De Geer, zal met de handelwijze van deze student ongetwijfeld hebben ingestemd. Hem ging zelfs het weinig flamboyante optreden van de beschaafd protesterende hoogleraren te ver. Tegenover Koningsberger toonde hij zich ontdaan over diens rede, en schetste hij de mogelijke gevolgen daarvan voor de spreker zelf en voor de ganse universiteit.[59] De Geer probeerde ook Kruyt van het uitspreken van een protestrede te weerhouden, maar die legde deze raad naast zich neer. Op dinsdag 26 november, de dag waarop Cleveringa in Leiden de studenten van de geschorste hoogleraar Meijers zou toespreken, zei Kruyt tot zijn studenten:

"College geven en college aanhoren is een geregeld weerkerend stuk universitaire gemeenschap. Ik kan vandaag onmogelijk dit werk hervatten zonder te uiten hoe ik

mij als lid dier gemeenschap gewond voel. Dat een aantal collega's voor enige weken als gijzelaars weggevoerd zijn (sic!) was hard, maar het is te verstaan als het lot van een door oorlog overwonnen volk. Thans echter, zijn een aantal leden onzer universitaire gemeenschap van hun werkzaamheden ontheven, niet om redenen van oorlogstoestand, niet om hun gedrag, niet om wetenschappelijke tekortkomingen, maar om redenen van geloof en afstamming. Dat ervaart een Nederlander als een wonde in dit land waar sinds eeuwen vrijheid en verdraagzaamheid als heilige goederen worden beschouwd. Wij zijn door de oorlog overwonnen, en wij moeten ons onderwerpen. Maar ik wens toch op dit ogenblik te uiten dat ik mij als lid der universitaire gemeenschap gekwetst voel op een punt dat ligt op het gebied der hoogste waarden van Nederlandse universitaire, ja eeuwenoude algemeen Nederlandse gevoelens. Ik weet dat de overgrote meerderheid Uwer mijn gevoelens deelt, maar ik verzoek U dat niet luidruchtig te uiten, maar in stilte en droefheid onze geschonden universitaire gemeenschap te gedenken". [60]

Leiden-Utrecht

De woorden van Kruyt en Koningsberger reikten niet verder dan de muren van de collegezalen waar zij spraken. Otto Backer Dirks: "De rede van Koningsberger is heel slecht doorgekomen. Ze werd *overruled*, zeg maar, door de rede van Cleveringa. Leidenaren zijn nu eenmaal anders dan Utrechters. Die zijn wat rustiger en minder propagandistisch ingesteld dan de Leidenaren, die de woorden van Cleveringa overal hebben rondgetoeterd. Het heeft ons zelfs in 1985, tijdens de toenmalige oorlogsherdenking (die Backer Dirks jaarlijks in Utrecht pleegt mede te organiseren, SvW), nog moeite gekost de tekst van de rede van Koningsberger boven water te krijgen." Het optreden van de Utrechtse hoogleraren had voor hen dan ook niet de persoonlijke consequenties die Cleveringa eraan moest verbinden. De inhoud van de rede die Cleveringa –decaan van de faculteit der Rechtsgeleerdheid– die ochtend in Leiden hield, was niet wezenlijk anders dan die van zijn Utrechtse collega's. Ook Cleveringa wees op de Nederlandse tradities waarmee de handelwijze van de Duitsers zo flagrant in strijd was. Hij wierp hen verder schending van de Grondwet en artikel 43 van het Landoorlogsreglement voor waarin staat dat "de bezetter gehouden (is) de landswetten te eerbiedigen". En ook Cleveringa preekte "berusting onder stil protest". Wel sprak hij veel langer, en was zijn rede meer volgens de toenmalige regels der retorica opgebouwd. Het grote verschil tussen de rede van de Leidse hoogleraar en die van de Utrechtse sprekers was echter hierin gelegen dat Cleveringa sprak op een moment en een plaats waarop de grote rechtsgeleerde Meijers had zullen spreken. En die omstandigheid maakte de bijeenkomst in de Aula aan het Rapenburg veel beladener dan de colleges in Utrecht waarin slechts zijdelings werd gerefereerd aan de slachtoffers van de anti-joodse maatregel. De rede van Cleveringa was een hagiografie voor Meijers, en appelleerde sterk aan de emoties van zijn toehoorders. "Het is deze Nederlander, deze nobele en ware zoon van ons volk, deze mensch, deze studentenvader, deze geleerde, die de vreemdeling welke ons thans vijandelijk overheerscht, 'ontheft van zijn functie'! Ik zeide U niet over mijn gevoelens te zullen spreken; Ik zal mij er aan houden, al dreigen zij als kokende lava te barsten door al de spleten welke ik bij momenten de indruk heb dat zich, onder den aandrang ervan, in mijn hoofd en hart zullen gaan openen".[61] Het beroep van Cleveringa op de studenten om hun kalmte te bewaren, had na deze verbale erupties niet het beoogde effect. Leiden ging in staking.

Stakingen

Delft was haar hierin reeds voorgegaan. Dat de joodse docenten van de TH zouden worden verwijderd, was hier al op 22 november −een dag voordat de betrokkenen hiervan schriftelijk mededeling ontvingen− in brede kring bekend geworden. Een van de verwijderde hoogleraren, Josephus Jitta, zou op de ochtend van zaterdag de drieëntwintigste college geven in het hoofd-gebouw van de TH. Onder de studenten leefde de verwachting dat Josephus Jitta deze gelegenheid zou benutten om afscheid van hen te nemen. De belangstelling voor het college was daarom enorm. Aan het schorsings-bevel van de Duitsers was echter met ongewone spoed gevolg gegeven; op de deur van de zaal waar Josephus Jitta had zullen spreken, was reeds een bordje bevestigd met de mededeling dat het college geen doorgang zou vinden. De in het trappenhuis verzamelde studenten besloten hierop −na te zijn toegesproken door een hunner, de student weg- en waterbouwkunde Frans van Hasselt− in staking te gaan. De oproep vond ook gehoor bij degenen die op dat moment elders verbleven. Op zaterdagmiddag en de eerste dagen van de daarop volgende week, lag de TH 'plat'. Op dinsdag 26 november werd Delft op last van de Duitsers voor onbepaalde tijd gesloten.[62]

Van een stakingsbeweging onder Utrechtse studenten was tot dan toe geen sprake geweest. De wens 'iets' te doen was hier −zoals eerder opgemerkt− tot uiting gebracht in een adhesiebetuiging aan de verwijderde docenten (die uiteindelijk door 2.250 studenten werd ondertekend), en had niet tot manifestaties geleid, zoals in Delft. De notie dat een scenario zoals zich dat in Delft had ontvouwd, zich evengoed in Utrecht had kùnnen ontvouwen, is speculatief en derhalve niet relevant. Maar de gebeurtenissen in Delft en Leiden op 23 en 26 november 1940 waren het gevolg van onvoorziene omstandigheden onder invloed waarvan algemene ressentimenten een explosieve lading kregen. Dat de houding die later als 'verzetsgeest' werd aangeduid in Delft en Leiden niet noodzakelijkerwijs sterker ontwikkeld was dan in andere universiteitssteden, blijkt verder uit het feit dat de TH zich na haar heropening in het voorjaar van 1941 ontwikkelde tot expo-nent van het 'open blijven tot elke prijs'. Van alle universiteiten en hoge-scholen zou de TH in 1943 de meeste ondertekenaars van de loyaliteits-verklaring herbergen.

Utrechts model

Dat de Utrechtse studenten het alom als rampzalig ervaren voorbeeld van hun Delftse en Leidse collega's niet volgden, werd eertijds vooral (en niet zonder grond) in verband gebracht met de overlegstructuren die hier waren ontstaan. De consensus tussen studenten en Senaat (met de curatoren had-den zij minder contact) die hiervan het gevolg heette te zijn, werd tot de kenmerken van 'het Utrechtse model' gerekend. De hoofdpijlers van dit Utrechtse model waren de zogenoemde studentenfaculteiten, die in hun toenmalige vorm uit 1939 dateerden. Zij waren het resultaat van de pacificatie tussen twee gezelligheidsverenigingen, het Utrechtsch Studenten Corps (USC) en Unitas Studiosorum Rheno-Traiectina (USR), die er tot op dat moment hun eigen faculteiten op hadden nagehouden, maar deze onder aandrang van de universiteit hadden samengevoegd. Het stelsel creëerde de mogelijkheid voor iedere student om lid te worden van twee clubs: een gezelligheidsvereniging, èn een studentenfaculteit. Het eerste lidmaatschap voorzag in contacten met studenten in andere disciplines, het tweede voorzag in behartiging van de studiebelangen door het bestuur van de faculteit. Het bestuur over alle faculteiten werd gevoerd door het zogenoemde College van Vetegenwoordiging, waarin het USC drie vertegenwoordigers had, en de overige gezelligheidsverenigingen (Unitas, Veritas, UVSV, SSR Utrecht) twee. Dit College werd q.q. voorgezeten door de rector Senatus Veteranorum van het USC. Het onderhield ook de contacten tussen de Utrechtse studenten en de centrale bestuursorganen van de universiteit. In deze constellatie werd de erkenning weerspiegeld van de pretentie van het USC de eerste der gezelligheidsverenigingen te zijn. Die aanpraak dateerde nog uit de tijd dat het USC het geheel, corps, van studenten omvatte (dus toen er nog geen andere gezelligheidsverenigingen waren).

Kruyt riep, vlak na zijn aantreden als rector magnificus, nog een ander overlegorgaan in het leven, de zogenoemde Contactcommissie (CC). Hierin hadden behalve de rector zelf, vertegenwoordigers van de Academische Senaat zitting (in het najaar van 1940 waren dat er drie) en "niet-officiële vertegenwoordigers der studentenvereenigingen".[63] Daaronder waren niet alleen de gezelligheidsverenigingen begrepen, maar ook de Nederlandse Studenten Federatie (NSF) en –later– de zogenaamde 'nihilisten' (studenten die geen lid waren van een der bovengenoemde verbanden). Deze Contactcommissie –een typisch produkt van de bezetting– diende de 'vrije gedachtenwisseling' tussen de leden (die geen ruggespraak hoefden te houden met een achterban), en voorzag in de behoefte van de Senaat aan informatie over wat er zoal onder de studenten leefde. Ze was, zeg maar, de plaatselijke variant van het eerder genoemde College van Interacademiaal Overleg (CIO).

Deze pre-democratische overlegstructuur bleek in november 1940 een hoog schok-absorberend vermogen te hebben. Koningsberger en, in mindere mate, Kruyt onderhielden voortdurend contact met de student-vertegenwoordigers toen de crisis in Delft en Leiden zich toespitste. Zij toonden zich vooral bevreesd voor een mogelijke beïnvloeding van de Utrechtse studenten door stakers uit Delft en Leiden die, vaak in NSF-verband, het land door reisden om hun actiemodel ook elders ingang te doen vinden. Hun missiewerk leek aanvankelijk in Utrecht aan te slaan. Op de avond van 26 november, kort nadat de TH was gesloten, deelden de rectores van het USC en Unitas Koningsberger mee dat zij hun eerder gedane belofte om niets te doen introkken, en dat zij hun leden tot staking zouden oproepen.[64]

Koningsberger wist hen echter van dit voornemen af te houden. Tegen middernacht nam hij telefonisch contact op met zijn Leidse collega Kollewijn –met wie hij in het CIO zat– om van hem te vernemen hoe de zaken er daar voor stonden. Kollewijn relativeerde de gebeurtenissen van die dag in Leiden nogal, en sprak het vermoeden uit dat de staking spoedig zou verlopen. Hij was onkundig van het feit dat de Duitsers de Rijksuniversiteit Leiden zojuist hadden gesloten.

Onrust in Utrecht

Kruyt weet de volgende dag nog niets van de sluiting van de RUL. Hij ziet dan ook geen reden om een vergaderafspraak buiten Utrecht af te zeggen, en is daarom op woensdag 27 november het grootste gedeelte van de dag afwezig. Laat in de namiddag keert hij terug. Pas nu wordt hij van de sluiting van de Leidse universiteit in kennis gesteld. Dit nieuws heeft, zo wordt hem gemeld, tot grote onrust onder de Utrechtse studenten geleid. Er is een stakingsoproep uitgegaan, en voor verschillende onderwijsgebouwen zou al onopvallend worden gepost door actievoerders. Koningsberger vreest dat de Contactcommissie haar controle over de studenten verliest).[65] Kruyt belt zijn Amsterdamse ambtgenoot Brouwer. Die zegt de gevolgen van een op handen zijnde actie onder zijn studenten zo te vrezen, dat hij met burgemeester De Vlugt de mogelijkheid zal bespreken om de universiteit zèlf –onder het mom van een vervroegde kerstvakantie– te sluiten. Kruyt hoopt met minder drastische middelen te kunnen volstaan. Hij trekt zich in zijn studeerkamer terug om een manifest aan de Utrechtse studenten op te stellen. Hij is er snel mee klaar. Hij betoogt immers hetzelfde wat hij de studenten meermalen, de dag daarvoor nog tijdens zijn protestrede, heeft voorgehouden; *"Ik doe een beroep op uw zelfbeheersching. Ik ken Uw aanhankelijkheid aan Uw leermeesters even goed als Gij de mijne voor mijn collega's weet. Ik begrijp ook dat de wensch in U leeft Uw gevoelens te uiten, maar doe een dringend beroep op U dat niet te doen door middelen die onze Universiteit schaden. De Universiteit is een stuk Nederlandsche volkskracht, en in deze zware tijden moeten wij elke Nederlandsche waarde hoog houden. Ook al voelt men zich gewond, daarom slaat men toch niet de hand aan zichzelf. Uw hoogleeraren, die zich van hun verantwoordelijkheid even goed rekenschap geven als Gij, gaan door college te geven. Toont Gij met hen solidair door de colleges en instituten te blijven bezoeken".*[66]

Met enige moeite weet Kruyt een drukker, Van der Giessen, te vinden die het pamflet diezelfde nacht nog kan vermenigvuldigen. Bij het USC 'bestelt' hij enige plakkers die het drukwerk de volgende ochtend op de gevels van de onderwijsgebouwen zullen bevestigen. In het sociëteitsgebouw van deze vereniging zijn zojuist de leden van het College van Vertegenwoordiging bijeen geweest. Zij hebben zich tegen een staking uitgesproken. Niettemin zouden voorstanders van een staking van plan zijn de volgende ochtend bij verschillende onderwijsgebouwen te gaan posten. In een poging hen op andere gedachten te brengen, gaat Koningsberger bij het krieken van de dag naar Zoölogie "hoewel hij vanavond op weg naar mij", schrijft Kruyt, "nogal ernstig van zijn fiets gevallen is".[67] Wellicht als gevolg van de verduistering. Op donderdag 28 november trekken corpsleden vanaf 8.15 uur de stad in, gewapend met persverse manifesten en stijfsel dat de "nonnetjes aan de Malie-singel" hebben bereid.[68] Kruyt kruist per fiets door de stad om zich van het effect van zijn manifest te vergewissen. Hij kan tevreden zijn: de colleges ver-lopen normaal. Alleen de hoogleraar Brouwer, Godgeleerdheid, meldt een opkomst van slechts tien studenten bij zijn eerste college, een tiende van het normale aantal toehoorders. Prof.dr J. Boeke (Geneeskunde) daarentegen, meldt een meer dan normale belangstelling voor zijn college. "De Geer is ver-rukt over de gang van zaken, overlaadt me met complimenten", schrijft Kruyt in zijn dagboek.[69] Kruyt zelf geeft die ochtend ook college, van negen tot tien uur. Na afloop "komt een juffrouw Hofstee zich beklagen en mijn bescher-ming vragen: zij is NSB'er, en niemand wil naast haar zitten. Ik herinner me inderdaad hoe a-symmetrisch de collegezaal bezet was. Ik zeg haar krachtig te zullen beschermen tegen elke overlast die haar aangedaan zou worden, maar dat ik onmogelijk voor buren voor haar kan zorgen. Ik tracht haar te over-tuigen dat men dergelijke plagerijtjes met negeren moet aanvaarden."

Hoewel de meeste studenten de hun geboden leiding door de rector mag-nificus gretig aanvaarden, wordt tegen diens pamflet ook geageerd. Soms betreft het een eenmansactie. Zo wordt bij het tandheelkundig instituut aan de Jutphaseweg een van de biljetten door de assistent F. Offergelt van de muur gescheurd. Kruyt informeert naar de toedracht van het incident bij de lector dr B.R. Bakker. Die noemt Offergelt een "onevenwichtig rebels mens", maar kondigt meteen diens vertrek per 1 januari '41 aan (al blijft onvermeld of het ontslag de instemming van Offergelt heeft).

Open brief

Ernstiger —vanuit de optiek van Kruyt althans— is echter een (anoniem) 'tegenpamflet' dat nog dezelfde dag op grote schaal in Utrecht wordt ver-spreid. Kruyt zelf heeft er —in tegenstelling tot de meeste andere hoogleraren— geen bezorgd gekregen, en stuurt zijn zoon Henk erop uit om een exem-plaar te bemachtigen. De teneur van het geschrift: indien solidariteit getoond moet worden, zou die de verstoten hoogleraren moeten gelden, en niet zozeer de docenten die op hun post blijven. De auteur betrekt ook de stakende studenten van de andere universiteiten bij zijn hulde, en verkeert —ten onrechte— in de veronderstelling dat overal wordt geprotesteerd, behalve in Utrecht. Die uitzonderingspositie zou de RUU niet moeten ambiëren. Een universiteit die zich zo voegt naar de omstandigheden als de Utrechtse, belichaamt geen volkskracht —zoals Kruyt had betoogd— maar zwakte.

Kruyt voelt zich door de vermaning allerminst aangesproken. Hij ziet in de 'Open brief aan den Rector' een NSB-provocatie. Opmerkelijk genoeg, hangt prof. Koningsberger bijna vijf jaar later in zijn oorlogskroniek nog steeds die zienswijze aan. Ter motivering hiervan, beroept hij zich op wei-nig meer dan de stilistische onvolkomenheden in het pamflet. (Kennelijk hadden NSB'ers het patent op ondeugdelijk taalgebruik). Dat het geschrift van dubieuze origine is, kan —nog steeds volgens Koningsberger in '45— ver-der worden opgemaakt uit het feit dat de officiële Utrechtse lijn de Duit-sers buitengewoon onwelgevallig was. Zij zouden immers niets liever doen, dan ook de Utrechtse universiteit sluiten (alsof ze daarvoor een alibi nodig hadden!).[70] Deze zienswijze –hoe lamentabel ook– is wel illustratief voor de Utrechtse gemoedstoestand; men was, na zeven maanden bezetting, al zeer ontvankelijk voor complottheorieën (die vooral gedijen in situaties waar persvrijheid ontbreekt). Verder toont ze hoezeer men in Utrecht overtuigd was van de juistheid van het eigen inzicht. Opvattingen over de te volgen koers die met de zijne verschilden, móesten wel afkomstig zijn van de 'Vaterlandslose Gesellen' der NSB.

De werkelijkheid is anders. De NSB legt in dat stadium van de bezetting nog hoegenaamd geen belangstelling voor de universiteiten aan de dag. Op 16 november 1940 is weliswaar het (nationaal-socialistisch) Studenten-front opgericht, maar deze minder dan marginale club is op het moment waarop het tegen-pamflet verschijnt nog niet tot het ontplooien van enige activiteit in staat. Nee, de 'Open brief aan den Rector' is afkomstig van de student en verzetsman Wim Eggink die dan nog vrijwel in zijn eentje het 'afwijzingsfront' bemant.

Opmerkelijk genoeg, bereikt Eggink met zijn pamflet het tegenovergestelde van wat hij ermee beoogde. Was op 27 november nog onduidelijk in welke richting de bal zou rollen, de daarop volgende dagen vallen Kruyt –op dat moment de representant bij uitstek van de Utrechtse lijn– van studenten-zijde allerlei uitingen van bijval ten deel. Op vrijdagmorgen (29 november) geeft Kruyt zijn eerste college na de verschijning van zijn 'manifest' en het contra-appèl van Eggink. "Bij mijn binnenkomst barst een donderend applaus los. Ik wenk om stilte. Men heeft blijkbaar een verklaring van mij verwacht, maar ik begin gewoon mijn college, wat tot vrolijk gelach aan-leiding geeft. Maar iedereen blijft".[71] 's Middags spreekt Kruyt de leden van de Indologenvereniging toe, die in hotel Pays Bas hun derde lustrum vie-ren. Tijdens de receptie betuigen velen hun instemming met het manifest. De Contact Commissie doet tenslotte een pamflet uitgaan waarin wordt opgeroepen de 'Open brief' te negeren.

De toenmalige student J.B.F. van Hasselt, die in het najaar van 1940 rector van het USC werd, meent dat de steun voor de 'lijn-Kruyt' vanuit de stu-dentenwereld vrijwel unaniem was. "Die stemming heerste overal: laten we de boel alsjeblieft draaiende houden, want we weten niet hoelang deze toe-stand duurt... Morgen is het in elk geval nog niet afgelopen. 'Sla de hand niet aan jezelf': dat standpunt werd respectabel gevonden. We hebben het ook uitgedragen binnen de vereniging. Niet met groot enthousiasme weliswaar, want het bleef natuurlijk heel beroerd wat er allemaal gebeurde. En je kunt je nu ook afvragen of men er niet beter aan had gedaan de tent gewoon te sluiten, maar dat is wijsheid achteraf. Tóen was de stemming beslist: doorgaan. Daar was het hele Utrechtse model op gericht. En aan dat Utrechtse model spiegelden andere universiteiten zich ook, want het was een léuk model. Het wèrkte onder de gegeven omstandigheden. Het ging toen zelfs steeds beter functioneren."

Duitse reactie

Op het manifest van Kruyt, dat inmiddels al een dag de gevels van de onder-wijsgebouwen siert, wordt ook van Duitse zijde gereageerd. Op 29 november wordt Kruyt bij de vertegenwoordiger van de Rijkscommissaris in Utrecht, Joachim, ontboden. "Deze ontvangt mij staande in tegenwoordigheid van twee andere staande personen, alle drie in het bruine uniform".[72] Joachim acht de *Kundgebung* van Kruyt ongepast, en gebiedt Kruyt de pamfletten 'innerhalb zwei Stunden unauffälligerweise' te verwijderen. Van diens tegenwerpingen wordt geen nota genomen. "Die Sache ist erledigt", en Kruyt kan gaan. Hij annuleert zijn college van elf uur, en belt —geholpen door De Geer— alle gebouwbeheerders met het verzoek de pamfletten te verwijderen. Vóór twaalf uur was overal aan het verzoek gehoor gegeven. Op aanraden van de curator (en commissaris van de koningin) Bosch van Rosenthal, stelt Kruyt een brief aan Joachim op waarin hij zijn motieven bij het opstellen van het manifest uiteenzet. Voor de Duitse vertaling zorgt de emeritus hoogleraar dr E.J. Cohen.

Als laatste handeling van een hoogst enerverende werkweek, woont Kruyt op zaterdag 30 november in Amsterdam een vergadering van de Nederlandse Akademie van Wetenschappen bij. Bij thuiskomst treft hij een enveloppe aan met het opschrift "Van Sint Nicolaas". De inhoud: de tekst van de rede van Cleveringa.[73]

Vroege kerstvakantie

De volgende week verloopt rustig in Utrecht. Het enige 'incident' waarvan Kruyt in zijn dagboek gewag maakt, betreft de aanwezigheid van twee geüniformeerde NSB'ers bij de colleges van de hoogleraren Van der Valk (Staathuishoudkunde) en Zevenbergen (Romeins Recht). Ze worden, aldus Zevenbergen, door hun medestudenten geïsoleerd, "en vertrokken aan 't einde onder hoongelach".[74] Niettemin treft Kruyt —met het oog op mogelijke ongeregeldheden— enkele voorzorgsmaatregelen. Met de hoofdcommissaris van politie, Schuitemaker, spreekt hij af dat de hele week één inspecteur, en één rechercheur in het Academiegebouw over rust en orde zullen waken. In navolging van zijn Amsterdamse collega Brouwer, kondigt Kruyt per 6 december een vervroegde kerstvakantie af. Vooral de laatste ingreep doet —tegen de achtergrond van de successen die de rector meent te hebben geboekt— tamelijk overtrokken aan. Hij blijft echter onweersproken. Ook na de oorlog wordt deze duidelijke poging het studentenverzet te dwarsbomen Kruyt niet aangerekend. Brouwer daarentegen, krijgt er in '45 moeilijkheden mee. De zuiveringscommissie die zijn ontslag als hoogleraar bij de minister aanbeveelt, verwijst hierbij (onder andere) naar de vervroeging van de kerstvakantie van 1940.[75]

Kruyt is merkbaar opgetogen over de manier waarop hij de crisis het hoofd heeft geboden. Zo zeer zelfs, dat haar aanleiding wat op de achtergrond is geraakt. Prof. Koningsberger —die het latere hoogleraarenverzet in Utrecht zou belichamen— deelt in die zelfgenoegzaamheid. Nog in 1945 schrijft hij in zijn oorlogskroniek: "Het algemeene gevoelen was dat het aan de (...) voortreffelijke, algemeene organisatie der Utrechtsche studentenwereld en het daardoor gemakkelijke contact met de hoogleeraren te danken was dat de leiding in Utrecht in handen van de studentenvereenigingen en van den Academischen Senaat was gebleven".[76] Kruyt beleeft zijn 'finest hour' als hij op 7 december 1940 tijdens een vergadering van het CIO verneemt dat de zegeningen van het 'Utrechtse model' zich niet tot Utrecht alleen hebben beperkt. De rector van de Landbouwhogeschool Wageningen, prof.ir M.F. Visser, meent dat van de pamfletten die in Utrecht waren verschenen (het manifest van Kruyt en de bijvalsbetuiging van de Contact Commissie) ook een kalmerende invloed is uitgegaan op de studenten in Wageningen en andere plaatsen. Visser vertelt dat studenten uit alle delen van het land ten tijde van de 'pamflettenoorlog' in Utrecht zijn geweest om een vergadering van de Nederlandse Studenten Federatie bij te wonen. Het manifest van Kruyt zou ook de niet-Utrechters hebben aangesproken. Aan de suggestie in het pamflet van de Contact Commissie dat het contra-appèl (van Eggink) als een NSB-provocatie moest worden gezien werd veel betekenis toegekend. Nu Utrecht eenmaal gekozen heeft, bestaat –aldus Visser– voor acties die elders worden beraamd ook geen animo meer.[77] De Wageningse rector heeft daarop afgezien van een toespraak die hij ten overstaan van de studenten van de LH had zullen houden om hen tot kalmte te manen. Zijn Utrechtse ambtgenoot had dit al voor hem geregeld.

Angst voor onduidelijkheid

OVER DE RECHTSPOSITIE (of wat daar nog van restte) van de geschorste, en per 21 februari 1941 ontslagen, joodse docenten bestond veel onduidelijkheid. De hiaten in de uitsluitingsmaatregelen van de bezettingsoverheid, werden door de bestuursorganen van de RUU als hinderlijk ervaren: waar zijn we nu eigenlijk aan toe, en wat wordt precies van ons verwacht? Men leek soms meer prijs te stellen op heldere richtlijnen −bijna ongeacht hun consequenties voor de personen tegen wie ze waren gericht− dan op de ad hoc regeltjes waarmee men vanuit Den Haag werd bestookt. Stelde de interpretatie van die 'regeltjes' de uitvoerende instanties in Utrecht voor problemen, dan poogde men zelden of nooit hun uitwerking te verzachten door er een 'creatieve' uitleg aan te geven, of een 'mijn naam is Haas'-houding aan te nemen. Nee, liever nam men het zekere voor het onzekere door nadere informatie in te winnen over de manier waarop een en ander moest worden geïmplementeerd. Niet zelden leidde deze ruggespraak tot nadere precisering van de regels, wat in de praktijk neerkwam op aanscherping. In deze houding kwam pas in het najaar van 1943 enige verandering. Tot die tijd werden alle maatregelen uitgevoerd met een stiptheid alsof ze van de vooroorlogse overheid afkomstig waren. Van die houding getuigde in het najaar van 1940 het feit dat de secretaris van het college van curatoren, De Geer, de afstammingsverklaring voor ambtenaren ongevraagd toezond aan de bijzonder hoogleraren en privaatdocenten die geen ambtenaar waren en die −volgens de letter van de wet− de verklaring dus helemaal niet hóefden te tekenen. De Geer verkoos echter naar de geest van de Duitse verordeningen te handelen, hetgeen hem er kort daarop toe bracht de joodse privaatdocenten te adviseren ontslag te nemen voordat hen dit door de Duitsers werd aangezegd. Van de betrokkenen sloeg alleen de privaatdocent Mok die raadgeving in de wind. Veel heeft hem dit niet gebaat. Hij werd op 13 januari '41 alsnog ontslagen.[78] Ten aanzien van de vraag of de ontslagen joodse collega's nog zouden worden uitgenodigd voor de Senaatsvergaderingen had de Senatus Contractus een formeel standpunt ingenomen. Hiervan kon, zo luidde het unanieme oordeel, geen sprake zijn. De joodse hoogleraren waren immers uit hun ambt ontheven, en deelneming aan de vergadering moest als een daad van ambtsuitoefening worden aangemerkt, zo hielden de juridische leden van de Senatus Contractus –prof.dr C. Zevenbergen en jhr prof.dr D.G. Rengers Hora Siccama– hun collega's voor. Die uitsluitingsgronden waren volgens deze preciese geesten niet van toepassing op informele bijeenkomsten, zoals de hooglerarenkransen.[79]

Hulshof

De bibliothecaris van de universiteit, dr A. Hulshof, bleek ook niet ongenegen preventieve acties te ondernemen. Op 15 september 1941 troffen de bezettingsautoriteiten een reeks maatregelen die erop gericht waren de bewegingsvrijheid van de Joden verder te beperken. Zo werden openbare voorzieningen als parken, badhuizen, bioscopen, leeszalen voor hen gesloten verklaard. De secretaris-generaal van het departement van Opvoeding, Wetenschap en Cultuurbescherming (zoals het oude departement van Onderwijs, Kunsten en Wetenschappen inmiddels heette), prof.dr J. van Dam, had er echter bij de Duitsers op aangedrongen dat de maatregelen voor joodse studenten zouden worden verzacht, in die zin dat zij gebruik zouden kunnen blijven maken van voorzieningen waar studerenden niet buiten konden. De Duitsers kwamen hem hierin in zoverre tegemoet, dat het joodse studenten werd toegestaan verder van universitaire bibliotheken gebruik te maken "mits dit geschiedt in een voor hen bestemd afzonderlijk vertrek".[80] Hulshof had de resultaten van Van Dams inspanningen echter niet willen afwachten, en had de Universiteitsbibliotheek reeds tot verboden terrein voor Joden verklaard.

Anderzijds schuwde Hulshof het eigen initiatief wanneer de Duitsers hier aanstoot aan zouden kunnen nemen. Op 16 januari 1942 vroeg hij de (waarnemend) rector magnificus, prof.dr L. van Vuuren, welk beleid moet worden gevoerd ten aanzien van het drukwerk dat regelmatig en meestal zonder de daarvoor benodigde toestemming– werd bevestigd op de muren van de UB. Op dat moment werden de bezoekers van de bibliotheek vergast op affiches van de Nederlandsche Arbeidsdienst, Nederlandsche ambulances, Winterhulp, 'Werkers, reikt elkaar de hand' (NVV), 'Waarschuwing tegen beschadiging voorwerpen Duitsche Weermacht', 'Met Duitschland vóór een vrij Nederland', 'Zóó liegen zij!', Amerikaanse bezetting van Curaçao, Politiek cabaret Paulus de Ruiter, en –voor wie het na zoveel propaganda nog in zich kon opnemen– geïllustreerde platen van de zegevierende Weermacht. Wanneer Hulshof de prenten had doen verwijderen, had hij zich eenvoudig kunnen beroepen op het feit dat van de meeste affiches de looptijd was verstreken, dat in de meeste gevallen geen toestemming voor bevestiging was gevraagd, en op het ter plaatse geldende verbod op politieke affiches. Maar Hulshof wilde in deze delicate zaak kennelijk ruggesteun verwerven, en ontketende een briefwisseling die enkele weken duurde, en waarin de hoogste instanties participeerden. Van Vuuren namelijk, wist het ook niet en stak zijn licht op bij burgemeester Ter Pelkwijk. Ter Pelkwijk op zijn beurt, hield ruggespraak met de hoofdcommissaris van politie, en kwam op basis van de hierdoor verkregen inzichten tot de volgende uitspraak: alle affiches mogen worden verwijderd, op die van de Winterhulp, en de waarschuwing van de Weermacht na. Over de looptijd van drie plakkaten (NVV, Curaçao en het politiek cabaret) worden nog inlichtingen in Den Haag ingewonnen.

Daarmee was de kous echter nog niet af. Van Vuuren was naar aanleiding van de kwestie inmiddels in aanvaring gekomen met de president-curator, 's Jacob, die van mening was dat de rector de brief van Hulshof ter verdere afhandeling aan hèm had moeten voorleggen. Wanneer universitaire panden in het geding zijn, zoals in het onderhavige geval, betreedt men het werkterrein van de president-curator. Van Vuuren was, met andere woorden, zijn boekje te buiten gegaan. 's Jacob besloot daarop de vraag van Hulshof aan de secretaris-generaal van Opvoeding, Wetenschap en Cultuurbescherming voor te leggen, en die bleek er andere opvattingen op na te houden dan de burgemeester van Utrecht. Van Dam namelijk, meende dat biljetten die van de Duitse overheid uitgingen, niet zomaar verwijderd mochten worden, ook al waren ze zonder toestemming van de universiteit opgeplakt, en ook al was de looptijd verstreken. 's Jacob kon met deze richtlijn niet goed uit de voeten. "De moeilijkheid is te weten welke biljetten uitgaan van de bezettende overheid, en welke niet." Hij betrachtte daarom een bijna lachwekkende voorzichtigheid bij de afhandeling van de inmiddels al drie weken hangende zaak. Op 2 februari schreef hij Van Dam: "Vermoedelijk zal het Uwe goedkeuring wegdragen dat ik opdracht gaf om de biljetten te doen verwijderen waarvan de looptijd (...) verstreken is, benevens het biljet 'Politiek Cabaret', dat blijkbaar niet van de bezettende overheid uitging. Zoodanige maatregel nam ik nog niet ten aanzien van biljetten 'Werkers, reikt elkaar de hand' en 'Bezetting van Curaçao' zoolang mij niet bekend is of deze van de bezettende overheid zijn uitgegaan".[81] Het antwoord van Van Dam, mocht hij zich überhaupt verder met de Utrechtse dwergen hebben bemoeid, is niet bewaard gebleven.

De materie bleef ondoorzichtig. Op 11 februari wendde Hulshof zich opnieuw tot een hoger geplaatste, ditmaal De Geer, met de vraag wat er moest gebeuren met de affiches waarvan de status hem niet bekend was. Op dat moment betreft dat de biljetten van de NVV, over Curaçao, de waarschuwing van de Duitse Weermacht en een nieuwe aanwinst op de muren van de UB: Bolsjewisme is Moord. Hulshof, die in '45 een openbare berisping ontving, zal er wel nooit helemaal zijn uitgekomen.

De reden dat deze nietige kwestie hier zoveel aandacht krijgt, is juist haar nietigheid. Ze kenschetst de ambtelijke geest die de RUU tijdens de bezetting beheerste ten voeten uit. De kille, van elk engagement gespeende precisie waarmee Duitse regels ten uitvoer werden gebracht, heeft een uitwerking gehad die wellicht niet onderdoet voor wat openlijke en enthousiaste collaboratie had kunnen aanrichten.

Professor Wolff

Maar het kan nòg erger. In november 1941 wordt zelfs de hulp van hogerhand ingeroepen om van een lastig geachte hoogleraar af te komen. De kwestie is deze; een van de ontslagen joodse hoogleraren, prof.dr J. Wolff (Wis- en Natuurkunde), blijft na zijn verwijdering van de universiteit geregeld de wiskunde-bibliotheek bezoeken. Aanvankelijk werd hem niets in de weg gelegd, maar hierin kwam verandering toen hij zich voortdurend met interne aangelegenheden bemoeide. Zo stoorde hij zich hevig aan het oneigenlijk gebruik van de bibliotheek. Op 22 oktober 1941 bijvoorbeeld, kon hij de leeszaal niet eens betreden, omdat er college werd gegeven. Als hij het de dag erna nog eens probeert, treft hij er een "typende juffrouw" aan die meteen door hem wordt weggestuurd. Op 27 oktober stelt hij de decaan van de faculteit, prof.dr J. A. Barrau, van de vermeende wantoestanden op de hoogte. In dat gesprek kwam ook het feit aan de orde "dat in de leeszaal een rij theologische boekwerken geplaatst waren (sic!), en dat op de tafel een stapel boeken van Letteren en Wijsbegeerte lag. Kortom: dat de leeszaal misbruikt wordt voor alles behalve wiskunde. Barrau liet die boeken verwijderen, doch meer niet, zoodat theologische studenten de leeszaal blijven vullen".[82] Vanuit de faculteit werd daarop contact opgenomen met De Geer: mocht Wolff de bibliotheek überhaupt nog wel bezoeken? De Geer wist het ook niet, want er bestond nog geen jurisprudentie op dit gebied. Dus werden de Haagse instanties geraadpleegd. Binnen vier dagen, op 14 november, kreeg hij antwoord van een (bevriende) ambtenaar van het departement; "Naar aanleiding van je brief van 10 november jl. met de vraag of prof. Wolff in de leeszaal van Wiskunde mag komen werken, heb ik de quaestie met Reinink besproken. Beiden zijn wij van meening dat dit niet gaat".[83]

Zelfmoord Ornstein

Van de ontslagen docenten, was Wolff overigens de enige die zich niet bij de feiten leek neer te willen leggen. Zijn lotgenoot prof.dr J. Roos onderhield aanvankelijk nog wel enig (schriftelijk) contact met de rector magnificus, bijvoorbeeld naar aanleiding van de dies natalis van 1941, maar zijn vertrek uit Utrecht (Roos zou op 7 oktober 1942 in Mauthausen overlijden) werd door de universiteit niet meer opgemerkt.[84] Prof.dr L.S. Ornstein sneed na zijn ontslag alle banden met de wetenschap door. Kruyt had nog bij secretaris-generaal geïnformeerd naar de mogelijkheid Ornstein —mocht hij daar überhaupt prijs op hebben gesteld— het 'ere-ariërschap' te gunnen zodat hij behouden kon blijven voor de universiteit, maar Van Dam antwoordde hem op 13 februari dat de kans hierop in verband met de studentenstakingen in Delft en Leiden uiterst klein moest worden geacht.[85] Ornstein staakte zijn werkzaamheden voor de Stichting voor Spectrocopisch Onderzoek omdat hij, aldus een bestuurslid van die stichting, "bezwaar (heeft) om iets te doen (...) dat zelfs den schijn kan wekken dat hij zich onttrekt aan den jegens hem genomen maatregel".[86] Op 10 april legde Ornstein om dezelfde reden zijn functie van secretaris van de bijzondere leerstoel Elektrotechniek aan de RUU neer.

In de nacht van 19 op 20 mei 1941 pleegde hij zelfmoord. Kruyt bracht meteen nadat deze tijding hem had bereikt een condoleance-bezoek aan de weduwe van Ornstein, waar hij veel collega's aantrof. Het USC nam "de gebruikelijke rouw voor een oud-hoogleraar" in acht. De andere gezelligheidsverenigingen volgden dit voorbeeld, nadat zij bij Kruyt hadden geïnformeerd naar zijn mening over een dergelijk vertoon.[87] Op vrijdag 23 mei

43

vond de begrafenis plaats op de joodse begraafplaats te Utrecht. Die werd, net als de rouwzitting van de Senaat de woensdag daarvoor, massaal bezocht. Ornstein's dood had geen invloed op het trage malen van de ambtelijke molens. Op 21 juni, ruim een maand na zijn dood, vernam de Senaat van het college van curatoren "dat Ornstein geen eere-ariër kan worden".[88]

Professor Cohen

Onduidelijk was de positie van de emeritus hoogleraar E.J. Cohen (op wiens kennis van de Duitse taal Kruyt een beroep placht te doen wanneer hij met de bezettingsautoriteiten correspondeerde). Cohen werd aanvankelijk betrekkelijk ongemoeid gelaten, omdat hij met een niet-joodse vrouw was getrouwd. Hij werd evenwel niet verondersteld gebruik te maken van de rechten die hij nog bezat, omdat de machthebbers daar aanstoot aan zouden nemen. De Geer was niet ongenegen om met hun gevoeligheden verregaand rekening te houden. Op 17 juli 1942 schreef hij aan 'den Heer Voorzitter' (van het college van curatoren); "Het komt mij ter oore dat prof. Cohen nog geregeld zoude werken in het anorganisch chemisch lab. Voor zoover mij bekend, is dat niet verbooden (...) Toch is het minder gewenscht, omdat het ergernis en tot een klacht van bepaalden zijde aanleiding kan geven. Prof. Van Vuuren deelde mij mede dat de heer Op ten Noort (een hoge ambtenaar van het departement van Opvoeding, Wetenschap en Cultuurbescherming, SvW) zich geërgerd had aan de aanwezigheid van prof. Cohen in de bijeenkomst van de Universiteitsdag, daarbij toegevende dat daaraan niets te doen was omdat het niet een openbare bijeenkomst was. Een verbod kan men m.i. niet stellen. Wel is denkbaar dat bijvoorbeeld prof. Kruyt met Cohen spreekt, en er deze daarbij op wijst dat hij beter doet weg te blijven".[89] De rector magnificus, Van Vuuren, stelde zich op formele gronden tegen de door De Geer voorgestane vrijheidsbeperking te weer. Zo had hij geen gevolg gegeven aan de 'opdracht' van de Beauftragte van de Rijkscommissaris in Utrecht om Cohen de toegang tot de Senaatsvergaderingen te ontzeggen. Van Vuuren beriep zich hierbij op artikel 62 van de Hoger Onderwijs Wet dat bepaalde dat eervol ontslagen hoogleraren zitting houden in de Senaat.[90]

Aan welke risico's Cohen zich door zijn deelneming aan het universitaire leven blootstelde, bleek op 6 februari 1943 toen hij in het Van 't Hoff laboratorium werd opgepakt tijdens de razzia's die de Duitsers die dag in enkele universiteitssteden hielden naar aanleiding van de moord op de commandant van het Nederlandse Legioen (in Duitse dienst), generaal Seyffardt. Cohen werd, evenals de meeste andere slachtoffers van deze represaille-actie, naar Vught overgebracht, maar kwam weer op vrije voeten nadat Van Vuuren en Kruyt de zaak hadden opgenomen met de *Beauftragte für Jüdische Angelegenheiten*, Schröder. Zij wisten hem tot het aannemen van een soepele houding te bewegen door te wijzen óp Cohen's grote staat van dienst, op zijn hoge leeftijd (hij was 75 jaar), en op het feit dat hij met een niet-joodse vrouw was getrouwd. Kort na zijn invrijheidstelling werd Cohen zelfs ontslagen van de verplichting de gele Davidster te dragen. Maar dergelijke gunsten konden naar believen weer worden ingetrokken. Op 29 februari 1944 werd Cohen opnieuw opgepakt. Ditmaal bereikte Van Vuuren niets met zijn inspanningen. Cohen werd op transport gesteld, en deelde het lot van de velen voor wie niemand het had opgenomen.[91]

Ondeugdelijke verklaring

Helemaal ongewis was de situatie van docenten wier afstammingsverklaring in de ogen van de Duitsers wat aan duidelijkheid te wensen overliet. Soms waren zij jaren bezig om de gevraagde informatie te vergaren, maar bereikten zij daarmee niet dat zij hun functie konden behouden. Bijzonder triest in dit verband, is het eenzame en hopeloze gevecht dat de hoogleraar H.J. Jordan en diens zoon F.L.J. Jordan (hoofdassistent aan de polikliniek van het Stads- en Academisch Ziekenhuis) hebben moeten voeren tegen de geperverteerde bureaucratie. Vader en zoon waren onvoldoende op de hoogte van de kerkgenootschappen waartoe hun (groot-)ouders hadden behoord om hun formulier volledig te kunnen invullen. Dit bleef niet onopgemerkt. Op 19 februari 1941 stuurt de net aangetreden secretaris-generaal Van Dam de afstammingsverklaringen van de Jordans, alsook die van prof.dr W. Vogelsang terug naar de president-curator (die met de verzameling van de persoonsgegevens van de medewerkers van de RUU was belast) "aangezien zij onvoldoende zijn ingevuld en de classificatie van de betrokkenen in de verschillende categorieën van heele en halve joden derhalve moeilijkheden biedt".[92] Bij deze constatering bleef het echter niet. Van prof. Vogelsang wilde Van Dam 'voorlopig' aannemen "dat hij persoonlijk van Arische afstamming is", tenzij uit de alsnog over te leggen gegevens anders zou blijken. Ten aanzien van Jordan senior en junior volgde Van Dam evenwel de omgekeerde redenering. Van hen werd, in afwachting van de uitkomst van nader onderzoek, aangenomen dat zij joods waren −al werden hieraan vooralsnog geen consequenties verbonden. De bewijslast die bij de Jordans werd gelegd, drukte zwaar op hen. Jordan sr. vroeg zich in een brief aan de president-curator weliswaar af op grond van welke inzichten Van Dam tot zijn uitspraak was gekomen, maar zei eveneens prijs te stellen op de informatie waarover de secretaris-generaal kennelijk beschikte, opdat hij zou weten "in welke richting ik mijn onderzoek zou hebben in te stellen". Welnu, veel aanknopingspunten had Jordan nog niet. Van zijn grootouders van vaderszijde kende hij de naam noch de verblijfplaats(en). Een briefwisseling met verre verwanten in Berlijn en Atlantic City leverde niet de verlangde informatie op. Uiteindelijk vernam hij van de gemeente Eisenach, waar zijn vader had gewoond, de namen van zijn grootouders. Die bleken afkomstig te zijn uit Ludwigsburg, maar pogingen van Jordan om bij het bevolkingsregister van die plaats iets te weten te komen over het kerkgenootschap waartoe zij hadden behoord, wierpen geen vruchten af. Van zijn moeder wist Jordan dat haar meisjesnaam Levié luidde, maar uit antecedentenonderzoek in Rotterdam, Keulen en Montroye (de verblijfplaatsen van haar ouders) bleek geen deelneming aan het joodse leven aldaar. Ten aanzien van de grootouders van zijn moeder kwam Jordan evenmin iets verontrustends aan de weet. Niettemin werd hij op 30 april 1943 ontslagen (een situatie die met terugwerkende kracht inging op de eerste van die maand) in verband met het beroepsverbod voor personen die met joden waren gehuwd. Jordan meent nog tegen deze maatregel te moeten protesteren: over de afstamming van zijn vrouw bestaat nog geen duidelijkheid. Ook wees Jordan op een mogelijke 'Ausnahme Behandlung' waarvoor zijn vroegere leerling prof.dr G. Chr. Hirsch zich nog zou beijveren.

Dat was inderdaad het geval, maar het is twijfelachtig of Jordan ingenomen zou zijn geweest met de manier waarop de uit Duitsland afkomstige, en niet genaturaliseerde, Hirsch het voor hem opnam. In een brief aan zijn "hooggeachte Collega Van Dam" (28 april 1943) kenschetste hij Jordan als een soort nationaal-socialist in joodse vermomming. "Jordan heeft", aldus Hirsch, "altijd Duitsch gevoeld". Dat zou zijn gebleken tijdens de Eerste Wereldoorlog, kort na Jordans 'beroeping' in Utrecht, toen hij zich niet nader gespecificeerde onaangenaamheden op de hals haalde door van zijn Duitse gezindheid blijk te geven. Verder refereert Hirsch aan Jordans goede reputatie in Duitsland, waar hij in het recente verleden nog deel uitmaakte van het bestuur van de Deutsche Zoologische Gesellschaft, en aan zijn voorzitterschap van de Vereniging Nederland-Duitsland, in welke hoedanigheid hij zich na 1933 zou hebben beijverd voor een toenadering tussen de buurlanden. "Ik weet uit vele persoonlijke gesprekken met Jordan", besluit Hirsch zijn lofzang, "dat hij in vele opzichten nationaal-socialistisch voelt; daarom is de vraag naar het ras voor hem in het bijzonder tragisch te noemen".[93]

Hirsch' interventie had weliswaar niet het beoogde effect, maar volgens De Geer liet hij zich erop voorstaan Jordan nog twee jaar voor het onontkomelijke te hebben behoed. Verder uitstel van ontslag achtte hij uitgesloten. "Of diens vrouw al dan niet Arisch is, doet daarbij niet ter zake." Voor een Sonder-Behandlung zou Jordan echter wel in aanmerking komen, meende Hirsch. Maar Jordan wachtte de loop der dingen niet meer af. Hij dook onder, en overleed kort daarna, op 21 september 1943, in een desolate staat van "ontbering en levensmoeheid".[94]

Met het ontslag van Jordan sr. was het doek voor zijn zoon nog niet meteen gevallen. Deze bleef, afgezien van een 'ziekte-vacantie', in functie tot 9 augustus toen hem werd meegedeeld dat hij drie joodse grootouders had en in verband daarmee ook zelf als jood werd beschouwd. Zijn chef, prof.dr C.D. de Langen, zag de staf van de polikliniek hiermee verder uitgedund. In mei had de eveneens als jood aangemerkte dr L.A. Hulst reeds ontslag moeten nemen, en sindsdien hadden Jordan en De Langen het hoofd moeten bieden aan de toenemende werkdruk. Niettemin stuurde De Langen zijn hoofdassistent naar huis nog voordat hij hiertoe een opdracht had gekregen. Op 11 augustus verdedigde hij zijn handelwijze in een brief aan de president-curator. "Hoewel er Uwerzijds nog geen aanleiding was hem van zijn werkzaamheden te ontheffen, meende ik zulks, in verband met de veiligheid voor zijn eigen persoon, onverwijld te moeten doen. (...) Immers: hij die met een ster loopt, mag niet in de ziekenhuizen en laboratoria komen, en niet met de patiënten in aanraking worden gebracht".[95] De vraag van De Langen of curatoren zich met de genomen beslissing konden verenigen, werd bevestigd beantwoord, al meende De Geer dat "het misschien het beste (is) dat dr Jordan zelf ontslag vraagt".

'Austausch' als kwestie van fatsoen

I N DE VACATURES die als gevolg van de uitsluitingsmaatregelen ontstonden, kon niet of met de grootst mogelijke moeite worden voorzien. Dit hing niet alleen samen met piëteit jegens de ontslagenen, maar ook met het stigma dat aan de vrijgekomen formatieplaatsen kleeft, en –vooral– met het feit dat het College van Interacademiaal Overleg in 1941 had bepaald dat de betreffende functies weer konden worden opgeëist door degenen die ze oorspronkelijk hadden vervuld zodra de omstandigheden dat toelieten. De vrijkomende plaatsen werden door het CIO niet als vacatures aangemerkt. Vervanging van ontslagen docenten was wat het college betreft dus niet aan de orde. Er kon hooguit sprake zijn van taakwaarneming voor de duur van de bezetting, en van dit inzicht dienden degenen die daarmee werden belast terdege te worden doordrongen, aldus het CIO. "Het geldt hier den naam van de Universiteit, onze positie tegenover de studenten, en vooral tegenover het Nederlandsche volk en tegenover de afgezette collega's. Dat is waarop het aankomt. Als wij hierin toegeven, dan zijn onze Universiteiten volkomen hun prestige en hun goeden naam tegenover de studenten en tegenover het volk kwijt".[06] Nog afgezien hiervan, werd vervulling van de vacatures ook niet functioneel geacht; mochten de universiteiten er überhaupt in slagen een besmette post aan een eerloos persoon te slijten, dan zouden diens colleges wel door de studenten worden geboycot.

Nu was dit standpunt beduidend minder principieel dan z'n ferme toonzetting en zijn brede draagvlak binnen het CIO doen vermoeden. Het CIO betoogde namelijk slechts dat de universiteiten niet zèlf de verantwoordelijkheid wilden dragen voor dubieuze benoemingen. Als deze echter op andere wijze tot stand kwamen, zou men zich hierbij hebben neer te leggen. "Dan is toch hun goede naam gered, en is aan het publiek getoond dat wij intellectueelen niet uit bangheid in hun schulp kruipen, maar durven te toonen hoe zij er over denken. En dan zal, zooals het nu reeds gebeurt, ook de bezettende macht zich wel tweemaal bedenken voor zij een dergelijke zaak in Duitschen geest beslecht."

De zienswijze getuigde, nog afgezien van het feit dat 'het volk' er weinig van onder de indruk zal zijn geweest, van weinig realiteitszin. De Duitsers hadden geen enkel respect voor de aloude autonomie van de universiteiten, en drukten −wanneer de gelegenheid zich voordeed− de benoeming door van mensen die hun goed gezind waren. Dat gebeurde meestal in de vorm van een nadrukkelijke aanbeveling die aan secretaris-generaal Van Dam werd gericht. Van Dam gaf de boodschap in de regel met positief advies door aan de betrokken instellingen.[97] Op die wijze werd niet alleen in de vervulling voorzien van de vacatures die waren ontstaan door het ontslag van de joodse hoogleraren, maar kregen ook andere benoemingen hun beslag.

Hirsch

De eerste die aan Duitse interventie zijn benoeming dankte, was dr G.C. Hirsch. In november 1940 drong de bezettende overheid aan op diens promotie van lector (aan de faculteit Wis- en Natuurkunde) tot gewoon hoogleraar.[98] Het college van curatoren nam de voordracht over, maar de faculteit reageerde hier afwijzend op. Decaan prof.dr J.A. Barrau had de benoeming van Hirsch overigens gesteund "omdat het toch niets gaf".[99] Om van hun goede wil te getuigen, besloten curatoren daarop Hirsch (met een aantal andere kandidaten) voor te dragen als bijzonder hoogleraar.[100] Hirsch zelf echter was van dit compromis niet gediend. Hij bleef zijn kandidatuur voor het gewoon hoogleraarschap met nadruk uitdragen (anticipeerde in de ondertekening van zijn brieven zelfs op de begeerde benoeming), en kreeg op 18 juli 1941 eindelijk zijn zin.[101] Lang heeft hij er niet van kunnen genieten. In 1945 wachtte hij het oordeel van de zuiveringscommissie over zijn handelwijze tijdens de bezetting niet af en keerde terug naar Duitsland.

'Zwanglos Zusammensein'

De bezettingsautoriteiten probeerden niet alleen het personeelsbeleid van de universiteit te beïnvloeden, er was hun ook veel gelegen aan een geregelde 'Austausch' tussen Nederlandse en Duitse wetenschapsbeoefenaren. Het College van Interacademiaal Overleg had tijdens dezelfde vergadering waar de vacaturekwestie aan de orde was geweest (31 maart 1941) ook over deze zaak beraadslaagd. Men was het erover eens dat uitwisseling van gedachten en personen onder de heersende omstandigheden niet wenselijk was.[102] Tegen deze gedragscode werd in Utrecht herhaaldelijk gezondigd. Zo hield de latere rector-magnificus Van Vuuren in het eerste oorlogsjaar een voordracht in Duitsland. Tegenover de zuiveringscommissie zou hij in 1945 verklaren dat hierbij een privé-motief de doorslag had gegeven: vanuit Duitsland meende hij makkelijker contact te kunnen leggen met zijn in Nederlands-Indië verblijvende kinderen dan vanuit het bezette Nederland. Principiële bezwaren had hij niet gevoeld. "Onze generatie heeft zich altijd op het standpunt gesteld dat de wetenschappelijke betrekkingen met den vijand moesten worden onderhouden. Sinds de intrede van het begrip van de totalitaire (sic!) oorlog echter, is dat wel wat anders geworden. (...) Ons werk na 1918 bestond voornamelijk hieruit, dat wij de verbroken betrekkingen moesten herstellen. In de laatste vergadering van de Senatus Contractus onder Rector Kruyt heeft hij dit principe ons nog voorgehouden. Iedereen behalve Koningsberger deelde deze opvatting".[103]
Kruyt handelde in de geest van die uitspraak door −op Duits verzoek−

DE RECTOR MAGNIFICUS
AAN DE UTRECHTSCHE STUDENTEN

Ik doe een beroep op Uw zelfbeheersching.
Ik ken Uw aanhankelijkheid aan Uw leermeesters evengoed als Gij de mijne voor
mijn collega's weet; ik begrijp ook, dat de
wensch in U leeft Uw gevoelens te uiten.
Maar ik doe een DRINGEND BEROEP op
U dat niet te doen door middelen, die onze
Universiteit schaden.
De Universiteit is een stuk Nederlandsche
volkskracht en in deze zware tijden moeten
wij elke Nederlandsche waarde hoog houden. Ook al voelt men zich gewond, daarom
slaat men toch niet de hand aan zich zelf.

**Uw hoogleeraren, die zich van hun verant-
woordelijkheid even goed rekenschap geven
als Gij, gaan door college te geven. Toont
Gij U met hen solidair door de colleges en
de instituten te blijven bezoeken.**

KRUYT

*Oproep van de rector
magnificus om rustig te
blijven na de schorsing
van de joodse hoogleraren.*

—

November 1940

21 Februari 1941   77e Jaarg. No. 5

UTRECHTSCH STUDENTEN WEEKBLAD

VOX STVDIOSORVM

REDACTIE.

Mr. E. BLOEMBERGEN, Praeses
J. H. O. INSINGER, Ab actis
Jkvr. M. C. Bar.esse VAN HARDENBROEK
     VAN AMMERSTOL, Fiscus
Jkvr. M. W. L. DE GEER
J. GREIDANUS
G. MONSEES.
Mej. A. M. BERKELBACH
     VAN DER SPRENKEL
G. LUBBERHUIZEN

Verschijnt Vrijdags, behalve in de vacantiën.
Stukken en brieven uiterlijk Dinsdag-
middag bij den Heer J. H. O. INSINGER,
Nachtegaalstraat 4, Utrecht.

Abonnementsprijs: f 5.— bij voor
uitbetaling.

Afzonderlijke nummers f 0.25. Advertentiën:
1—6 regels f 1.90, elke regel meer f 0.30.

UITGEVER P. DEN BOER - JERUZALEMSTEEG 8—12   —   TELEFOON No. 10812 - POSTGIRO No. 19350

*Vox Studiosorum met
rouwrand om het
universiteitswapen.
Een reactie op de
beperkte toelating voor
joodse studenten.*

—

Februari 1941

UNIFORM VERBOD

De Rector Magnificus, in opdracht van den Secretaris-Generaal van het Departement van Opvoeding, Wetenschap en Cultuurbescherming, maakt het volgende aan de Studenten bekend:

HET IS VERBODEN

zich in de gebouwen en op de terreinen der Universiteit (of in andere gebouwen, welke aan het toezicht van den Rector onderworpen zijn) te bevinden, gekleed in de uniform of in gedeelten van de uniform van een Nederlandsche politieke partij.

De Rector Magnificus
KRUYT

24 Maart 1941.

Aankondiging van het uniformverbod.

—

24 Maart 1941

*De rector van het Utrechtsch
Studenten Corps steekt
samen met rector magnificus
Kruyt en zijn vrouw het
kanaal over voor de Triton-
wedstrijden ter gelegenheid
van het universiteitslustrum.*

—

22 Juni 1941

*Mensa-lunch tijdens de
Universiteitsdag.*

—

23 Juni 1941

Eerste maaltijd in de
mensa-gaarkeuken in het
Academiegebouw.

—

18 November 1941

Telegram over de
ontbinding van Veritas.

—

11 Juli 1941

Krantebericht over de aanstelling van de liquidateur van de verenigingen.

—

21 September 1941

Utrechtse studenten te attenderen op de mogelijkheid zomercursussen in Duitsland te volgen.[104] Tegen Duits-Nederlandse onderonsjes op professoraal niveau heeft hij evenmin bezwaar. Op 16 februari 1941 noteert hij in zijn dagboek dat prof.dr A. Klarenbeek hem had gemeld "dat een hoge Duitse autoriteit op veeartsenijkundig gebied (uit Berlijn) verzocht heeft aanstaande dinsdag hier te Utrecht 's avonds in Pays Bas met de hoogleraren en lectoren der faculteit in *zwanglos Zusammensein* overleg te plegen over zaken van wetenschap en practijk. We zijn het erover eens dat de faculteitsleden en lectoren daaraan gevolg moeten geven".[105]

Met een 'zwanglos Zusammensein' viel kennelijk goed te leven. Lastiger werd het toen van Duitse zijde een poging werd ondernomen om in het Utrechtse curriculum 'in te breken'. Dat gebeurde op 15 augustus 1941, toen een Duitse ambtenaar van het 'Generalkommissariat für Verwaltung und Justiz', ene dr Rabl, aan Van Dam vroeg ervoor te willen zorgen dat hij in Utrecht zes colleges kon geven rondom het thema 'Idee und Gestaltung des Dritten Reiches'. Van Dam stelde het college van curatoren op 22 augustus van Rabl's initiatief in kennis en verzocht "er voor zorg te willen dragen dat dr Rabl de gewenschte uitnoodiging krijgt".[106] Er was De Geer wel wat aan gelegen dat de zaak z'n beslag kreeg, en wel op een zodanige wijze dat Rabl op "een toonbaar aantal toehoorders" kon rekenen. Om dit te bereiken, zou Rabl zijn voordrachten moeten houden tijdens de uren waarop de docent staats- en administratief recht, Gruys (de vervanger van de gegijzelde De Savornin Lohman), normaal college gaf. Dit was geen ongebruikelijke constructie, meende De Geer. "Bij de faculteit der Godgeleerdheid komt het vrij regelmatig voor dat een specialist op bepaald gebied op verzoek van den betrokken hoogleraar op een of meer van de gewone college-uren van dien hoogleraar een voordracht houdt".[107] President-curator 's Jacob bepaalde echter dat Rabl niet tijdens reguliere colleges zou spreken, maar dat voor hem een speciaal arrangement zou worden getroffen. "Men heeft dan ook niet de kans op ostentatief weggaan. De nieuwsgierigen komen toch wel." Op 20 september schreven de curatoren Van Dam –die het college al een keer tot spoed had gemaand– dat Gruys met Rabl was overeengekomen dat deze op 15, 17, 22, 24, 29 en 31 oktober zijn voordrachten zou houden. Deze afspraak werd op 10 oktober door het college van curatoren bevestigd in een buitengewoon voorkomende brief.

Gruys zou na de oorlog ten overstaan van de zuiveringscommissie zeggen dat De Geer Rabl naderhand zijn verontschuldigingen had aangeboden voor het feit dat de uitnodiging zo laat was verzonden. En wat de lezingen zelf betreft: die heeft men zich moeten laten welgevallen om geen moeilijkheden te krijgen. Na afloop was er weer een soort 'zwanglos Zusammensein'. "Ik heb R. (...) bij mij aan tafel genoodigd", erkende Gruys naderhand. "Dat eischt m.i. de burgerlijke beleefdheid. Dr Rabl had het gebrek aan tact deeze uitnoodiging aan te nemen".[108]

'Jonge wetenschappen'

Nam de RUU waar het de 'Austausch' betrof een beleefde, zo niet welwillende houding aan tegenover Duitse initiatieven, op pogingen van die zijde om nieuwe ideologisch getinte vakken te introduceren werd in de regel afwijzend (of überhaupt niet) gereageerd. Zo gaf secretaris-generaal Van Dam het college van curatoren op 28 januari 1941 in overweging het vak 'sociaal-economische land-, taal- en volkenkunde' te introduceren. Curatoren wezen de Senaat op het verlangen van de secretaris-generaal, maar die antwoordde dat het nieuwe vak onmogelijk in een grote behoefte kon voorzien omdat het bestaande curriculum de stof reeds bevatte.[109] Een aantal andere 'jonge wetenschappen', zoals anthropogenetica, kreeg evenmin een voet aan de grond.

Al met al zijn de pogingen van Duitse of Duitsgezinde zijde om het hoger onderwijs in Nederland te 'nazificeren' tamelijk vruchteloos gebleven. Vooral in Leiden, waar het onderwijs tot de bevrijding niet meer zou worden hervat, is geprobeerd een nieuwe academische orde te vestigen. De keuze viel niet alleen uit prestige-overwegingen op 's lands oudste universiteit, hier werd de nazificatie ook het meest kansrijk geacht omdat de RUL feitelijk had opgehouden te bestaan en daarom mogelijkheden zou bieden voor een wederopbouw op nationaal-socialistische grondslag. Probleem was echter, dat de Leidse hoogleraren –van wie de meesten in functie bleven– niet, zoals hun collega's elders in het land, konden worden aangesproken op hun (vermeende) verantwoordelijkheid voor het openblijven van hun universiteit of het lot van hun studenten. Zij waren dus vrijer in hun oordeelvorming, en konden zich principes veroorloven die anderen zich meenden te moeten ontzeggen. Waar Utrecht zich een Austausch moest laten welgevallen, en –in 1943– een standpunt moest innemen tegenover de loyaliteitsverklaring, kon Leiden flink zijn. Daarmee is uiteraard niet gezegd dat de door Leiden betoonde weigerachtigheid gratis was. Voor de individuele hoogleraren kon ze wel degelijk ernstige consequenties hebben. Bij hun standpuntbepaling hoefden zij zich echter niet door andere dan persoonlijke overwegingen te laten leiden. Met de sluiting van de Leidse universiteit gaven de Duitsers een troef uit handen die in andere universiteitssteden wel met enig succes kon worden uitgespeeld. Zoals in een volgend hoofdstuk zal blijken, werd met de sluiting van de RUL de speelruimte van de andere universiteiten zelfs beperkt. Een mogelijke opening van de Leidse universiteit werd herhaaldelijk en met grote nadruk afhankelijk gemaakt van het gedrag van haar zusterinstellingen. En voor dit argument bleek menigeen buitengewoon gevoelig.

In Leiden was het nazificatiebeleid dus gedoemd te mislukken. Maar elders was het nauwelijks succesvoller. Duits-Nederlandse uitwisselingen kwamen, zoals bekend, wel eens tot stand maar hadden een incidenteel karakter, en beïnvloedden het academisch bedrijf niet aanwijsbaar (al zal er ongetwijfeld een demoraliserende invloed van zijn uitgegaan). De zogenoemde 'jonge wetenschappen' werden vrijwel nergens in het academisch assortiment opgenomen. Waar dit wèl gebeurde, betrof het een persoonlijk initiatief van hoogleraren wier politieke gezindheid het vak op voorhand discrediteerde. En van zulke hoogleraren waren er welbeschouwd niet zoveel. In Utrecht ontpopten negen docenten –hoogleraren en lectoren– zich na mei 1940 als sympathisanten van 'de nieuwe orde' (zonder in alle gevallen lid te zijn van een nationaal-socialistische organisatie), en hadden drie politiek geïnspireerde benoemingen plaats. In dit opzicht mag de RUU zich gelukkig prijzen met de honkvastheid die de meeste docenten tijdens de bezetting aan de dag legden. Want vacatures boden de bezettingsautoriteiten de beste kans om het universitaire leven te beïnvloeden.

Engelstalige proefschriften

Hoe funest een van hogerhand geïnspireerde benoeming kon zijn, bleek toen de verklaarde nationaal-socialist prof.dr H.M. de Burlet in 1942 rector magnificus werd van de Rijksuniversiteit te Groningen. Binnen zijn eigen instelling versterkte zijn aantreden weliswaar de oppositionele tendensen –vooral binnen de faculteit der Rechtsgeleerdheid– maar zijn aanwezigheid bij de vergaderingen van het College van Interacademiaal Overleg (waar hij in tegenstelling tot zijn voorganger zelden verstek liet gaan) werd dit orgaan weldra fataal. Werd hier voorheen nog open en vruchtbaar van gedachten gewisseld, toen De Burlet ging meevergaderen stelden de vertegenwoordigers van de andere universiteiten zich steeds behoedzamer op –zeker nadat de Groningse rector magnificus brak met de ongeschreven gewoonte tegenover derden te zwijgen over het besprokene–[110] en kwam het CIO steeds ongeregelder bijeen.

Dat De Burlet anders oordeelde over de functie van het CIO dan zijn collega's, en in een andere verhouding stond tot secretaris-generaal Van Dam, bleek al tijdens de eerste vergadering die hij bijwoonde (10 oktober 1942). Tot grote ontsteltenis van de andere aanwezigen poneerde hij dat de samenvattingen van proefschriften steeds vaker in het Engels werden gesteld, en dat het Duits de positie van tweede taal toekwam.[111] De Burlet bleek de enige die deze mening was toegedaan. Althans in CIO-verband. Op 12 november namelijk, vaardigde Van Dam een verbod uit op het gebruik van Engels in proefschriften waarin dit op grond van de inhoud niet noodzakelijk was. Waren aan een proefschrift uittreksels toegevoegd, dan moest één daarvan in het Duits zijn gesteld. Op 12 december voegde hij hier in een tweede brief over deze materie aan toe dat in speciale gevallen toestemming kon worden verkregen voor het gebruik van het Engels.

De Geer was niet blij met deze zoveelste inbreuk op de universitaire autonomie. In een notitie aan 's Jacob merkte hij op dat de oekaze van Van Dam in strijd was met het academisch statuut dat vrijheid aan de faculteiten toekende ten aanzien van de taalkeuze.[112] In die zin reageerde ook de faculteit Wis- en Natuurkunde (waarbinnen de meeste Engelstalige proefschriften tot stand kwamen): het is aan ons en alleen aan ons om te bepalen van welke taal een promovendus zich bedient. Zij wilde dan ook niet verder gaan dan de toezegging voortaan rekening te zullen houden met het verlangen van de secretaris-generaal.

Op dat moment waren bij de faculteit vijf Engelstalige proefschriften in de maak waarvoor toestemming werd gevraagd ze volgens het oorspronkelijke plan af te ronden. Vier van de betrokken dissertaties zouden naar verwachting binnen een jaar zijn voltooid, het vijfde zou in het eerste halfjaar van 1944 kunnen worden verdedigd, zo verwachtte de faculteit. Van Dam verleende slechts twee promovendi (degenen die het eerst klaar zouden zijn) toestemming om hun boek af te ronden. De anderen waren nog niet zover gevorderd dat wijziging van de voertaal bezwaarlijk werd geacht.

Een andere promovendus die op grond van deze criteria toestemming had moeten krijgen zijn (Engelstalige) proefschrift volgens plan af te ronden – de bioloog J. R. Braak, die nog tijdens de cursus 1942-'43 had willen promoveren – kreeg die toestemming echter niet. In een verweer op deze negatieve uitspraak, voerde de president-curator aan dat Braak voor het Engels had gekozen, omdat hij zijn dissertatie had willen doen opnemen in een Engelstalig periodiek van de 'Nederlandsche Botanische Vereeniging' (dat overigens luisterde naar een Franse naam: 'Recueuil des travaux botaniques néerlandais'). Voor dergelijke argumenten was Van Dam allerminst gevoelig. Op 15 juli 1943 schreef hij 's Jacob; "Het tijdschrift 'Recueuil des travaux botaniques néerlandais' staat onder een uitsluitend Nederlandsche redactie, wordt uitgegeven door de Nederlandsche Botanische Vereeniging onder medewerking van uitsluitend Nederlandsche universiteiten en hoogescholen. Ik zie niet in waarom in een dergelijk tijdschrift geen in het Nederlandsch geschreven bijdragen zouden kunnen worden opgenomen. Ik vind het integendeel zeer gewenscht dat het Nederlandsche karakter van dit vakblad ook in de taal waarin het verschijnt tot uiting komt – ook dan als het bijdragen betreft die voor een internationale lezerskring zijn bestemd".[113] De secretaris van de faculteit Wis- en Natuurkunde, Raven, probeerde Van Dam tenslotte nog te vermurwen met de opmerking dat de Engelstaligheid van het botanisch tijdschrift statutair was vastgelegd, maar de secretaris-generaal wilde van geen wijken weten: als Nederlandstalige kopij werd geweigerd, deed het blad er goed aan zijn statuten te wijzigen.

6

Leidenaren in Utrecht

'Mensen zonder gevoel voor de verhoudingen'

ET FEIT DAT het voor de RUU steeds moeilijker werd om naar behoren te functioneren, dat ontslag en benoeming van wetenschappelijk personeel niet langer berustte op vakinhoudelijke kwaliteiten, en dat de universiteiten na verloop van tijd hun vrijheid verloren om zelf te bepalen welke studenten zij toelieten, had niet tot gevolg dat het Utrechtse model het moest ontgelden. Integendeel. De sluiting van de Leidse universiteit was voor Utrecht de ultieme bevestiging van het eigen gelijk. De staking waarvan ze het gevolg was werd niet zozeer moedig geacht, maar bovenal stom. Tegenover de Leidse studenten die het onheil over zichzelf hadden afgeroepen, hanteerde Utrecht het adagium 'wie zich brandt moet op de blaren zitten'. Dat wil zeggen: de RUU toonde zich alles behalve inschikkelijk tegenover Leidenaren die hun studie elders wilden voortzetten. Aan de (later herroepen) instructie van het Departement dat studenten van de gesloten universiteiten geen hoger onderwijs meer mochten volgen, houdt men strikt de hand. Zozeer zelfs, dat de rector magnificus en de secretaris van de Senaat, Rutten, in een brief d.d. 11 december 1940 in een brief aan het Departement aandringen op nadere precisering van het begrip 'Leids student'. Wat hen betreft moet hieronder worden verstaan: ingeschrevene aan de RUL met ingang van het lopende cursusjaar, maar zij vernemen hierover graag de mening van Den Haag.[114]

De Geer was het noch met de verzending van deze brief, noch met zijn inhoud eens. In de eerste plaats zou het hier geen Senaats-aangelegenheid betreffen, maar een kwestie waarover het college van curatoren zich had uit te spreken. De brief van 11 december had dus beter helemaal niet verzonden kunnen worden. Althans: niet door de in dezen onbevoegde Senaat. En wat de definitie van 'Leids student' betrof: die werd door De Geer veel te rekkelijk geacht; iemand die vier jaar in Leiden had gestudeerd, maar zijn doctoraal examen aan de RUU had afgelegd, kon bezwaarlijk als Utrechter worden aangemerkt, aldus De Geer. En hetzelfde gold voor een student die in Utrecht was ingeschreven, maar in Leiden lid was van een gezelligheidsvereniging. De Geer en 's Jacob brachten deze overwegingen onder de aandacht van de secretaris-generaal (waarbij zij de competentiestrijd met de Senaat niet onvermeld lieten), en vroegen of hij aan het criterium 'inschrijving op dit ogenblik' wenste vast te houden. Van Dam antwoordde op 14 januari 1941 dat "als eenig criterium (voor inschrijving aan de RUU, SvW) dient te worden gesteld dat de betreffende student gedurende de studiejaren 1939/1940 en 1940/1941 noch in Leiden noch in Delft is ingeschreven geweest".[115] De uitsluiting betrof –wellicht als rechtstreeks gevolg van de kanttekeningen van De Geer bij de oude regeling– dus meer studenten dan waar eerder nog sprake van was. Maar nog kon Utrecht er niet mee uit de voeten. Volgens Kruyt bleek het criterium van Van Dam in de praktijk moeilijk te hanteren. In een brief aan het college van curatoren d.d. 11 februari '41, schrijft Kruyt dat vier studenten die zich recentelijk aan de RUU hadden willen inschrijven volgens de letter van de officiële richtlijn zouden mogen worden toegelaten, maar dat de geest van de richtlijn zich hier wellicht tegen verzet. Zo zou één van hen op 29 november in Leiden zijn gepromoveerd op een reeds gedrukt en verspreid proefschrift. Aangezien hij in geen der twee voorgaande cursusjaren in Leiden was ingeschreven, zou hij in Utrecht moeten kunnen promoveren. Het tweede geval betrof een student die in het cursusjaar 1939-'40, in verband met de mobilisatie van het Nederlandse leger, nergens was ingeschreven maar in september 1940 in Delft een examen had afgelegd zonder op dat moment aan de TH ingeschreven te zijn geweest. De derde aspirant-Utrechter was een student die van 1939 tot '41 in Leiden assistent was geweest, maar daar niet als student stond geregistreerd. De vierde betrokkene tenslotte, had in 1939 en '40 examens afgelegd in Leiden maar stond daar op dat moment evenmin als student te boek. Kruyt zelf meende dat op grond van de richtlijn van Van Dam geen bezwaren konden worden aangevoerd tegen inschrijving van de vier applicanten, maar voorzag toch problemen wanneer de RUU hier eigenmachtig toe zou overgaan. Hij verzocht De Geer daarom de cases aan de secretaris-generaal voor te leggen. De secretaris van curatoren gaf meteen gehoor aan dat verzoek, en onthield Van Dam zijn eigen zienswijze niet. "Naar mij aanvankelijk voorkomt zouden de (...) studeerenden naar den letter van het schrijven van UHEG d.d. 14 januari jl. (...) niet als Leidsch onderscheidenlijk Delftsch student zijn aan te merken, doch zoodanige beslissing zoude m.i. in strijd zijn met de klaarblijkelijke bedoeling." Of Van Dam deze opvatting deelde is niet meer te achterhalen, maar het is niet aannemelijk dat hij in dezen een rekkelijker standpunt innam dan De Geer.

Koudwatervrees

Naar analogie van bovenvermeld geval, werden ook andere inschrijvingsverzoeken van Leidse en Delftse studenten in behandeling genomen. Zelfs wanneer de kennelijke angst om in strijd met de aanwijzingen van Van Dam te handelen volkomen ongegrond was, lieten curatoren zich door hun koudwatervrees leiden, en gaven zij Den Haag het laatste woord. Er werden zoveel zaken ter beoordeling aan de secretaris-generaal voorgelegd, dat hij –in een poging de gewenste duidelijkheid te scheppen– zijn eerder geformuleerde toelatingscriteria aanmerkelijk verscherpte. Op 29 maart bepaalde hij dat studenten die gedurende de laatste vier studiejaren op enig moment ingeschreven zijn geweest aan een van de gesloten universiteiten van deelneming aan het hoger onderwijs elders in het land zijn uitgesloten. Lang is deze maatregel trouwens niet van kracht geweest. Op 16 april 1941 werd −nadat de bezettingsautoriteiten beterschap was beloofd− het onderwijs aan de TH Delft hervat. Tezelfdertijd werd duidelijk dat Leiden geen heropening onder Duitse condities ambieerde. Een parmantig 'Manifest' van Leidse studenten bezegelde het lot van de RUL. In dit stuk, dat was opgesteld door de groep rondom de rechtenstudent Erik Hazelhoff Roelfzema, werden de voorwaarden geformuleerd waaronder de studenten bereid waren mee te werken aan de hervatting van het onderwijs aan hun universiteit. Deze luidden als volgt:

1 Hervatting van de colleges op ouden voet.

2 Géén verplichte colleges, vakken of bijvakken.

3 Uitbanning der Politiek binnen de muren der academie; verbod van insignes, kenteekenen en gebaren kenmerkend voor eenig staatkundig streven.

4 Erkenning van een verteegenwoordigend lichaam der studenten, gevormd door vijf leden, te kiezen naar algemeen stemrecht door de cives academici, dat zal worden gekend in alle zaken rakende het belang hunner Universiteit.

5 Garantie der overheid tegen eenige toekomstige maatregel indruisende tegen, of ingrijpende in van ouds geëerbiedigde principes in de Nederlandsche studentenwereld.

6 Officieel antwoord der bevoegde autoriteiten, gevolgd door heropening der Universiteit, binnen den tijd van twintig dagen na openbaarmaking van dit manifest.[116]

De opstellers zullen niet de illusie hebben gehad dat hun 'eisen' zouden worden ingewilligd, en hebben met hun actie wellicht zelfs het tegendeel beoogd van wat zij zeiden na te streven. Hoe het ook zij: de Leidse universiteit werd gesloten verklaard. De uitsluiting van haar studenten door andere universiteiten werd echter ongedaan gemaakt.

In Utrecht maakte men zich in juni grote zorgen over de komst van grote scharen Leidenaren die hiervan wellicht het gevolg zou zijn. De Geer voorzag vooral problemen voor de vakken met een hoog practicum-gehalte.[117] De vloedgolf waarop de RUU zich instelde bleek uiteindelijk wel beheersbaar. Utrecht had in november 1941 293 Leidse studenten opgenomen (het zouden er later ruim 300 worden, nog geen tiende van de totale studentenpopulatie in Utrecht).[118] Zij waren als volgt over de faculteiten verdeeld; Theologie: 48. Rechten: 12. Indologie: 104. Letteren & Wijsbegeerte: 20. Geneeskunde: 70. Wis- en Natuurkunde: 39. Daarmee bleef de RUU ver achter bij de Universiteit van Amsterdam, die 503 Leidenaren inschreef (exclusief een groot aantal voorlopige inschrijvingen).

Anonimiteit

De vraag of, en zo ja in welke mate de geringe animo onder Leidse studenten om in Utrecht te gaan studeren samenhing met het hier gevoerde ontmoedigingsbeleid, is niet te beantwoorden. Volgens de toenmalige rector van het USC, Van Hasselt, kan een en ander niet los worden gezien van "de gestructureerde animositeit tussen Utrecht en Leiden" die nu −voorzover er überhaupt nog sprake van is− hooguit een ritueel karakter heeft, maar toen nog een reële betekenis had. "Die animositeit was er altijd al, die moet er ook zijn en moet vooral ook blijven bestaan. Want Leiden ligt nu eenmaal achter Woerden, en vanuit de Leidse optiek geldt hetzelfde voor Utrecht. Dus de studenten die in Leiden niet verder konden studeren gingen in de meeste gevallen naar Amsterdam. Maar in Utrecht kwamen er ook een paar, inderdaad. Dat waren mensen met weinig gevoel voor de verhoudingen." De vrees van curatoren dat de Leidse studenten het stakingsvirus mee naar Utrecht zouden nemen, bleek volkomen ongegrond. Nog in zijn oorlogskroniek poneert prof. Koningsberger de stelling dat vooral van Leidse studenten tijdens crises een kalmerende invloed is uitgegaan op hun Utrechtse collega's. Zij wilden hun studie niet nogmaals onderbroken zien als gevolg van daden waaraan de bezettingsautoriteiten aanstoot zouden kunnen nemen.[119] Van Hasselt huldigt die opvatting nu nog steeds; "De Leidenaren die hier naartoe kwamen, hadden zoiets van: wíj hebben gestaakt, maar we willen ook graag afstuderen. Dus nou is het met dat gestaak wel genoeg geweest. Houden jullie je in godsnaam gedeisd." Met de komst van de Leidse studenten zou, met andere woorden, het draagvlak van het Utrechtse model zijn versterkt. Dat Utrecht niet in de sporen van Leiden zou treden, was niet alleen de wens van de individuele studenten, ook de Leidse universiteitsbestuurders drongen hier op aan. Dat althans betoogde de hoogleraar oogheelkunde H.J.M. Weve in 1945 ten overstaan van de zuiveringscommissie. "Leiden heeft erop aangedrongen dat hun studenten in Utrecht werden geholpen. We hebben voordurend voeling gehad met de Leidse Universiteit".[120] Van Vuuren zou later voor hetzelfde gehoor verklaren dat Leiden haar last op andere universiteiten had afgewenteld. Daarmee had de RUL zichzelf weliswaar een zekere bewegingsvrijheid verschaft, maar werd de manoeuvreerruimte van de zusterinstellingen aanmerkelijk beperkt.[121]

7 Toekomstplannen

Oud èn nieuw/ oud òf nieuw?

H ET FEIT DAT deze uitspraken aan het einde of na de bezetting werden gedaan, wettigt het vermoeden dat ze slechts de zelf-verdediging dienden. Tijdens de bezetting had Utrecht hieraan niet de geringste behoefte. Zij meende het er in alle opzichten beter van te hebben afgebracht dan Leiden. En wat dat betreft spraken de feiten voor zichzelf. Gerelateerd aan het aantal ingeschreven studenten, 2.359 in 1940,[122] floreerde de RUU. Aan de november-crisis had zij, naar eigen maatstaven, met succes het hoofd weten te bieden, en het verenigingsleven –dat zo essentieel was voor het Utrechtse model– was intact gebleven. De sociëteit van het USC aan het Janskerkhof was in juli 1940 weliswaar geconfisqueerd door de Duitse Weermacht, maar in zijn nieuwe onderkomen –de sociëteit Tivoli op de hoek van de Nachtegaal en Kruisstraat, waar het USC dankzij zijn uitgebreide relatienetwerk beslag op had weten te leggen– kon, aldus Van Hasselt, "het oude studentenleven op uitgebreide schaal doorgaan". Temidden van de inventaris van de oude sociëteit. De Duitsers hadden namelijk goed gevonden dat hieruit alles werd meegenomen wat 'besonders Erinne-rungsvoll' was. "Uiteraard was", aldus toenmalig senator H. Leopold, "in dat grote gebouw niets te vinden wat niet 'besonders Erinnerungsvoll' was." De veranderingen in het verenigingsleven waren vooralsnog kosmetisch. Uiterlijk vertoon werd, zo kort na de meidagen, niet gepast geacht. De groen-tijd van 1940 was nogal sober geweest en speelde zich voornamelijk binnens-huis af. Voor het eerst sinds mensenheugenis werden de foeten, de 'nuldejaars' van het USC, niet kaalgeknipt. Bij Unitas had zich een Duits militair gemeld met het verzoek er als lid te worden toegelaten. "Zij hadden hem hoffelijk ontvangen, maar gezegd dat ze hem niet in hun vriendenkring konden opne-men. Tussen hen stonden mei '40 en de gevallen Nederlandsche kameraden. Hij toonde volkomen begrip voor deze opvatting".[123] Onderling bleven de gezelligheidsverenigingen –ondanks de 'pacificatie' van 1939– hun rituele ruzietjes uitvechten. Bij de jaarlijkse uitvoering van de toneelvereniging van Unitas, liet het bestuur van het corps ostentatief verstek gaan. Kruyt, die de voorstelling bijwoonde, laakte dit optreden publiekelijk, en oogstte hiermee applaus. Van Hasselt kan zich het voorval nog herinneren. "We lieten ons soms teveel leiden door de oude reflexen. Ook in het college van vertegenwoordiging, toch het produkt bij uitstek van de vernieuwing, bereed iedereen zijn eigen stokpaardje. De vertegenwoordigers van de andere verenigingen schopten daar qualitate qua tegen de rector Senatus Veteranorum aan, dat hoorde er gewoon bij. En omgekeerd bleven wij dus weg bij die uitvoering van Unitas, onze grote antagonist. Ja, dat zijn dingen die onder de gegeven omstandigheden eigenlijk niet hadden moeten gebeuren."

De onderlinge rangorde hield de gemoederen nog bezig totdat de bezettingsautoriteiten met hun verbod van de gezelligheidsverenigingen, in juli 1941, dit probleem tot zijn ware proporties terugbrachten. Zo beklaagden de praesides van Veritas en SSR zich er daags na de viering van de dies natalis van 1941 bij Kruyt over dat zij bij de plechtigheid in het Groot Auditorium een plaats toegewezen hadden gekregen àchter de vertegenwoordigers van de studentenfaculteiten. De rector magnificus zegde hen toe verandering in deze misstand te zullen brengen.[124] En toen de nieuwe schouwburg aan het Lucasbolwerk zijn voltooiing naderde, legde de directeur aan De Geer de vraag voor of de prerogatieven van corpsleden gehandhaafd moesten blijven. "Tot dusver hadden de leden van het USC eenige voorrechten bij het bezoek aan de Schouwburg: voorbespreekrecht en zitplaatsen naast elkander", legde De Geer na het onderhoud met de schouwburgdirecteur aan 's Jacob uit. "Bij de ingebruikneming van de nieuwe Schouwburg zoude de Directie daarin wijziging willen brengen in zoover zij ook andere corpora (hier niet bedoeld als meervoud van corps, maar als verzamelnaam van alle verenigingen, SvW) —met name aan UVSV en Unitas— op gelijken voet als het USC zoude willen behandelen. Elk dezer corpora zoude dan op een eigen studentenbank zijn plaatsen kunnen krijgen. De rangorde onderling zoude dan toch blijven: 1 USC, 2 UVSV, 3 Unitas".[125] De stap tot volledige gelijkberechtiging van de verenigingen onderling, en van de studenten ten opzichte van de 'burgerij' werd kennelijk nog te vermetel geacht. Het USC behield zijn streepjes vóór, en Veritas en SSR ontbraken nog volledig in het verhaal. Illustratief voor de wat absurd aandoende almacht van het Utrechtsch Studenten Corps, is vooral het feit dat het de architect van de schouwburg —de toch als eigenzinnig bekend staande Martinus Dudok— ertoe wist te bewegen de grote zaal wat 'cortège-vriendelijker' te maken door het balcon met twee vleugels langs de zijwanden uit te breiden.[126] Op aandrang van de burgemeester werd het bouwtempo in het voorjaar van '41 opgevoerd, zodat de schouwburg nog vóór het naderende lustrum van het USC gereed zou zijn.[127]

Het plan-Stallaert

De banden tussen universiteit en verenigingen, SSR uitgezonderd, waren bepaald innig. De rector magnificus en de secretaris van de Senaat woonden alle festiviteiten bij waarvoor zij werden uitgenodigd. Zij namen almanakken in ontvangst, stelden bokalen beschikbaar voor sportevenementen, en confereerden zeer geregeld met bestuursleden. Met interne verenigingsaangelegenheden hielden zij zich desgevraagd uitputtend bezig. Zo liet Kruyt zich voortdurend informeren over een troebel meningsverschil binnen de theologische studentenfaculteit —het uitvloeisel van een leerstellige richtingenstrijd— over een bestuurswisseling.

Van alle studentenvertegenwoordigers genoot de praeses van Veritas, Stallaert, de meeste achting van Kruyt. In hem zag de rector magnificus een geestverwant, wiens ambities verder reikten dan het consolideren van de vertrouwde studentenwereld. Stallaert's devies was tamelijk simpel – al verpakte hij het in ronkend proza – en ontsproot aan het corporatistische gedachtengoed dat in de begintijd van de bezetting de toekomst leek te hebben; de vooroorlogse samenleving was te gefragmenteerd geweest en moest weer een 'organisch' geheel worden. Organisch: dat was het kernbegrip in het plan dat Stallaert voor universiteit en studentenwereld had ontworpen. "De Universiteiten dienen daadwerkelijk in dienst gesteld te worden van de Nederlandsche Volksgemeenschap", zo vatte hij zijn streven samen. Hiertoe moesten de bestaande academische structuren in een aantal nieuwe, overkoepelende, verbanden worden gevat. Zo zou op nationaal niveau de samenwerking tussen de instellingen voor hoger onderwijs, tussen de vakgebieden, en tussen de studentenvertegenwoordigers versterkt moeten worden. Op plaatselijk niveau propageerde Stallaert hetzelfde wat vier jaar later als Civitas Academica zou worden aangeprezen: een werkelijke gemeenschap van hoogleraren en studenten, die de bestaande verenigingen weliswaar niet zouden vervangen, maar in elk geval zouden overvleugelen. "De accentuering welke voorheen gevallen is op het individu, zal gestadig verschuiven, en komen te liggen op de gemeenschap: de vakgemeenschappen, de nationale gemeenschap." Het faculteitenstelsel zou volgens Stallaert moeten worden opgetuigd op een zodanige wijze, dat het ook voorziet in vertegenwoordiging van de thans nog 'dakloze' nihilisten. Als panacee voor de tekortkomingen die hij signaleert, prijst Stallaert een sterke man aan. "Wil men waarlijk goed de belangen der studenten behartigd zien, zo zal er een lichaam dienen te bestaan dat rechtstreeks leiding ontvangt van de Rector Magnificus".[128]

De denkbeelden van Stallaert kwamen overeen met die van Kruyt. De rector van het USC, Van Hasselt, toonde zich in een gesprek met Kruyt 'ontdaan' over diens sympathieën, en sprak de vrees uit "dat de faculteiten zich op gezelligheidsgebied gaan begeven" en dat een overkoepelende organisatie het voortbestaan van de oude verenigingen op termijn zou kunnen gaan ondermijnen.[129] Kruyt erkende dat hij weliswaar met de 'hoofdgedachte' van Stallaert instemde, maar zei niet in onmiddellijke realisering daarvan te geloven. Verder dan een versterking van de Contact Commissie met de praesides van de studentenfaculteiten wilde hij voorlopig niet gaan. Daarnaast ontvouwde de RUU echter tal van initiatieven die de geest van het 'plan-Stallaert' ademden. Zo werd reeds in het najaar van 1940 gewerkt aan een universitair stelsel voor gezondheidszorg, een centrale sportorganisatie en een organisatie voor centrale voedselvoorziening. Van het universitaire ziekenfonds konden alle studenten tegen betaling van 2,50 gulden per jaar 'lid' worden. Wie van deze voorziening gebruik maakte, kon zich één maal aan een grondig TBC-onderzoek onderwerpen, was verzekerd voor verpleging in een sanatorium, en kon gratis de universiteitsarts consulteren.[130] De belangstelling voor het ziekenfonds was groot. Reeds na enige maanden telde het een kleine duizend leden, van wie 443 het TBC-onderzoek hadden ondergaan. In acht gevallen werd actieve tuberculose vastgesteld.[131]

Een organisatie voor centrale voedselvoorziening bestond in Utrecht al sinds de vroege jaren dertig in de vorm van de Mensa Academica, maar onder invloed van de voedselschaarste nam dit verschijnsel vanaf het najaar van 1940 een hoge vlucht. Prof.dr H. W. Julius (Geneeskunde) die de universiteit in de mensa-commissie vertegenwoordigde, zei tijdens een vergadering op 31 oktober '40 dat "zelf koken voortaan uitgesloten" was. Alle studenten zouden spoedig geheel of gedeeltelijk op de Mensa zijn aangewezen. De studenten-gaarkeuken, zoals de Mensa meestal werd genoemd, was aanvankelijk op verschillende lokaties –waaronder het Academiegebouw– gevestigd, maar kreeg in 1942 een centraal onderkomen in sociëteit De Vereeniging aan de Mariaplaats. Van zijn diensten maakten toen dagelijks zo'n 750 studenten gebruik. Tegen betaling van 75 cent ontvingen zij een genummerde deelnemerskaart met zes coupons. Daarmee kon twee dagen van tevoren een maaltijd worden gereserveerd, zodat op maat kon worden ingekocht bij een der centrale gaarkeukens. In de maaltijden werden produkten verwerkt die op de vrije markt niet meer verkrijgbaar waren. Een ander voordeel van de Mensa was dat bonkaarten hier meer waard waren dan elders, dat wil zeggen: houders kregen een toeslag van tien tot dertig procent op de rantsoenen waar zij volgens de distributiebepalingen recht op hadden. Op die manier hielden zij bonkaarten over waarvan zij in de openbare restaurants gebruik konden maken. "Men kan zo vier dagen genoeg eten, en twee dagen lekker eten", aldus Julius.

Lekker waren de maaltijden van de gaarkeukens allerminst. Julius ging de van elke variëteit gespeende mensa-hap met 'smaakcorrigentia' te lijf, maar zal hiermee geen wonderen hebben verricht.[132] Aanvankelijk had de mensa nog rijstmaaltijden kunnen bereiden voor de uit Indië afkomstige studenten, maar vanaf 1942 moesten ook zij zich aan de stamppotterreur onderwerpen. De voedingswaarde van de maaltijden vormde een aanhoudende bron van zorg. Al in november 1941 stelde Julius vast dat de calorische waarde van het eten per driekwart liter een schamele 700 calorieën bedroeg. "Getracht is om rauwkost of vruchten te geven, maar tachtig procent is bestemd voor de weermacht, en de andere twintig procent ook".[133]

Over een centrale sportorganisatie werd eigenlijk alleen maar gespróken. Kruyt heeft tijdens zijn rectoraat overwogen om wekelijks een vrije sportmiddag in het leven te roepen, maar dit plan verzandde in discussies over de vraag of zo'n sportmiddag een verplicht of facultatief karakter moest krijgen. Zijn opvolger refereerde in een interview met een plaatselijke krant nog eens aan een op handen zijnde aankoop van het landgoed Oud-Holland in Breukelen waar Utrechtse studenten verschillende takken van buitensport zouden kunnen beoefenen[134], maar de luxe van een dergelijke plannenmakerij kon de universiteit zich spoedig niet meer veroorloven.

Al met al was de centrale studentenzorg in Utrecht veel verder ontwikkeld dan in welke andere universiteitsstad ook. Amsterdam was de RUU weliswaar voorgegaan bij de instelling van een ziekenfonds voor studenten, maar de in Utrecht ontplooide initiatieven sloegen in de regel meer aan dan elders het geval was. Vooral de centrale voedselvoorziening was maatgevend voor wat de zusterinstellingen op dat terrein ondernamen.

Werkkampen

Het plan-Stallaert spoorde met diverse initiatieven die op nationaal niveau werden ontplooid. Zo gaf de Nederlandsche Unie de aanzet tot de oprichting van de zogenoemde Studentenwerkgemeenschap. Deze organisatie wilde de integratie van de studenten in de samenleving bevorderen door verschillende beroeps- en bevolkingsgroepen bijeen te brengen in werkkampen. Deze kampen zouden op termijn moeten gaan functioneren in Arbeidsdienstverband. Deelneming zou met andere woorden een verplicht karakter moeten krijgen, zodat studenten niet langer konden toegeven aan de neiging uitsluitend elkaars gezelschap te zoeken. De arbeidsdienstplicht zou in 1942 inderdaad worden ingevoerd voor de eerstejaars studenten, maar toen waren de Nederlandsche Unie en haar mantelorganisaties al opgeheven. Tot die tijd bestonden de studentenwerkgemeenschappen, zoals de werkkampen eufemistisch werden genoemd, vooral op papier. En op dat papier wemelde het van sterke mannen, landelijke, stedelijke en afdelings-secretarissen, blok- en kringorganisaties, sportleiders en driemanschappen. Deze functionarissen zouden niet alleen onder academici moeten worden gerecruteerd, maar ook –of vooral– onder 'niet-gestudeerden' die de universiteit des levens hadden doorlopen: arbeiders, mijnwerkers en buitenlui die het eelt op hun handen met elkaar gemeen hadden. Met hen, of onder hun leiding, zouden ook de studenten de geneugten van de fysieke arbeid moeten ondergaan. De geestelijke verzorging zou moeten bestaan uit lezingen over thema's als 'De opbouw der Nederlandsche en socialistische volks-gemeenschap', 'Maatschappelijke groepeeringen en geestelijke stroomingen in ons volksleven', et cetera. "Tot elken prijs moet gezorgd worden; dat de studentenwerkgemeenschappen geen verzamelplaats worden van negatief- of zelfs illegaal-ingestelde elementen; dat zij niet een slag verpolitiekte studenten kweeken die voor hun studie ongeschikt worden".[135]

Ook over plaats en inrichting van de werkkampen werd grondig nagedacht. Cursusleider J. A. Rauws wijdde er in de zomer van 1940 een even lange als lachwekkende verhandeling aan. Hij sprak zich hierin uit over de ideale locatie van de barakken ten opzichte van elkaar en ten opzichte van de spoor- en wegverbindingen, over de locatie van het sanitaire blok ten opzichte van de overheersende windrichting, over de inrichting van de gymnastiekzaal, kantine en keuken en hun onderlinge verband, over de aanleg der kampwegen ("geen omvangrijk grondverzet"), over de onwense-lijkheid van hekwerk langs de wegen ("vooral smakelooze afscheidingen van berkenhout of planken moeten vermeden worden"), over het materiaalgebruik bij de aanleg van –liefst zo uniform mogelijke– trappen ("ook hier vermijde men smakeloosheden als combinaties van natuursteen en cement"), en over de tuinaanleg: "Het is volkomen fout in een mooie grasvlakte tusschen de barakken bloemperken aan te leggen. Deze onder-breken deze rustige vlakte, wat ook het geval is als men er enkele siersstrui-ken in plaatst".[136] Vervolgens komen de afwerking van de barakken aan de orde, het nut van de bouw van vogelhuisjes ("men moet den jongens wer-kelijke liefde voor de vogels bijbrengen"), de wegwijzers en afrasteringen (geen betonpalen, prikkeldraad of berkenstammetjes "maar krachtige palen door rondhouten verbonden"), en de inrichting van de 'leiders-vertrekken'; "Ook hier moet de arbeidsdienstplichtige den leider herkennen: een sober, smaakvol, door bloemen of herfsttakken van de liefde voor de natuur getuigend interieur, welverzorgd, vooral ook ordelijk, vertrouwenwekkend, gastvrij."

Citadel-groep

Herstel of versterking van de "verbondenheid tussen intellectueel en volksgemeenschap" is ook het streven van de in 1938 opgerichte Citadel-groep. De bezettingstoestand waarin Nederland zich bevindt, ervaart de groep niet zozeer als een catastrofe, maar meer als een bevestiging van zijn gelijk en een belofte voor de toekomst. De idealen waarvan de Citadel-groep de kleine, en vooralsnog onbegrepen wegbereider meent te zijn, zullen namelijk weldra overal ingang vinden, omdat het oude stelsel zo jammerlijk heeft gefaald. De studenten zullen de 'soevereiniteit in eigen kring' moeten opgeven. "De komende studentengeneratie zal zoo spoedig mogelijk getild moeten worden over de schuttingen van hun vereenigingen heen, om kennis te nemen van hetgeen daar buiten leeft, in andere vereenigingen, in andere gewesten, in andere sociale groepeeringen".[137] Zij moeten, om in het jargon van de Citadel-groep te blijven, hun weg terugvinden naar het Dietse volk. "Wij zijn verbonden met dit volk door banden die niet eenvoudigweg los te snijden zijn. Dit volk roept... Dit volk bewaarde zijn tradities, vindt zijn wortel in het waardevolle verleden, zijn loutering in arbeid en lijden." Wat de verheffing van de student in de praktijk betekent, blijkt tijdens het vormingskamp dat de Citadel-groep van 19 tot 31 augustus 1940 in huize Katwijk te Den Haag organiseert. De deelnemers worden geacht zich in kamptenue −zwarte broek, wit hemd− aan sport, zang en studie te wijden. En wat die studie-activiteit betreft: die bestaat uit het bijwonen van voordrachten van prof.mr J.J. Schrieke ('Nieuwe Staatsopbouw'), Henri Bruning ('Het Christendom'), prof.dr A.A. van Schelven ('De Groot-Nederlandsche gedachte') en Wies Moens ('voordracht uit eigen werk').

Met zijn wijdse aspiraties en volkse oriëntatie onderscheidt de Citadelgroep zich in niets van het in november 1940 opgerichte Studentenfront, waarin het ook spoedig zal opgaan. Tot die tijd echter bestaat de Citadelgroep niet alleen uit toekomstige leden van het Front (zoals B.F. Saris en J.L.A.M. Kortmann), maar ook uit mensen die later in het andere kamp terechtkomen, zoals G. Monsees (die lid was van de redactie van het periodiek van USC en UVSV, Vox Studiosorum).

Nederlandse Studenten Federatie

Nog veel bonter was het ideologische spectrum van een andere (en veel interessantere) nationale studentenorganisatie: de eerder genoemde Nederlandse Studenten Federatie (NSF). Hiervan maakten mensen deel uit die in een later stadium van de bezetting elkaars felste tegenstanders zouden worden. De vertegenwoordigers van de afdelingen Utrecht (M.F. Mörzer Bruyns - die de NSF in de plaatselijke Contact Commissie vertegenwoordigde), Nijmegen (J.M.L.Th. Cals −de latere minister-president), en

Amsterdam (M. Kohnstamm) waren getuigende anti-nationaal socialisten. De Leidse vertegenwoordiger, H. A. M. van der Heijden, zou tot de 'radicalinski's' van het Studentenfront gaan behoren. De secretaris en (kortstondig) voorzitter, mr R. van Maanen zou een –weldra onhoudbare– middenpositie tussen deze uitersten proberen in te nemen.

In programmatisch opzicht week de NSF niet eens zoveel van de voorloper(s) van het Studentenfront af. In zijn beginselprogramma presenteerde het zich zelfs als een produkt van de oorlog, zoals de Citadel-groep er zijn voorziene opmars aan toeschreef. De meidagen hadden een eenheidsbehoefte tot gevolg gehad waaraan de NSF in zijn brochures appelleerde. "Dat is juist een van de goede zijden van dezen tijd: dat men zich de kleinheid van zichzelf diep bewust wordt, en de verhoudingen weer in een feller en scherper licht ziet".[138] In zijn naïef optimisme meende de NSF (aanvankelijk) dat de teloorgang van het oude maatschappelijke bestel mogelijkheden bood voor de opbouw van iets mooiers. Daarin was het overigens minder radicaal dan de concurrerende herstelbewegingen. In de eerste plaats had zijn programma geen 'Dietse' of soortgelijke staatkundige dimensies. Het beperkte zich tot het hoger onderwijs. Verder wilde de NSF de bestaande structuren niet slechten, maar –zoals ook Stallaert bepleitte– overkoepelen. En tenslotte dichtte het aan zichzelf niet zozeer de rol van zaaier (van nieuwe gedachten) toe, maar meer die van 'sproeier', die de ontkiemende inzichten voor verdroging wilde behoeden. Al met al maakte de NSF een minder snorkerige en meer erudiete indruk dan de eerder beschreven organisaties. Maar overeenkomsten waren er dus ook. Ook de NSF zag wel wat in de oprichting van werkkampen en volkshogescholen waar jongeren met een verschillende achtergrond elkaar ontmoetten en leerden waarderen. Om initiatieven in die richting voor te bereiden werd zelfs een commissie Werkkampen in het leven geroepen. Een andere commissie had lichamelijke opvoeding als aandachtsgebied. Wat de NSF betrof, kreeg de sportbeoefening een belangrijker plaats in het universitaire leven. "De gedachte om de lichamelijke ontwikkeling de eerste twee studiejaren verplicht te stellen, zou een belangrijke stap in de goede richting zijn." Daarnaast wilde zij de nihilisten –die alom als de probleemgroep bij uitstek figureerden– meer bij het universitaire leven betrekken. Hiertoe zou de universiteit goedkope studentenpensions moeten gaan exploiteren waar vooral de treinstudenten, de onderkaste van het nihilistendom, hun intrek zouden kunnen nemen. Verder pleitte de NSF voor een revitalisering van de overal wat ingedutte Mensa Academica, voor een stelsel van gezondheidszorg, voor intensivering van de contacten tussen studenten, hoogleraren en burgerij, en voor een wijsgerig georiënteerde propaedeuse voor àlle studenten (ongeacht hun studie).

Het feit dat het NSF-programma overeenkomsten vertoonde met dat van andere, meer autoritaire, organisaties heeft een richtingenstrijd tot gevolg die nog voor zijn oprichting (30 juli 1940) ontbrandde. Tijdens de bestuursvergadering van 8 juli, in de Leidse studentensociëteit Minerva, betoogt Van der Heijden dat de NSF zich van het innemen van anti-Duitse standpunten moet onthouden. Vooral Cals is het hiermee zeer oneens. Hij ziet de NSF (in oprichting) als een uiting van het besef "dat ons onrecht is geschied, en dat wij alles zullen moeten doen om onze geestelijke vrijheid te behouden. Dit neemt niet weg dat wij actief aan den nieuwen opbouw zullen mede- werken, maar dit mag niet gebeuren in den geest die de bezetter ons wil opdringen, als ware de beslissing voor ons volk reeds voor heel zijn toekomst gevallen".[139] De meeste aanwezigen vallen Cals in dit standpunt bij. Tijdens dezelfde vergadering komt ook de vraag aan de orde of de NSF zich zou moeten openstellen voor studenten met "gevaarlijke" sympathieën. Van Maanen meent van wel. Wat hem betreft wordt de NSF een zo breed moge- lijke organisatie. Het zou zich, aldus Van Maanen, buiten de werkelijkheid plaatsen indien het NSB'ers en aanhangers van aanverwante ideologieën zou weren. Cals verwoordt wederom het precieze standpunt: geen NSB'ers in de NSF. Ten aanzien van wat de 'Groot-Nederlandse kwestie' wordt genoemd, beveelt Cals afzijdigheid aan. Contact met Belgische studenten- organisaties zou wat hem betreft niet moeten worden gezocht. Ook nu is een meerderheid het met hem eens.

Barensweeën

De richtingenstrijd binnen de NSF eist op 23 juli z'n eerste slachtoffer. Op die dag komt het bestuur, wederom in Leiden, bijeen om zich te beraden over de positie van Van der Heijden. Die had gepoogd medestanders te recruteren door een soort beginselverklaring in De Citadel, het periodiek van de gelijknamige organisatie, te publiceren; "1 Feiten als feiten erken- nend, de Duitsche of vanwege den Duitscher aangestelde autoriteit als eenig bindende erkennen. 2 Autoriteit bezitten t.o.v. de geheele studentenwereld, onder voorzitterschap van een zelfstandig, beslissend president. 3 Alle bestaande studentenorganisaties moeten plaatsmaken voor één studenten- corps met één sociëteit waarvan ieder lid móet zijn. 4 Het Jodenvraagstuk moet als zoodanig erkend worden, met de consequenties die dit met zich brengt." Het bestuur onthoudt zich van een inhoudelijke reactie op de stel- lingen van Van der Heijden, maar acht diens Alleingang onverenigbaar met het bestuurslidmaatschap. Hij vertrekt nog vóór de vergadering ten einde is. Daarmee zijn de gelederen echter niet meteen gesloten. Van Maanen meent dat Van der Heijden op enigerlei wijze voor de NSF behouden moet blijven, al was het alleen maar om een eenheidsillusie te kunnen blijven koesteren. En Van Maanen brengt het door Van der Heijden gesignaleerde 'Jodenvraagstuk' ter sprake: kan de NSF dit wel negeren? Hijzelf acht "aanwezigheid van menschen met joodsche namen (...) ongewenscht, en wel om tactische rede- nen". Besloten wordt de kwestie nog even naar voren te schuiven.
De pers besteedt opvallend veel aandacht aan de barensweeën van de NSF. Het Vaderland baseert zich bij zijn berichtgeving vooral op de zienswijze van Van der Heijden, en noemt de organisatie "een reactionair orgaan". Volk en Vaderland, de partijkrant van de NSB, gaat nog wat verder. Ze schetst de NSF –dat op dat moment nog het meest wegheeft van 'zeven jongens op een lekke schuit'– als een soort slagschip der reactie. De pijlen worden vooral gericht op de leider van de afdeling Utrecht, 'het Corpslid Mörzel (sic!) Bruyns'. "Wanneer men (...) weet dat deze heer steeds de afgevaar- digde is geweest van de International Student Service ISS, de volkomen

Engelsch georiënteerde, anti-nationaal-socialistische organisatie, dan begrijpt men hoe het zaakje in elkaar steekt. Systematisch wordt daarbij iedereen die NSB-sympathieën heeft natuurlijk uitgesloten. Zoo denken de heeren op denzelfden voet te kunnen verder gaan".[140]

Onder invloed van deze ongevraagde publiciteit wordt de strijd tussen rekkelijken en preciesen in het voordeel van de laatsten beslecht. Op voorspraak van Kohnstamm wordt Van Maanen, die de 'joodse kwestie' op de agenda wil plaatsen, tot heengaan gedwongen. Daarmee is de afdeling Leiden (waarvan Van der Heijden en Van Maanen de vertegenwoordigers waren) overigens ontvolkt geraakt. In allerijl wordt het secretariaat van de NSF van Leiden naar Amsterdam verplaatst. De grote vlucht naar voren, waarop in juli nog werd gespeculeerd, blijft echter uit. Er komen geen 10.000 leden opdraven, maar slechts een paar honderd. En die brengen bij lange na niet de contributie op die nodig is om de financiers van de NSF, waarvan de NBBS de grootste is, terug te kunnen betalen. En over het programma en de organisatie-structuur van de NSF is men het ook blijvend oneens. Conferenties die de armlastige club op buitenplaatsen met welluidende namen organiseert, vervallen in ruziënd navelstaren. Tot de weinige concrete initiatieven waarop de NSF een half jaar na zijn oprichting kan bogen, behoren onder andere een boerderijdag voor studenten in Groningen, een lezingencyclus voor studenten en arbeiders in Amsterdam, en een experiment met huisbezoek aan minder bedeelden in dezelfde stad. Over het welslagen van deze activiteiten houdt men zich (wijselijk?) op de vlakte. Aan de oprichting van volkshogescholen en werkkampen wordt nog wel gedacht, maar het is twijfelachtig of iemand buiten de NSF hier iets van heeft gemerkt.

De joodse kwestie

Maar uitgerekend het thema dat het bestuur buiten de agenda wilde houden, heeft een heilzame invloed op de NSF, te weten: de joodse kwestie. Het Utrechtse initiatief tot het laten circuleren van een adhesiebetuiging aan de geschorste joodse hoogleraren (23 november '40) is van NSF'ers uitgegaan. Diezelfde dag spreekt het bestuur van de NSF, dat zei de gevoelens van het "overgroote deel der studenten" te vertolken, in een brief aan het college van secretarissen-generaal (de hoogste Nederlandse instantie) zijn "groote onstentenis en diepe verontwaardiging" uit over de zojuist getroffen maatregel. Hiermee is de NSF in de voorhoede van het 'afwijzingsfront' terechtgekomen. In nog geen vijf maanden tijd had zij zich ontwikkeld van een organisatie die poogde positieve aspecten te ontwaren in de bezettingstoestand, tot het geweten van de Nederlandse studenten. Stond in juli 1940 de weg van aanpassing en collaboratie nog open, in november is zij al tot het inzicht gekomen dat zij zich in niets van andere vernieuwingsbewegingen onderscheidt wanneer ze onder de gegeven omstandigheden aan haar oorspronkelijke doelstellingen vasthoudt. Binnen de studentenwereld heeft zich een scheiding der geesten voltrokken. En de korte geschiedenis van de NSF –ze wordt in juli 1941 verboden– vormt daarvan de afspiegeling. Zo bezien was haar pretentie 'de' Nederlandse studenten te representeren niet eens zonder grond.

8

Nieuwe anti-joodse maatregelen

'Is het Uw plicht daarom te manifesteren?'

IN DECEMBER 1940 KRIJGT het NSF-bestuur lucht van een nieuwe anti-joodse maatregel (waarvan op dat moment nog vrijwel niemand op de hoogte is): de verwijdering van joodse studenten van de universiteiten en hogescholen. Voorafgaand aan deze maatregel zouden −overeenkomstig het scenario van november '40− alle Nederlandse studenten een afstammingsverklaring moeten invullen. In een pamflet dat de NSF in de universiteitssteden verspreidt, roept ze de studenten op zo'n verklaring niet te ondertekenen omdat zij daarmee het 'on-Nederlandsche' onderscheid tussen Jood en niet-Jood zouden erkennen. "Wij moeten de formulieren oningevuld terugzenden of, wat misschien beter is, als ongevraagd drukwerk in de prullemand doen verdwijnen".[141] Het NSF-bestuur, waarvan Mörzer Bruyns de nieuwe (reeds derde!) president is, brengt tezelfdertijd een bezoek aan secretaris-generaal Van Dam om zich van het naderend onheil op de hoogte te stellen. Van Dam probeert zijn bezoekers gerust te stellen met de loze bewering dat de maatregel die zij vrezen bij zijn weten niet in de maak is.

Op vrijdag 17 januari evenwel, is hij −met Reinink− aanwezig bij een 'samenspreking' in Trans 10 waar Kruyt, De Geer en 's Jacob worden voorbereid op nieuwe Duitse maatregelen. Van Dam zegt nog niet te weten wat die precies zullen gaan behelzen, omdat nog wordt gewerkt aan een compromis tussen de inzet van Seijss Inquart −verwijdering van àlle joodse studenten− en een tegenvoorstel van Van Dam, dat voorziet in een inschrijvingslimiet voor Joden van vier procent van het totale aantal studenten. Met deze inleidende opmerking hoopt Van Dam wellicht te bereiken dat zijn toehoorders met het ergste rekening houden, zodat de uitkomst van het 'overleg' −dat in werkelijkheid al is afgerond− hun nog enigszins meevalt. Want het scenario dat Van Dam vervolgens als het meest waarschijnlijke schetst, zou op 17 februari in het Verordnungsblatt ook metterdaad worden afgekondigd. De inschrijvingslimiet wordt op drie procent gesteld, en joodse studenten die in september vierdejaars worden zullen hun studie kunnen voortzetten. Met de uitvoering van de numerus clausus zal de zojuist ingestelde Joodse Raad worden belast. Dat de joodse studenten niet helemaal van de Nederlandse universiteiten worden verwijderd, heeft met lankmoedigheid jegens hen niets van doen. Met hun 'concessies' hopen de autoriteiten slechts te voorkomen dat de studenten zich weer zullen gaan roeren. Om dezelfde reden hoeft het afstammingsformulier niet door iedereen te worden ingevuld, maar slechts door joodse studenten. Wie níet tekent geeft daarmee te kennen als 'ariër' beschouwd te willen worden. Op die manier wordt de studenten geen gelegenheid geboden passief verzet te plegen, zoals de NSF had gewild. Van Dam, die de regeling als een persoonlijk succes ziet, zegt de Duitsers ook ten aanzien van een ander voornemen tot inschikkelijkheid te hebben bewogen: zij hadden alle overblijvende joodse studenten in Amsterdam willen concentreren, "maar daar had ik als Amsterdams hoogleraar bezwaar tegen".[142]

Manifest

Kruyt is zeer beducht voor onrust onder de Utrechtse studenten. Tegenover Van Dam spreekt hij de vrees uit dat hun reactie op de nieuwe maatregelen 'bitter' zal zijn, "zelfs hier te Utrecht, waar vermoedelijk nauwelijks één procent der studenten joods zal zijn".[143] Het draaiboek van november 1940 wordt uit de kast gehaald om aan eventuele protestbewegingen het hoofd te kunnen bieden. Kruyt stelt een manifest op dat, mocht dat weer nodig blijken te zijn, zijn kalmerende werk kan doen. Hierin toont hij zijn begrip voor de verontwaardiging over de uitsluiting van joodse studenten, "maar ik vraag U of het Uw plicht is daarom te manifesteren?" De consequenties kunnen immers ernstig zijn, niet alleen voor individuele manifestanten, maar ook voor de universiteit en voor de joodse studenten "die nu nog, althans gedeeltelijk, een kans hebben. Ge riskeert dus voor hen het omgekeerde te bereiken." Dus: "Wees niet anarchistisch. Uw hoogleraren komen tot dezelfde conclusie: werk door, aanvaard in berusting." Tot slot wordt een inmiddels welbekende troef uitgespeeld: in Leiden en Delft "wenst men niets hartgrondiger dan dat Utrecht, Groningen en Amsterdam zich rustig houden".[144]

Het manifest kon ongedrukt blijven. De vrees van Kruyt wordt niet bewaarheid. Dit kan zeer wel hebben samengehangen met het feit dat aan de afkondiging van de numerus clausus twee maanden van geruchten over nieuwe anti-joodse maatregelen voorafgingen. In die periode kan een verzetsbeweging, waar getuige de december-oproep van de NSF wel degelijk sprake van was, haar momentum hebben verloren. Verder is de numerus clausus voor de meeste studenten minder tastbaar dan, bijvoorbeeld, de schorsing van joodse hoogleraren. Temeer daar van de studenten niet de ondertekening van een afstammingsverklaring werd verlangd. Tenslotte gaat van de, inmiddels twee maanden durende, sluiting van de TH Delft en Rijksuniversiteit Leiden ongetwijfeld een vreesaanjagende invloed uit. Vooral op ouderejaars studenten. Bij onrust aan hun universiteit lopen zij immers het risico hun goeddeels voltooide studie niet te kunnen afronden, terwijl het besef dat de bezetting van Nederland eindig is begin '41 alleen onder de ongeneeslijke optimisten leeft. De Contact Commissie laat Kruyt desgevraagd weten niet in te kunnen staan voor het gedrag van de jongerejaars. De ouderejaars zullen volgens de CC berusten in de situatie.[145] Hoe groot de angst van vergevorderde studenten voor de onbekooktheid van de jongeren is, blijkt Kruyt als twee chemisch kandidaten een dringend beroep op hem doen de "opgewonden jongens" in toom te houden. Kruyt zegt toe zijn kalmerende invloed te doen gelden, en raadt het tweetal aan hetzelfde te doen.

'Leedwezen-rede'

De stemming binnen de academische Senaat is, aldus Kruyt na het bijwonen van een plenaire vergadering, "zeer goed". Dat wil zeggen: vrijwel iedereen is het erover eens dat de hoogleraren niet, zoals sommigen in november hadden gedaan, publiekelijk moeten stilstaan bij de jongste uitsluitingsmaatregel. De overgrote meerderheid van de Senaat meent dat de kwestie na de schorsing van de joodse hoogleraren al genoegzaam is becommentarieerd, en acht "herhaling nu ongewenst en overbodig".[146] Alleen de hoogleraren Boeke en Koningsberger willen tijdens hun college weer een 'leedwezen-rede' houden, zoals Kruyt het in zijn dagboek ietwat smalend noemt. Volgens Boeke "is (het) in het belang van de rust gewenst dat de studenten weten wat ze aan ons hebben".

Overigens is de vrees voor ordeverstoringen inmiddels wat weggeëbd. Kruyt stelt zich via de CC en individuele docenten van de stemming onder de studenten op de hoogte, en verneemt niets wat op aanzwellend protest duidt. Volgens de lector dr B.R. Bakker (Tandheelkunde) is het op zijn instituut zelfs verre van onrustig. Hij heeft daar ook een verklaring voor. "Het percentage Joden is circa 2.5 procent, waarvan 1.5 procent zeer impopulair zijn (sic!), wat niet zonder invloed op de stemming is".[147]

Toch spreekt Kruyt met De Geer en 's Jacob af dat zij elkaar op maandag 17 februari, wanneer de numerus clausus officieel zal worden aangekondigd, vroeg zullen treffen om het hoofd te kunnen bieden aan onvoorziene ontwikkelingen. 's Jacob, die in Huis ter Heide woont, vraagt Kruyt "of elf uur vroeg genoeg is. Ik antwoord dat mij dat nogal laat lijkt, dat ik zelf om negen uur op de universiteit zal zijn." De daad bij het woord gevoegd hebbende, kan Kruyt tot zijn grote voldoening vaststellen dat het in Utrecht weldadig rustig is. Van Van Hasselt verneemt hij dat er weliswaar een pamflet met scherpe tekst is gesignaleerd, maar dat dit eindigt met de oproep af te zien van protestacties. De colleges beginnen stipt om 10.15 uur, en verlopen volgens Kruyt –die een ronde langs verschillende onderwijsgebouwen in de binnenstad maakt– 'volkomen rustig'. "Daarna gingen wij naar Trans 10, waar juist de Heer 's Jacob arriveerde".[148]

In Utrecht is het naar aanleiding van de numerus clausus, voor zover bekend, tot vijf uitingen van protest gekomen: de redes van Boeke en Koningsberger, artikelen in de periodieken van Veritas en Unitas –Vox Veritatis en Vivos Voco– en een rouwrand op de frontpagina van de Vox Studiosorum waarin het wapen van de RUU was gevat.

De boodschap die Koningsberger zijn studenten had meegegeven, kwam overeen met die van 25 november 1940. Er klinkt evenwel een groeiende twijfel in door over de houding van de hoogleraren. Dat wil zeggen: het streven de universiteit open te houden, heeft na de tweede uitsluitingsmaatregel wat aan vanzelfsprekendheid ingeboet, en behoeft enige toelichting.

"Na hetgeen wij tezamen in de laatste week van November beleefden, hebben wij elkaar niets meer te zeggen, nu tegen den nieuwen cursus maatregelen zijn afgekondigd tegen studenten van Joodschen bloede. Maar juist omdat wij elkaar toen zoo goed begrepen, acht ik het mij een plicht opnieuw – zij het voor velen meer ten overvloede – een beroep te doen op Uw zelfdiscipline. Volhardt in uiterste zelfbeheersching. Onthoudt U van elke manifestatie. Men begrijpt elkander ook zoo. Ons Vaderland vraagt dit van U, zooals het nog steeds van ons allen eischt dat wij onversaagd op onzen post blijven. (...)

"In de tweede plaats zal, wanneer andere beweegredenen uitblijven, iedereen tot het inzicht gebracht moeten worden dat een rassentheorie geen richtsnoer kan zijn in een koloniaal rijk welks onderdanen voor negentig procent behoren tot een dozijn verschillende rassen, nog afgezien van de duizenden sedert eeuwen in Nederlandsch Indië ingeburgerde Japanners, Chinezen, Britsch Indiërs, Arabieren en Armeniërs. Draagt deze gedachte uit waarheen ge kunt.

"En tenslotte vertegenwoordigt in Nederland een Universiteit een ander begrip dan een bioscoop of een kroeg, waar men weg kan blijven wanneer de toegang aan vrienden wordt ontzegd. De vraag in hoeverre de zich wijzigende omstandigheden een doorwerken van onze Universiteit nog toelaten, kunt gij nog niet ten volle beoordelen, zodat ge op het antwoord van Uw docenten moet vertrouwen. Ik persoonlijk ben er van overtuigd dat het belang van ons Vaderland nog steeds van ons eischt dat we onversaagd op onzen post blijven".[149]

In de archieven bevinden zich twee verschillende versies van de rede die Koningsberger op 17 februari hield: een beknopte, die zich beperkt tot de eerste alinea, en een uitgebreide, die overeenkomt met bovenstaand citaat. Uitgaande van het rectoraatsdagboek van Kruyt, moet worden gevreesd dat Koningsberger zijn studenten de langere uiteenzetting heeft onthouden.

De NSF laat zich evenmin onbetuigd. In een 'open brief' aan Van Dam protesteerde ze tegen de genomen maatregel, en uit ze er haar misnoegen over dat Van Dam in december nog had beweerd niet van een numerus clausus op de hoogte te zijn. De secretaris-generaal had het NSF-bestuur op 8 februari al laten weten op die uitspraak te moeten terugkomen, maar getroost zich tevens moeite de getroffen maatregel als een milde – en daardoor meer acceptabele versie te presenteren van wat de bezettingsautoriteiten voor de joodse studenten in petto hadden gehad. "U zult uit den tekst zien dat deze maatregelen minder ver gaan dan door U tijdens Uw bezoek werd gevreesd, zoodat ik de hoop mag uitspreken dat U Uwerzijds alles zult doen om te bevorderen dat deze maatregelen door de studenten worden ontvangen zonder dat zij tot ontoelaatbare protesten zullen overgaan. Ik merk hierbij op dat van een studentenactie onder de bestaande omstandigheden de ernstigste gevolgen voor de deelnemers te verwachten zijn, alsmede voor de hoogescholen te Delft en Leiden, wier heropening ik heb verzocht".[150] De NSF laat in haar reactie weten zich er niet van bewust te zijn zich tijdens het gesprek met de secretaris-generaal over de aard van nieuwe anti-joodse maatregelen te hebben uitgelaten, en zegt derhalve ook geen enkele opluchting te kunnen voelen over de door hem bedongen 'concessies'. Zij verzoekt Van Dam niettemin op een humane, ruimhartige wijze invulling te geven aan de maatregelen, en zegt toe de studenten niet tot openlijk protest te zullen aanzetten.

'Werkelijkheidszin'

De Utrechtse gedragslijn was maatgevend voor die van andere universiteiten. Ook elders volhardden de studenten in de 'zelfbeheersing' waarvoor Koningsberger zijn waardering had geuit. De illegale pers was hierover zeer teleurgesteld, verbitterd zelfs. De landelijk verschijnende 'Geus onder Studenten' had op 15 februari de 'slappe houding' die –met name– Utrecht en Groningen in november '40 aan de dag hadden gelegd, nog gehekeld. "De passieve studenten voelden zich zelf slap, begrepen dat later de historie niet met trots zou spreken over de 'werkelijkheidszin' van Utrecht of Groningen, en dus trachtten zij hun houding verstandelijk te rechtvaardigen".[151] Maar, zo hield De Geus de studenten voor, de keuze tussen verzet en aanvaarding moet niet worden ingegeven door hun praktische implicaties. De stakingen in Delft en Leiden mochten dan de sluiting van de betrokken instellingen tot gevolg hebben gehad, het psychologisch belang van de acties woog hier ruimschoots tegen op. En ook de maatregelen tegen de joodse studenten druisen, aldus De Geus, zozeer in "tegen ons rechtsgevoel en onze Nederlandse en Universitaire tradities, dat *iedere* protestactie der studenten gerechtvaardigd ware, ook als daarvan sluiting van alle Universiteiten het gevolg zou zijn. Zelfs zou dit laatste het mooie resultaat hebben dat ieder verschil tussen joodse en niet-joodse studenten ware opgeheven, zodat op deze wijze de Duitsers hun eigen onrecht hersteld zouden hebben!"

Maar in het volgende nummer, dat van maart 1941, moest de redactie vaststellen dat de studenten zich niet hadden laten leiden door het oordeel dat komende geslachten over hun handelwijze zouden vellen. Het onmiddellijke en tastbare belang had geprevaleerd, en "de rol van de zwakkelingen was funester dan die van een handjevol verraders".[152] Het gevolg mocht dan zijn dat een ieder zijn/haar studie kon voortzetten, maar op het hellende vlak van collaboratie was men weer een vakje opgeschoven. De Duitser "vreest niet het verstand van de angstigen, maar wel de moed van de verstandigen." En over die moed bleek dezer dagen vooral 'de werkende bevolking van Amsterdam' te beschikken. Hun staking –hoe vruchteloos ze ook mocht schijnen– "heeft de Nederlandse zaak meer gebaat dan het verstand van de studenten, al was het alleen maar om de naam die (ze) ons in het buitenland heeft gegeven. De staking van Amsterdam en omstreken zal langer bekend blijven dan onze dociliteit. Gelukkig... ook voor ons!"

Groeiend onbehagen

Alhoewel het 'Utrechtse model' andermaal had bewezen tegen schokken bestand te zijn, gaven de gebeurtenissen van februari 1941 minder aanleiding tot zelfvoldaanheid dan na de novembercrisis van het voorafgaande jaar het geval was geweest. Dat zal hebben samengehangen met het feit dat in november nog een protestbeweging te beteugelen viel, terwijl de bui ditmaal vanzelf overdreef. Maar er was –zo zou na de oorlog herhaaldelijk voor de zuiveringscommissie(s) worden betoogd– ook sprake van een groeiend gevoel van onbehagen. Aan de illusie van een Duitse overheid-op-afstand (die in de zomer van 1940 was gewekt) kon bezwaarlijk worden vastgehouden. Nu de bezettingsautoriteiten er in een tijdsspanne van nog geen drie maanden twee maal van hadden blijkgegeven de autonomie van het hoger onderwijs aan hun laars te lappen, konden meer initiatieven van die zijde tegemoet worden gezien. Hoe gegronder die vrees bleek, hoe gelatener de Utrechtse reactie was. In de maanden die volgden zou de 'nieuwe tijd' zich op steeds indringender wijze binnen de universiteit gaan manifesteren. Dat de vloed zich ooit zou terugtrekken wilde nog vrijwel niemand aannemen. De vraag was alleen: tot welk niveau zal het water stijgen? Zolang men meende dat de universiteit ook een erkend belang voor de bezetter belichaamde, en zijn bemoei- en regelzucht ooit een verzadigingspunt zou bereiken, bleef de universiteit haar eigen levensbehoud nastreven. Want een gesloten of ontregelde universiteit? Dat kon toch nooit de bedoeling van de Duitsers zijn? In deze geestesgesteldheid, en tegen de achtergrond van die onzekerheid deed de universiteit wat zij in het belang van het land achtte. Al gebeurde dat met steeds minder overtuiging.

Joodse studenten

De numerus clausus had het eerst gevolgen voor de studentenbladen die tegen de maatregel hadden geprotesteerd. Eerst werd de Vox Studiosorum verboden (nadat twee redacteuren enige tijd in arrest waren gehouden), vervolgens kregen ook de Vox Veritatis en Vivos Voco –dat over het verbod van Vox Studiosorum had geschreven– een verschijningsverbod opgelegd. De uitsluitingsmaatregel leidde aanvankelijk niet tot een daling van het aantal joodse studenten in Utrecht. Integendeel. De vergevorderden onder hen konden doorstuderen. Hetzelfde gold, aldus Van Dam in een toelichting op de numerus clausus, voor studenten "van wie kan worden verwacht dat zij de joodsche gemeenschap later het beste in een academisch beroep zullen kunnen dienen".[153] Joodse studenten "die eens of meermalen aan een Nederlandsche universiteit of hoogeschool zijn ingeschreven geweest en zich voor het studiejaar 1941/1942 opnieuw (...) wenschen te laten inschrijven, dienen zich schriftelijk voor 1 april 1941 met een hiertoe strekkend verzoek te wenden tot den Secretaris-Generaal (...)." In een radiotoespraak die Van Dam op 23 februari hield, zei hij dat deze studenten de benodigde toestemming niet zou worden onthouden. Een joodse student "die regelmatig ingeschreven geweest is, behoeft niet te vreezen niet tot een examen te worden toegelaten, ook al zou hij in dit examenjaar zelf niet ingeschreven geweest zijn".[154] Hieraan voegde hij ten overvloede toe dat met de numerus clausus vooral werd beoogd toekomstige studenten van de universiteiten te weren. Hen werd inschrijving zelfs verboden "tot zoolang niet anders wordt bepaald".

In reactie op de afkondiging van de numerus clausus diende een aantal joodse studenten een verzoek tot inschrijving voor het lopende cursusjaar in. Het betrof vooral studenten die vanwege een assistentschap of promotie-onderzoek niet als student stonden ingeschreven. Vaak handelden zij op instigatie van hun docenten die –ten onrechte– in de veronderstelling leefden dat joodse studenten die op dat moment niet waren ingeschreven, ook niet begeleid mochten worden. Alhoewel Van Dam had gepoogd deze indruk weg te nemen, en er met nadruk op had gewezen dat hernieuwde inschrijving pas met ingang van het cursusjaar 1941-'42 aan de orde was, had menigeen aan de RUU gemeend het interpretatieprobleem (waar elke nieuwe richtlijn aanleiding toe gaf) te moeten oplossen door de preciese uitleg te volgen. Daarbij woog het belang van de universiteit zwaarder dan dat van de betrokken student die −hangende de exegese− tussen hoop en vrees leefde. Al op 19 februari, twee dagen na de bekendmaking in het Verordnungsblatt, maakte prof.dr F.M.J.A. Roels (Letteren en Wijsbegeerte) de rector magnificus erop attent dat een proefschrift dat hem juist ter flattering was toegezonden, was geschreven door een joods student. Volgens Roels moest voor diens promotie −waarvoor de examenregeling geldt− toestemming worden gevraagd aan Van Dam. Kruyt verbond aan het doorgaan van de promotie daarop de voorwaarde dat de promovendus als student stond ingeschreven, of −indien dat niet het geval was− hij toestemming had gekregen van Den Haag om zijn proefschrift te verdedigen.[155]

De assistent A. Pais was voornemens voor de zomer zijn proefschrift af te ronden. Aan het college van curatoren vroeg hij toestemming zijn promotor tot de beoogde promotiedatum in het fysisch laboratorium te blijven bezoeken. Die toestemming zou hem op grond van de verklaringen van Van Dam zondermeer verleend kunnen worden, maar curatoren antwoordden −rijkelijk laat bovendien− dat hij alleen nog tijdens de lopende cursus kon promoveren, dat hij zich bovendien weer als student moest laten inschrijven (à raison van tien gulden) en dat hij pas weer het fysisch laboratorium mocht bezoeken als zijn inschrijving een feit was. De ontoeschietelijke houding van het college zou Pais al snel twee (voor zijn proefschrift wellicht cruciale) maanden hebben gekost.[156]

Koninklijke weg

Ook prof.dr Th.M. van Leeuwen (Geneeskunde) was −waar het de interpretatie van de richtlijnen van Van Dam betrof− wars van eigen initiatief. Hij weigerde een (niet gespecificeerd) aantal joodse studenten het diploma semi-arts te overhandigen −al hadden zij aan alle verplichtingen voldaan− omdat zij niet meer als student stonden ingeschreven. Zij wendden zich daarop tot de pedel, die de kwestie aan Kruyt voorlegde. Kruyt wilde de knoop ook niet doorhakken, en vroeg De Geer de zaak met Reinink −van het departement van Opvoeding, Wetenschap en Cultuurbescherming− te bespreken. De Geer bevestigde daarop wat Van Dam al had meegedeeld: wie eerder ingeschreven is geweest kan zich opnieuw laten inschrijven. Ook de joodse semi-artsen hadden deze weg te gaan, hoewel Van Dam óók had gezegd dat de (joodse) studenten die op dat moment niet als zodanig stonden geregistreerd na toestemming van het departement examens konden afleggen en zich niet opnieuw hoefden in te schrijven.

Aan oirbaar gesjoemel met de verre van doorzichtige regelgeving werd niet gedacht. Hierdoor ontstonden problemen die anders misschien vermeden hadden kunnen worden. Neem het geval van een joods medisch student die in mei een verlengd kandidaatsexamen van drie maanden kreeg dat hij net niet meer −zoals hij had gewenst− vóór de zomervakantie kon afleggen. Om niet tot het volgend academisch jaar met het afleggen van het examen te hoeven wachten, verzocht hij de faculteit daarop de termijn tot tweeën-eenhalve maand te bekorten. Hij kreeg echter nul op rekest: men wilde niet aan de gulden regel van drie maanden voor een verlengd examen tornen. Nu had de faculteit de student ook op een andere (niet eens illegale) manier ter wille kunnen zijn, namelijk door hem toe te staan meteen na het verstrijken van die drie maanden −dus tijdens de zomervakantie− het examen af te leggen. Voor dit arrangement werd echter toestemming gevraagd bij het departement, en het departement zei 'nee'. Door de vermeende koninklijke weg te volgen, had de faculteit zichzelf de mogelijkheid ontnomen de student tegemoet te komen.[157]

De betrekkelijke vrijheden die de joodse studenten na de afkondiging van de numerus clausus nog genoten, werden gaandeweg −volgens de 'salami-techniek' waarin de nationaal-socialisten zo bedreven waren− beperkt. In februari 1942 werden op alle universitaire panden met een openbaar karakter, zoals het Universiteitsmuseum, de bordjes met het opschrift 'Voor Joden Verboden' bevestigd. Tezelfder tijd werd niet-ingeschreven joodse studenten de toegang tot de universitaire bibliotheken en leeszalen ontzegd, tenzij de secretaris-generaal hun toestemming had verleend een examen af te leggen waarvoor gebruik moest worden gemaakt van deze voorzieningen. Op 2 april bepaalde Van Dam dat promoties van Joden voortaan een niet-openbaar karakter zouden hebben, "zulks in afwijking van artikel 29 van het Academisch Statuut".[158] Op 1 augustus tenslotte, werden de universiteiten en hogescholen tot verboden terrein verklaard voor alle dragers van de gele ster. De afsluiting van een grote maatschappelijke sector voor joodse Nederlanders had in nog geen twee jaar tijd haar beslag gekregen.

'Hoe harder ge het hebt, hoe beter'

V INDEN DE MAATREGELEN die de universiteit zo van zichzelf ver-
vreemden hun origine in de boze buitenwereld, de representanten
van de 'nieuwe orde' gaan zich ook in toenemende mate binnen
de universiteit roeren. Van het in november 1940 opgerichte Studentenfront wordt aanvankelijk weinig vernomen, maar daarin komt geleidelijk
verandering. Getalsmatig stelt deze club –ook in zijn 'hoogtijdagen'– nooit
veel voor. De afdeling Utrecht, een van de actiefste van het land, telt nooit
meer dan 25 leden. Maar deze kleine kern bestaat wel uit zeloten die de universiteit als een missiegebied zien waar de reactie in haar zuiverste vorm
wordt beleden. Dat zij de bewoners van dit gebied spoedig tot hun volkse
ideologie kunnen bekeren, geloven zij zelf niet. Daarvoor zijn de 'vorigen'
–zij die waren verankerd in het vooroorlogse bestel– vooralsnog te talrijk
en te zeer misleid. Maar tot het onontkoombare moment waarop de universiteit bij de nieuwe orde zal worden betrokken, en zal worden getrans-
formeerd in een 'volksche' instelling, moeten de vooruitgeschoven posten
in het bolwerk van de reactie bemand blijven.
De 'boodschap' van de nationaal-socialisten heeft inderdaad een bijna religieuze dimensie, en is met haar volkse en anti-intellectuele inslag wezens-
vreemd aan de academische omgeving waarin ze wordt uitgedragen. Het
Studentenfront stelt dan ook niets in het werk om de zo gesmade intellec-
tuelen te behagen. Integendeel. In augustus 1941 poneert het Studentenfront, het tweewekelijkse periodiek van de gelijknamige organisatie, de
koene stelling dat het kleine aantal academisch gevormde nationaal-socialisten niet zozeer de tekortkoming illustreert van deze ideologie, maar meer
die van de intelligentsia. Het instrumentarium waarmee zij alles pleegt te
analyseren schiet namelijk te kort om het nationaal-socialisme te kunnen
doorgronden. En dat is niet zo gek, want begrip en waardering voor deze
ideologie ligt besloten in het gevoel. "Het is niet allereerst de *denkende*
mensch die zich tot het nationaal-socialisme bekeert, het is voor alles de *voelende* en *geloovige* mensch. Het moet dan ook niet onze bedoeling zijn onze
tegenstanders met *verstandelijke* argumenten te *bewijzen* dat het nationaal-
socialisme beter en juister is dan het humanisme, het liberalisme of wat dan
ook. Neen, wij moeten door woord en daad bij hen díe gevoelens wekken

die, voor onze vaste overtuiging, in elken volksgenoot in meer of minder diepe sluimer aanwezig zijn".[159]

Dat de 'volksche' universiteit zal kunnen worden opgebouwd met behulp, of zelfs maar het behoud van de huidige hoogleraren, acht het Studentenfront uitgesloten. Zij representeren namelijk de waardevrije wetenschap die straks zal hebben afgedaan. De Utrechtse privaatdocent en NSB'er Van Genechten licht tijdens de eerste landdag van het Studentenfront deze zienswijze nader toe; "Elke wetenschap die ooit iets gepraesteerd heeft, elke wetenschap die grote dingen gedaan heeft voor het volk, zij is steeds politiek geweest. Want wie zegt 'politiek', die zegt 'kiezen', en zonder te kiezen kan men geen wetenschappelijk werk doen".[160] Van de hoogleraren die wortelen in de prehistorie van de 'volksche wetenschap' (en die dit begrip als een contradictio in terminis zullen ervaren), kan geen constructieve bijdrage aan de opbouw van de nieuwe universiteit worden verwacht. Zij staan de lotsbestemming van het hoger onderwijs dus in de weg, en zullen vroeger of later moeten heengaan. De Leidse universiteit zal de door Van Genechten voorziene transformatie het eerst ondergaan. Haar hoogleraren zullen, zo smaalt hij, weldra door de stille straten van Leiden dwalen "zooals verstarde oude mannen die rusteloos zoeken naar een bezigheid die zij waarschijnlijk zullen vinden in het schrijven van geheime pamfletten." Het vertrek van de huidige lichting hoogleraren zal zelfs een zegening blijken te zijn voor het héle volk, orakelt Van Genechten. "Het Nederlandsche volk heeft vele goede eigenschappen, maar het kent weinig levensvreugde omdat het zijn edel gemoed met een laag van intellectualisme heeft bedekt."

Grafrede

Voor de studenten is de boodschap van het Studentenfront nauwelijks wervender. Zij zullen de ivoren toren waarin zij zich zo comfortabel hebben geïnstalleerd moeten verlaten om zich weer bij de werkende 'volksgenoten' te voegen waarvan zij zich eerder hebben afgewend. Zij zullen zich alleen nog mogen bekwamen in vakken met een erkend maatschappelijk nut, en zullen de leerschool van de fysieke arbeid moeten doorlopen vóór zij op hun eigen vakgebied dienstbaarheid kunnen betrachten. Vooral de oude gezelligheidsverenigingen, de splijtzwammen van de universitaire gemeenschap, moeten het in het Studentenfront ontgelden. Het Utrechtsch Studenten Corps fungeert geregeld als centrum van de schijf waarop het blad zijn pijlen richt. Na zijn verbod in juli 1941 neemt Studentenfront een van rancune druipende grafrede op. De kop van het artikel is ontleend aan de penning waarmee het USC het grote universiteits- en USC-lustrum van 1936 herdacht: 'Geen volk is waarlijk vrij, dat niet zichzelf bevrijdt'. "En nu schijnen de tijden plotseling voor U veranderd. Gij draagt deze gedenkpenningen. Ze krijgen beteekenis voor U. Helaas! Ook ditmaal begrijpt ge niets van de spreuk. Ja, het is uit met dat wat voor U-alleen vrijheid was. In de Nationaal-Socialistische Staat is Uw bandeloosheid niet gewenscht. Het is uit met deze kant nog (sic!) wal rakende bokkesprongen. Ook gij, corpsstudenten, moet nu loopen in het gareel, want ook gij behoort tot ons volk, en niets geeft U eenig recht op uitspattingen, alsof gij ver boven een ander verheven zoudt zijn".[161]

Dat het venijn zich in het bijzonder op het USC richt, duidt overigens ook op de ambivalentie jegens het corps waarvan volgens een voormalig lid van het Studentenfront sprake was. "Men koesterde ook een heimelijke bewondering voor het corps. Dat soepele loopje, die vlotte babbel, die hele pose: men vond dat eigenlijk best mooi. Wij, corpsleden, namen dat mee naar het Studentenfront, en daar bleek er vreemd genoeg best een vruchtbare bodem voor te bestaan, hoezeer men zich er verbaal ook tegen afzette." De leider van het Studentenfront, F. Houdijk, zegt in zijn rede tijdens de landdag van '41 niet alles wat de verenigingen hadden gebracht onbruikbaar te achten. "Het waardevolle, het gezonde, zullen wij overnemen en voortzetten, omdat wij eerbied hebben voor traditie, omdat wij geen anarchisten, maar nationaal-socialisten zijn." Van de oude inboedel wil hij in elk geval de studentenalmanak en de roeisport overnemen. Tot de goede werken die geconserveerd moeten blijven, behoort wat hem betreft ook de liederenbundel die eeuwig student en corpslid wijlen Frits Coers (naar wie een nog steeds bestaand zanggezelschap is vernoemd) had samengesteld. Tenslotte zal ook de groentijd, al wordt die niet zo genoemd, door het Studentenfront worden hersteld. Dat het Studentenfront in de voetsporen van het USC wil treden, blijkt verder uit het feit dat het na de liquidatie van de gezelligheidsverenigingen zijn begerig oog laat vallen op de inboedel van het corps. De meubels, kroonluchters en piano's van de andere verenigingen worden door het Front beduidend minder waardevol geacht.

'Wedergeboorte van het Studentenleven'

Tot het nieuwe dat het Front de studenten hoopt te brengen, behoort vooral de mars. Elke gelegenheid −of het nu een landdag, een vormingskamp of de zonnewende betreft− wordt aangegrepen om te kunnen marcheren. De getalsmatige zwakte van het Studentenfront wordt daarbij enigszins aan het oog onttrokken door ook WA- en Jeugdstorm-formaties op te trommelen. Voorafgaande aan de eerste landdag, in het NV Huis aan de Oudegracht, voert de mars door Utrecht. "Reeds om één uur stonden de deelnemers in drie groepen aangetreden. (...) Het was vinnig koud, het zou niet meevallen te marcheren in het zwarte hemd zonder tuniek en zonder handschoenen, maar er werd niet geklaagd. De stemming was vrolijk, en zoo nu en dan werden door gemeenschappelijk geklop en gestamp de handen en voeten gewarmd. (...) Stipt op tijd, om half twee, werd onder commando van kam. Frima afgemarcheerd. Met vroolijk wapperende vlaggen, de felle kleuren schitterend in de zon, trokken wij over het Domplein, langs de Universiteit en door de stad met haar oude historie. De wedergeboorte van het Studentenleven in een geheel nieuwe gedaante werd hiermee openlijk aan ons geheele volk bekend gemaakt".[162]

Door dergelijke uitingen van gedisciplineerd machtsvertoon hoopt het Front het goede voorbeeld te geven aan andere studenten. Over de houding die tegenover de vijandige, of −op zijn best− sceptische studentenwereld moest worden aangenomen, merkt Houdijk tijdens zijn landdag-rede op; "Er zijn kameraden die menen dat de naam 'front' er op duidt dat wij in de eerste plaats een soort 'knokploeg' zijn aan de universiteit. Zeker moeten wij, als onze eer wordt aangetast, deze met de vuist durven en kunnen verdedigen, en ook moeten wij op onze bijeenkomsten de orde handhaven. In alles zij ons optreden echter waardig. Een deel onzer tegenwoordige mede-studenten moeten wij winnen. Want er zijn goede en welmeenende volksgenooten onder hen, die om een of andere reden nog niet bij ons kunnen staan. Aan hèn moeten wij toonen door onze houding, door woord en door ons geschrift, wat het nationaal-socialisme voor den student beteekent".[163] Tijdens dezelfde bijeenkomst houdt de tweede man van de NSB, de in eigen kring als 'grapjas' bekend staande C. van Geelkerken, de leden van het Front voor dat hun keuze eenzaamheid met zich meebrengt. "Ik weet wel: de meesten uwer hebben het niet makkelijk aan de universiteit, maar wat wilt ge? Dat het allemaal nationaal-socialistische universiteiten waren met nationaal-socialistische professoren, waar ge werd ontvangen met een hartelijk 'Hou Zee' aan alle deuren, en een 'kameraden, wat ben ik blij dat ik je zie'? Ik gun het u gaarne dat ge dezen tijd medemaakt. Hoe harder ge het hebt, hoe beter. Ik vecht er zelf ook voor. En als ge soms wordt aangekeken alsof ge de schurft hebt of de schapenpest, hebt ge daar last van? Gij moet nu tenminste ook vechten." En dat gevecht moet, aldus Van Geelkerken, zonder grimmigheid worden aangegaan. De afwerende gebaren van de tegenstanders zijn immers begrijpelijk, omdat zij vergeefs hopen op terugkeer van de tijden van weleer, en hun toekomstverwachtingen —die stoelen op corporale vriendjes-netwerken— zien oplossen in de nieuwe tijd. Hun komt eerder medelijden toe dan vijandschap, sniert Van Geelkerken.

Spierballenvertoon
Waarin school de aantrekkingskracht die het intens a- en anti-intellectuele Studentenfront uitoefende op de weinige academici die er lid van waren? "Ik weet het warempel niet", zegt het eerder geciteerde oud-lid. "Aan mijn keuze lag een baaierd aan factoren ten grondslag, waarvan afkeer van de vooroorlogse maatschappij de belangrijkste was. Al voor de oorlog was ik met de NSB in aanraking gekomen. In Indië, waaruit ik in '37 terugkeerde om in Utrecht Indisch recht te gaan studeren, was de NSB toentertijd een machtsfactor van enige betekenis. En ik vond het toen wel een interessante beweging. Vlak na mijn terugkeer in Nederland heb ik met mijn vader de 'Hagespraak van de Beweging', zoals dat toen heette, bijgewoond. Maar lid ben ik pas in 1940 geworden, na de meidagen. De oorlog had daar alles mee te maken. Ik was gemobiliseerd en was gelegerd —van vechten was eigenlijk nauwelijks sprake— aan de Peel Raam-stelling in Brabant. Na de capitulatie keerden we terug naar Breda waar van velen van ons, militairen die de Duitsers moesten tegenhouden, persoonlijke bezittingen waren gestolen. Toen had ik iets van: een samenleving die haar eigen soldaten besteelt terwijl zij het vaderland dienen, is het niet waard verdedigd te worden. En zo is het gekomen. En aan zo'n keuze zit je eigenlijk vast als de polarisatie toeslaat. Aanvankelijk bleef ik, zoals gezegd, het USC gewoon bezoeken. Maar toen dat niet meer kon, had je eigenlijk alleen nog maar contact met medestanders. Van de rest van de samenleving had je een heel onwerkelijk beeld. Je sloeg het gade vanuit de stelling die je zelf had gegraven.

"Als intellectueel bevond je je bij de NSB inderdaad per definitie op het hellende vlak van de degeneratie. Het was alles daadkracht en spierballen-vertoon dat daar de klok sloeg. En daarbij hoorden geen brillen en hoge voorhoofden. In zekere zin moest het Studentenfront zichzelf verloochenen in die proletarische omgeving. Maar ik kende bij de NSB —waarvoor ik na mijn afstuderen in 1943 op de Secretarie van Staat in Den Haag ging werken— wel mensen voor wie ik grote achting had, zoals Carp en Goedewaagen. En uiteraard deden wij wel een beetje lacherig over die man-netjesputterij van de NSB."

De kleine nationaal-socialistische voorhoede binnen de universiteit wilde vooral zichtbaar zijn. En voor dat streven was het universiteitsbestuur zeer beducht. Niet omdat het de macht van de enkeling vreesde, maar omdat het bang was voor een mogelijke tegenbeweging die het universitaire leven kon ontwrichten. Kruyt wist niet welke houding het beste tegenover de nationaal-socialistische studenten kon worden aangenomen. Hij meende dat ze onmogelijk genegeerd konden worden, en dat het gevaarlijker was hen te frustreren dan hen tot op zekere hoogte tegemoet te komen. Kenmerkend voor die zienswijze was de houding van Kruyt ten aanzien van de vraag welke plaats het Studentenfront moest gaan innemen in de georganiseerde studentenwereld. In Leiden was die vraag in januari 1941 hoogst actueel; heropening van de universiteit was op dat moment onwaarschijnlijk geworden, en Seijss Inquart had gezegd dat de studentensociëteiten ter beschikking moesten worden gesteld aan de 'algemene studentenwereld'. Het CIO meende dat het beheer moest worden overgedragen aan de NSF, maar secretaris-generaal Van Dam meende dat daarvan pas sprake kon zijn als het NSF-bestuur door "een paar goede NSB'ers" zou worden versterkt. De NSF had die gedachte verontwaardigd van de hand gewezen, maar kon daarmee de geest niet helemaal in de fles krijgen. Een hoge ambtenaar van het departement sprak op 17 januari tegenover Kruyt namelijk de verwachting uit dat het door de NSF verworpen scenario model zou staan voor een herinrichting van de hele Nederlandse studentenwereld. Kruyt zei aanvankelijk wel één NSB'er in het Utrechtse NSF-bestuur te willen aanvaarden, maar bleek in de loop van het gesprek toch gevoelig voor de tegenwerping van zijn gesprekspartner "dat één van beide geschieden moet: een NSF-bestuur in Nederlandse geest, of een NSB-leiding, die dan maar moet tonen welke weerklank hij in de studentenwereld vinden kan".[164] Het zou een hypothetische kwestie blijven. Na de liquidatie van de gezelligheids-verenigingen, in de zomer van 1941, en de opheffing van het faculteiten-stelsel, in april 1943, kon het Studentenfront zijn machtsbasis niet verbreden. Het zou de marginaliteit nooit ontstijgen.

Uniformverbod

Op maandag 24 maart 1941, twee dagen voor de viering van de 305de Dies Natalis van de Utrechtse universiteit, kondigde Kruyt —met instemming van secretaris-generaal Van Dam— een uniformverbod af in alle panden van de RUU. De maatregel was gericht tegen de NSB die, zo vreesde Kruyt, de Diesviering had willen aangrijpen voor enig machtsvertoon, en gold −zo haastte Van Dam eraan toe te voegen− "selbstverständlich" niet voor dragers van militaire uniformen.[165] Toen Kruyt op 26 maart om twee uur 's middags in een stampvolle Aula aan zijn diesrede begon, zag hij dat slechts twee SS'ers het uniformverbod hadden genegeerd. Eén van hen bevond zich in de zaal, de andere bleef steken tussen de honderden studenten die zich −aldus Kruyt in zijn dagboek− nog in de gangen ophielden.[166] Het Studentenfront achtte zijn bescheiden vlagvertoon tijdens de Diesviering een groot succes. In een verslag van de gebeurtenis zei het door een "voltallige afdelingsraad" te zijn vertegenwoordigd, alsmede door twee leden van de Nederlandse SS die van hun stafkwartier opdracht zouden hebben gekregen de bijeenkomst in uniform bij te wonen. "Begrijpelijkerwijs trok zulks nogal de aandacht, meer aandacht gelooven wij zelfs dan de rede van den hooggeleerden rector. Na afloop (...) stond een honderdtal studenten op het Domplein het vertrek van ons front in stille ontzetting gade te slaan! Twee dagen later, de 28ste Maart, hadden de heeren wederom een onplezierige dag: door een zestal onzer leden, dat voor het universiteitsgebouw stond te colporteeren, werden zij er wederom aan herinnerd dat de voorposten van het nationaal-socialisme midden in hun wrakke academische wereld staan. Ook nu weer geen woord, geen klap, slechts domme en stomme ontzetting".[167]

De NSB had inmiddels bij de procureur-generaal geklaagd over het uniformverbod. Deze had zich −volgens de Utrechtse hoofdinspecteur van politie bij wie Kruyt werd ontboden− op het standpunt gesteld dat het uniformverbod "klaarblijkelijk voortvloeit uit de aanvechtbare stelling dat de universiteit een autonoom lichaam is".[168] Hij was echter niet ongevoelig voor de tegenwerping van Kruyt dat hij niet op eigen gezag had gehandeld, maar in samenspraak met ("op instructie van", beweerde Kruyt) de secretaris-generaal, en liet de zaak verder rusten. Op de vraag van de hoofdinspecteur aan Kruyt waarom hij op 26 maart twee uniformdragers in het Academiegebouw had getolereerd, antwoordde Kruyt dat "het twijfelachtig was of SS-mensen politieke of militaire uniformen dragen".

Oranje strikken

Van orangistische uitingen was de universiteit evenmin gediend. Ofschoon een officieel verbod op het dragen van oranje versieringen pas op 2 mei 1941 werd uitgevaardigd , gold deze bepaling al op 30 april −de verjaardag van prinses Juliana− in alle onderwijsgebouwen van de RUU. Kruyt zag persoonlijk op naleving van de richtlijn toe, zeker toen "een student met NSB-speldje" zich er bij de pedel, C. Vogelpoel, over had beklaagd dat het college van prof.dr C. Zevenbergen werd bijgewoond door een aantal studenten met oranje strikken. "Ik ben naar de universiteit gegaan, en heb de volgende regelingen getroffen: ik ben zelf om vijf minuten voor twaalf de collegezaal (16) binnengegaan. Ik ben direct naast de hoogleraarslessenaar gaan staan en heb scherp toegezien of er iemand oranje droeg. Ik kon er geen een constateren. Collega Zevenbergen ging rustig door met zijn college. Ik ben langzaam van voren naar achteren gelopen, maar kon niemand ontdekken. Inmiddels hadden de heer De Geer en Uppelschoten (J. Uppelschoten,

bediende eerste klasse van het Bureau van de secretaris van curatoren, SvW)
zich voor de uitgang van zaal 16 geposteerd. Vogelpoel bij de hoofdingang
beneden, Galesloot (W.G. Galesloot, klerk van voornoemd Bureau, SvW)
bij de fietsenuitgang. Ik had hun opgedragen, indien zij iemand met oranje
zagen, die naar kamer 2 te geleiden. De Heer De Geer ontdekte één student die een zeer klein oranje strikje in het knoopsgat droeg: het dingetje
vulde alleen maar de opening van het knoopsgat. Deze student werd door
Uppelschoten naar kamer 2 geleid. Geen der andere wakers heeft iemand
kunnen ontdekken. De student bleek A.G. Jonker, eerstejaars jurist, te zijn.
Hij verklaarde dit tekentje altijd te dragen sedert Mei 1940, het dus niet
speciaal voor deze dag aangedaan te hebben. Toen ik de kamer binnentrad
(ik had intussen ook in het gebouw gesurveilleerd) had hij het ding afgedaan. Ik heb hem een berisping gegeven, hem erop gewezen waaraan hij
zichzelf en de universiteit blootstelde, door gegeven voorschriften te over-
treden. Hij erkende dat het fout was".[169] Omdat de overtreder geen collegekaart bij zich had, moest hij zich de volgende dag mèt kaart bij Kruyt
melden. Daar verscheen hij, keurig op tijd, mèt collegekaart èn rood-wit-
blauw strikje "zoals zeer algemeen gedragen wordt".

Promotie NSB'er

De vrees voor nieuwe NSB-provocaties nopen Kruyt er in de tweede week
van mei toe het uniformverbod af te zwakken door het alleen op studenten
van toepassing te verklaren. Op 11 mei zou de verjaardag van Mussert in
Utrecht met vlag- en vaandelvertoon worden gevierd, en op 13 mei zou de
nationaal-socialist H.W. Scalongne zijn proefschrift verdedigen. Kruyt
meent dat vooral de tweede gebeurtenis aanleiding kan geven tot moeilijkheden. Scalongne was namelijk niet genegen wetenschap en politiek van
elkaar te scheiden, getuige een uitvoerige opdracht aan Mussert op de titel-
pagina van zijn boek; "Gedragen door den onwrikbaren wil en de onwan-
kelbare trouw van tienduizenden werkers van hoofd en hand, belichaamd
in Uw dappere WA-vendels en SS-scharen, zal het U en U alleen mogelijk
zijn ons volk zijn zelfstandigheid te doen herwinnen om daarna onze volksgemeenschap te grondvesten op de drie bronnen van het nationaal-socialisme: Godsvertrouwen, Liefde voor Volk en Vaderland, Eerbied voor den
Arbeid." En dat was nog maar een fragment van zijn geloofsbelijdenis. Hoe
ongebruikelijk zo'n epistel in een proefschrift ook was, Kruyt verleende er
op 3 mei zijn goedkeuring aan. "Hoewel ik de vorm niet smaakvol vind, lijkt
mij dat iedereen het recht behoort te hebben zijn gemoed te uiten. Ik begrijp
alleen niet dat de promotor (prof.dr C.D. de Langen – Geneeskunde, SvW)
niet een gematigder getuigen heeft weten te bewerken".[170] Twee medisch
hoogleraren Th.M. van Leeuwen en J. Boeke, vroegen zich hetzelfde af.
Zij riepen De Langen tijdens de eerstvolgende faculteitsvergadering ter
verantwoording.
Omdat Kruyt vreesde dat het uniformverbod tijdens de promotieplechtig-
heid op grote schaal zou worden genegeerd, paste hij het aan de gegeven
omstandigheden aan. Op Scalongne zèlf was het echter nog steeds van toepassing (zoals Van Dam hem persoonlijk had laten weten): "Zolang hij niet

gepromoveerd is, is hij student". Op de naleving van de verwaterde bepaling wordt op de dag van de promotie minder streng toegezien dan −twee weken eerder− op het dragen van oranje. Kruyt volstaat met een vluchtige blik op de consorten van Scalongne. "Er zijn veel geüniformeerde mensen, maar ze maken niet de indruk studenten te zijn".[171]

Voorzover het dat vanaf het begin al niet was, verwerd het uniformverbod tot een farce. Tijdens de Universiteitsdag van 23 juni 1941 (waarover straks meer) instrueerde Kruyt de zaalwachten −naar oud gebruik 'ordecommissarissen' genoemd− geen maatregelen te nemen tegen dragers van NSB- en andere uniformen.[172] Het aantal runentekens waarop hij tijdens zijn rede in de Domkerk uitkeek, was dan ook aanzienlijk. De dragers "waren trouwens vermoedelijk afgestudeerden", aldus de rector magnificus.

IO De totale bezetting

Ode aan geestelijke vrijheid als gruwelijke zelfbespotting

IN VRIJWEL ALLES WAARMEE de universiteitsbestuurders zich bezighielden manifesteerde zich de bezettingstoestand. Zelfs de schijn van normaliteit kon niet meer worden gewekt. Of het nu de instructie van Van Dam aan het college van curatoren betrof om reclamemateriaal van de zojuist verboden Esperantobeweging te verwijderen (8 augustus 1941), of het verbod hoogwaterstanden openbaar te maken (15 mei), de oorlog was overal. Met het schaarser worden van fietsbanden werd het voor studenten steeds moeilijker om perifere onderwijslokaties in de krappe tussenkwartieren te bereiken. De secretaris van de Senaat, Rutten, vroeg Van Dam of hij zich voor de toewijzing van meer fietsbanden aan studenten (dier-) geneeskunde, wis- en natuurkunde wilde inzetten. Het departement van Handel, Nijverheid en Scheepvaart weigerde echter 'categorisch' de studenten een voorkeursbehandeling te geven. "Slechts zij die gedwongen zijn elken dag minstens twintig kilometer af te leggen, kunnen nog in aanmerking komen voor rijwielbandbonnen".[173] In de strenge winter van 1941-'42 moest als gevolg van de brandstoffenschaarste een aantal onderwijsgebouwen onverwarmd blijven. De rector magnificus besluit de kerstvakantie met een week te verlengen, maar verzuimt hierover ruggespraak te plegen met het college van curatoren. De Geer, die zeer gevoelig is voor competentie-aangelegenheden, attendeert de rector met een ijzig briefje op deze omissie. De maatregel is volgens hem niet alleen procedureel aanvechtbaar, hij is ook overbodig: hem zelf is geen brandstoffentekort gebleken.[174]

Boete Koningsberger en Weve

Daarnaast werden de hoogleraren steeds vaker het slachtoffer van gerechtelijke willekeur. Een aantal hunner werd voor kortere of langere tijd als gijzelaar geïnterneerd. En soms kregen zij een boete opgelegd voor misdragingen van anonymi. Zo werden de hoogleraren V.J. Koningsberger en H.J.M. Weve in mei 1941 met 5.000 gulden (!) beboet nadat de ruiten van een Duitse inwoner van Utrecht waren ingegooid. Te voldoen binnen vijf dagen, zo werd de hoogleraren te verstaan gegeven in een op 26 april gedateerde, maar pas op 3 mei bezorgde brief.[175] Koningsberger en Weve kregen overigens van onverwachte zijde hulp; bij de eerste werd een enveloppe bezorgd, "klaarblijkelijk van studenten", met duizend gulden als inhoud. Op de bijgevoegde brief, ondertekenend door 'Willem de Zwijger', stonden deze woorden; "Velen dergenen die zich door Uw kranige houding en voorbeeldige zelfbeheersching reeds zoo vaak geleid en gesteund hebben gevoeld, willen althans een klein deel van de lasten mèt U dragen, U door de waanzin der 'arische' willekeur opgelegd. Wij begrijpen dat het voor U buitengewoon moeilijk moet zijn dit aan te nemen, doch wij dringen er met klem op aan ons toch de voldoening te willen geven dat wij ons aandeel in daadwerkelijken vorm op ons kunnen nemen, waar dit nog mogelijk is".[176] Weve kreeg na verloop van tijd zelfs het volledige bedrag gerestitueerd. Het zou hem in 1945 enige moeite kosten de zuiveringscommissie ervan te overtuigen dat het hier geen (Duitse) beloning voor goed gedrag betrof. Hijzelf meende dat een en ander was gebeurd op voorspraak van de keizerlijke familie in Doorn (het ballingsoord van de laatste Duitse keizer, Wilhelm II) waarmee hij als oogarts hartelijke relaties had onderhouden.[177]

Opening stadsschouwburg

Ook de verenigingen konden de doem van de bezetting steeds moeilijker van zich afschudden. Op last van de overheid werd de sluitingstijd van de sociëteiten vervroegd tot 11.00 uur, hetgeen bijna dodelijk was voor verenigingen die voorheen een boeiend zaalleven hadden gekend. Pogingen om langs andere weg de verenigingen te activeren strandden op een toenemende apathie onder de leden of onwil om aan een schijnvertoning mee te werken. Zo groeide binnen het Utrechtsch Studenten Corps de onwil om de nieuwe stadsschouwburg met een door zijn leden uit te voeren toneelstuk in te wijden. De Senaat-Van Hasselt betoogde in een speciaal aan dit vraagstuk gewijde ledenvergadering –op 29 mei 1941– dat zo'n uitvoering voor het USC nog de enige manier was om zijn energie te benutten. Het verenigingsleven was immers aan alle kanten geamputeerd, en de lustrumviering van de universiteit –waarvan het USC vroeger het 'hoofdnummer' (openluchtspel en maskerade) verzorgde– was teruggebracht tot een franjeloze Universiteitsdag. De oppositie –onder leiding van de latere voorman van het nationaal studentenverzet, A.J. Andrée Wiltens– achtte het verenigingsbelang echter allerminst gediend bij een toneeluitvoering onder de toen heersende omstandigheden. Men genoot niet de vrijheid om een stuk op de planken te brengen "waarin de verzetsgeest gestalte krijgt". Met een stuk dat acceptabel was voor de bezetter zou men hem alleen maar in de kaart spelen, meende Andrée Wiltens. Het nageslacht zou, profeteerde hij, scherp over een uitvoering onder die condities oordelen. En had de Senaat zich er wel rekenschap van gegeven dat bij de voorstelling waarschijnlijk Duitse autoriteiten aanwezig zouden zijn? De rector zei daaraan niet zo zwaar te tillen. Het USC was immers niet verantwoordelijk voor wie wel en wie niet worden uitgenodigd. Op de meeste leden maakte dit argument geen indruk. Het voorstel van de Senaat om in te gaan op de uitnodiging van de schouwburgdirectie werd met 68 tegen 59 stemmen verworpen.[178] In tegenstelling tot het USC had Unitas geen onoverkomelijke bezwaren tegen een toneeluitvoering volgens de door de Kultuurkamer geformuleerde regelen der kunst. Op 20 november 1942 bracht haar toneel-vereniging in de kleine zaal van de stadsschouwburg 'Two Gentlemen of Verona' van Shakespeare (die mèt G.B. Shaw de enige Engels-talige auteur was wiens werk door de Kultuurkamer voor uitvoering was vrijgegegeven). De vertaling van het stuk was echter verzorgd door een Jood, hetgeen voor regisseur Ad Hooykaas reden was alsnog naar een 'arische' versie op zoek te gaan. Twee bezwaren die Andrée Wiltens tegen een toneelstuk-in-oorlogstijd had aangevoerd, golden in het onderhavige geval overigens niet; de uitvoering had een besloten karakter (men speelde niet voor bezettingsautoriteiten), en ze werd niet als een initiatief van Unitas geafficheerd, om de eenvoudige reden dat de vereniging officieel niet meer bestond.[179]

Lustrum USC
Dat de gezelligheidsverenigingen vroeger of later (vermoedelijk vroeger) opgeheven zouden worden, gold in het late voorjaar van 1941 als een vaststaand feit. Uitgaande van de logica van de bezetter was zo'n stap onvermijdelijk, en wellicht ook te verkiezen boven het bestaan in de eigen schaduw waartoe zij op dat moment veroordeeld waren. Waar mogelijk werd de evacuatie van inventarisstukken voorbereid. En van het USC maakte zich een 'dan liever de lucht in' stemming meester: àls de zaak toch moest worden opgedoekt, dan diende dat in grootse stijl te gebeuren.

Het USC besloot een echo van de grote lustrum-vieringen van weleer door Utrecht te laten klinken. Gedurende twee weken werden op verschillende plaatsen in en buiten de stad zang- en (vooral) sportfestijnen georganiseerd voor 'de burgerij' waar de in gelegenheidskledij gehulde Senaat in open rijtuigen zijn opwachting maakte. Veel van deze, doorgaans goed bezochte, happenings mondden uit in orangistische manifestaties. Van Hasselt zegt in die periode menig 'finest hour' te hebben beleefd. "Men vond het verrukkelijk om weer eens uiting te kunnen geven aan zijn gevoelens. De 'heeren' zorgden er toch maar weer voor dat het voor de burgerij gezellig bleef. En daar was men ons heus erkentelijk voor. We zijn tijdens die sportweek twee keer in het stadion geweest, met de rijtuigen waarin we ons toen plachten te verplaatsen. Nou, dat veroorzaakte een tumult alsof de koningin zèlf binnenkwam. Wie het vooral geweldig vond, was de omroeper van het stadion. Kort tevoren (op 11 mei, SvW) hadden ze Mussert –die het stadion ook een dagje had gehuurd– geen toestemming verleend om met de auto binnen te komen. Zogenaamd vanwege de gesteldheid van het terrein. Maar òns stonden ze toe om met onze paarden en rijtuigen over de sintelbaan te rijden. En vlak daarbij, in het Wilhelminapark, zongen massa's kinderen voor koningin en vaderland allerlei liederen toen wij langs kwamen rijden. Dat was natuurlijk heel aardig allemaal, maar je kreeg toch zoiets van: jongens, doe het wel een beetje voorzichtig. Op de laatste dag van het lustrum, 24 juni, wachtten ons grote menigten op toen wij de sociëteit aan de Nachtegaalstraat verlieten. Er werd luidruchtig gezongen en gescandeerd. Wij vonden dat geweldig natuurlijk. Ik heb de koetsier laten omdraaien om het allemaal nòg eens te mogen meemaken. Maar ik was natuurlijk ook bevreesd voor de mogelijke gevolgen van deze demonstratie. Na afloop heb ik mij schielijk verkleed en ben in ijltempo naar mijn ouders in Amersfoort gefietst." Tot verbazing van menigeen zou het nog tot 10 juli duren voor het USC (mèt USR, Veritas en SSR-Utrecht) werd verboden.

Universiteitsdag

De universiteit wilde haar éénenzestigste lustrum ook op enigerlei wijze vieren, maar bezon zich geruime tijd op de vraag hoe dit onder de gegeven omstandigheden het beste kon gebeuren. Van een viering in de vooroorlogse betekenis van het woord –met reünisten-intochten, maskerades en openluchtspelen– zou geen sprake mogen zijn, daarover was men het roerend eens (al sputterde het USC aanvankelijk een beetje tegen). Besloten werd tot het beleggen van een Universiteitsdag op 23 juni voor personeel, studenten en oud-studenten in de Domkerk. De plenaire bijeenkomst zou worden gevolgd door vergaderingen die elke faculteit voor haar eigen studenten en alumni zou organiseren. De dag zou in het teken komen te staan van bezinning over de positie van de universiteit in de samenleving. Haar zelfbeschikkingsrecht was haar dan ontnomen, maar haar 'geestelijke vrijheid' was een onvervreembaar goed. En dat zou het hoofdthema van de redevoeringen moeten worden.

Er werd een commissie in het leven geroepen die de Universiteitsdag moest voorbereiden. Aan haar samenstelling lag het Utrechtse model ten grondslag: alle faculteiten, de gezelligheidsverenigingen en de NSF waren erin vertegenwoordigd. Ze stond onder leiding van prof.dr V.J. Koningsberger. Aan hem de ondankbare taak zoveel mogelijk baas in eigen huis te blijven. De curatoren 's Jacob en De Geer waren zeer bevreesd dat tijdens de Universiteitsdag "de verkeerde dingen gezegd" zouden worden, en drongen er bij Koningsberger op aan alle redevoeringen vooraf aan censuur te onderwerpen.[180] Al was het alleen maar om te voorkomen dat niet-universitaire instanties zich met de inhoud van de redes zouden gaan bemoeien. Koningsberger wilde van preventief toezicht echter niets weten. Daarmee zou van het thema van de Universiteitsdag, 'geestelijke vrijheid', een aanfluiting worden gemaakt.

Zoals De Geer en 's Jacob hadden gevreesd (en Koningsberger vermoedelijk had ingecalculeerd), verscheen de overheid vervolgens op het toneel. Op 18 juni eiste de procureur-generaal inzage in àlle redevoeringen die de drieëntwintigste –tijdens de plenaire zitting in de Domkerk, alsook tijdens de faculteitsvergaderingen– gehouden zouden worden.[181] Dat de Universiteitsdag een besloten karakter had, deed kennelijk niets af aan het ordeverstorend potentieel dat er aan werd toegedicht. Bij wijze van concessie ging de procureur-generaal ermee akkoord dat hij alleen de samenvattingen van de toespraken onder ogen zou krijgen. Alleen van één spreker, een mr Van Spaendonck (die voor de vergadering van de faculteit der Rechtsgeleerdheid zou oreren), wilde hij de volledige tekst zien. Drie dagen later maakte de procureur-generaal opnieuw, ditmaal ten overstaan van Kruyt, zijn zorgen kenbaar over mogelijke ordeverstoringen in samenhang met de Universiteitsdag. "Er wordt van verschillende zijden druk op mij uitgeoefend om Uw Universiteitsdag te verbieden, maar ik acht daarvoor geen termen aanwezig. (...) Ik doe een beroep op U alles te trachten te voorkomen wat tot een wanklank aanleiding kan geven. Pas op, de verrader loert! Pas vooral op met mr Van Spaendoncks voordracht".[182] Waaraan Van Spaendonck zijn vreesaanjagendheid had te danken, was niemand precies duidelijk. Ook Van Spaendonck zelf niet, die "absoluut niet (begreep) wat men tegen hem had".[183] Kruyt sprak met hem af dat zij elkaar vlak voor de faculteitsvergadering van Rechten zouden treffen om de rede nog eens door te nemen. De Geer bleef, ook nadat de procureur-generaal zich met de kwaliteitsbewaking had belast, bezorgd voor opruiende toespraken. Op donderdagavond 19 juni belde hij Kruyt uit bed en vroeg "of ik niet bang was dat Koningsberger sr (dr J.C. Koningsberger, vader van de Utrechtse hoogleraar, die namens de alumni het woord zou voeren, SvW) het hart te zeer op de tong had. Toen hij hoorde dat diens rede nu bij den Procureur-Generaal was, was hij geheel gerust!".[184] De Geer zou niettemin graag zien dat de politie een oogje in het zeil kwam houden. "Vraagt U er den hoofdcommissaris naar, dan bent U in elk geval gedekt."

Ook andere hoogwaardigheidsbekleders die eventueel konden worden aangesproken op wanordelijkheden tijdens de Universiteitsdag werden bij de nadering van de drieëntwintigste juni wat nerveus. Vooral de burgemeester vreesde dat de combinatie van de Universiteitsdag en de roeiwedstrijden die voor 22 juni op het programma van de sportweek van het USC stonden, voor problemen kon zorgen. "Hij vreest rumoerige overwinningsuitingen", schrijft Kruyt in zijn dagboek. "Ik zeg dat ik natuurlijk voor vreemde studenten niet kan instaan, maar dat het geen Varsity is."

Hij kon zich die zondag persoonlijk overtuigen van het ordelijk verloop van de roeiwedstrijden. 's Middags begeleidde de Senaat van het USC hem per rijtuig naar Jutphaas. "Daar van twee tot vijf geweest. Heerlijke zomerzon." Het hoofdnummer, de oude acht (waarvoor Kruyt een zilveren bekertje ter beschikking had gesteld), werd gewonnen door Nereus, "wat mijn oud Amsterdams hart goed deed".[185]

Waar de angst voor ongeregeldheden op stoelde is na lezing van de verslagen van de Universiteitsdag niet duidelijk. Waarschijnlijk had het verloop van de lustrumactiviteiten van het corps er iets mee van doen, en boezemde de komst van honderden oud-studenten naar Utrecht de bewakers van rust en orde hoe dan ook vrees in. Uitingen van protest bleven echter uit. Althans: in woord of gebaar. Het (bescheiden) vlagvertoon en het massaal samenzijn hadden op zichzelf al een bemoedigende invloed op de aanwezigen. Men realiseerde zich, aldus één van hen, wat de sprekers hadden willen zeggen als zij daar de gelegenheid voor hadden gehad. En dat was onder de gegeven omstandigheden al genoeg.

In de Domkerk voerden die ochtend Kruyt, Van Hasselt (namens de studenten), Koningsberger sr (namens de alumni), en prof.dr W. Vogelsang (namens de hoogleraren) het woord. "Alleen de laatste sprak te vlug, en was moeilijk verstaanbaar", meende Kruyt. Lof was er vooral voor de rede van Koningsberger. Van Hasselt prees in zíjn voordracht het Utrechtse model waarvan het faculteitensysteem het meest aansprekende testimonium was. En Kruyt stelde —de blik wat verder richtend— de 'caritas' ("liefdevol verantwoordelijkheidsgevoel") van de universiteit voor de samenleving aan de orde. Stallaert zal er mee in zijn sas zijn geweest, want Kruyt had diens 'plan' als richtsnoer gebruikt, getuige zijn verwijzingen naar de dienstbaarheid van universiteit aan samenleving, student aan hoogleraar, hoogleraar aan student, alumni aan universiteit, et cetera.

'Als kameraden'

Gebruik makend van de de facto opheffing van het uniformverbod, was een aantal als zodanig herkenbare leden van het Studentenfront en aanverwante organisaties in de Domkerk aanwezig. Om hoeveel mensen het ging, is niet vast te stellen. Het Studentenfront maskeerde voor het nageslacht zijn geringe omvang door zich —aldus de verslagen van dergelijke bijeenkomsten— te laten vertegenwoordigen door niet nader te kwantificeren 'afdelingen' en 'vele kameraden'. Op een groepsfoto van zijn afvaardiging die na de bijeenkomst in de Domkerk was gemaakt, komen in elk geval 38 mensen voor, onder wie zestien geüniformeerden, twee vrouwen en vier ouderen, vermoedelijk de (Utrechtse) hoogleraren prof.dr O. Nieschultz (tevens 'Kreisinspektor der NSDAP'), prof.dr H. Westra, prof.dr F.M.J.A. Roels, alsmede de directeur van het Stads- en Academisch Ziekenhuis, dr Koenraad Keyer[186]. "Wij hebben er naar de verschillende redevoeringen geluisterd", schreef Studentenfront naderhand, "in stomme verbazing op sommige momenten, dat er menschen waren die zooveel met 'volksgemeenschap' en andere ons welbekende termen wist (sic!) te schermen die er zoo weinig van begrepen. (...) Na afloop hiervan hebben we ons gezamenlijk naar de Dietsche Taveerne begeven, waar wij bij gebrek aan een eigen huis (het Front zou pas in het najaar een pand aan de Catharijnesingel betrekken, SvW) onze tenten voor dien dag opsloegen. Hier werd een gemeenschappelijke koffiemaaltijd gebruikt. Hier ging men niet zitten als hoogleeraren en studenten, maar allen door elkaar, als kameraden".

Wie daarbij niet aanwezig kon of wilde zijn, gebruikte tegen inlevering van twee brood- en twee boterbonnen een "eenvoudige koffiemaaltijd" in de kloostergang tussen Domkerk en Academiegebouw. Wat men daarvoor kreeg was, volgens Kruyt, niet zozeer eenvoudig, maar veeleer pover: "Vier boterhammen met jam of muisjes, en een klein beetje slechte koffie".[187]

's Middags hadden op verschillende plaatsen in de stad de faculteitsvergaderingen plaats. Rechten had hiervoor de Aula gereserveerd. Kruyt voegde zich bij het gehoor om zich van een rustig verloop te vergewissen. Vanwege de aanwezigheid van Van Spaendonck achtte hij de kans op confrontaties met NSB-sympathisanten hier het grootst. Maar "de vergadering verliep tam. De heren die zulke helden in het intrigeren geweest waren, ontbraken in de open discussie." Alleen bij Diergeneeskunde deed zich een 'incident' voor toen een veearts met de treffende naam Knigge het Veeartsen Front onder de welwillende aandacht van zijn collega's wilde brengen. De voorzitter van de vergadering, de student Vôute, wilde dit 'politieke thema' meteen van de agenda afvoeren en ontnam Knigge het woord. Die verliet daarop de zaal na Vôute te hebben toegevoegd "dat hij er wel meer van zou horen".

De eendracht waarvan de Universiteitsdag 1941 de uitdrukking heette te zijn, was −waar het de samenwerking tussen de gezelligheidsverenigingen betrof− overigens nog verre van volmaakt. Op 26 juni beklaagt de rector van Unitas, C. A. van de Capellen, zich er bij Kruyt over dat de 'ordecommissarissen' die zijn vereniging had afgevaardigd bij het betreden van de Domkerk van hun collega's van het USC (dat zulke klusjes voordien alleen opknapte) te horen hadden gekregen dat zij "overbodig" waren. De oude reflexen leidden een hardnekkig leven, en zouden ook in de periode waarin beide antagonisten hun illegaliteit met elkaar gemeen hadden, de onderlinge verhoudingen blijven bepalen.

Universiteitsdag 1942

Op 13 juli 1942 organiseert de RUU haar tweede (en voor de duur der bezetting laatste) Universiteitsdag. Nog meer dan in het vorige jaar gaat de energie van de commissie van voorbereiding, waarvan bij gemis aan verenigingen geen studenten meer deel uitmaken, vrijwel uitsluitend zitten in het omzeilen van problemen die het gevolg zijn van de tijdsomstandigheden. In de eerste plaats stelt het college van kerkvoogden de Domkerk niet beschikbaar voor de plenaire bijeenkomst. "Thans is bekend geworden dat aan de verschillende openbare gebouwen bordjes moeten worden geplaatst dat zij voor Joden verboden zijn. Uitgezonderd zijn de gebouwen welke *uitsluitend* gebruikt worden voor het houden van Godsdienstoefeningen en religieuze besprekingen. Daar de academiedag daar niet aan voldoet, zijn wij tot onzen spijt genoodzaakt om onze reeds verleende toestemming terug te nemen".[188] De zoektocht naar alternatieven levert niets op: alle gebouwen die het verwachte aantal toehoorders kunnen herbergen, hebben een openbaar karakter, en zijn derhalve niet toegankelijk voor Joden. Op aandrang van rector magnificus Van Vuuren −die àlle oud-studenten wil kunnen ontvangen− wordt daarom uitgeweken naar het Academiegebouw, dat weliswaar te klein, maar níet openbaar is. Voor alle zekerheid wordt voor dit arrangement (ten overvloede) toestemming gevraagd aan de secretaris-generaal.[189]

Verder worden enkele mensen aan wie was gevraagd de faculteitsvergaderingen toe te spreken, gearresteerd of in gijzeling genomen. Zo meldt Koningsberger de secretaris-penningmeester van Universiteitsdag-commissie, prof.dr A. Klarenbeek (Diergeneeskunde), op 27 mei dat prof.dr M.G.J. Minnaert −die voor de faculteit Wis- en Natuurkunde had zullen oreren− in Sint Michielsgestel is geïnterneerd. "In het algemeen rijst bij mij een steeds sterker wordende twijfel", vervolgt Koningsberger, "of het wel gerechtvaardigd is om onder de huidige, steeds benarder wordende omstandigheden een Universiteitsdag te gaan houden. Het gaat naar mijn gevoel zo langzamerhand gruwelijk lijken op een soort zelfbespotting om beschouwingen te gaan houden over de vrijheid van den geest aan onze Universiteit!".[190]

Wellicht onder invloed van de transportproblemen die veel buiten Utrecht woonachtige alumni voorzien, is de belangstelling onder hen voor de Universiteitsdag echter zo gering, dat wordt besloten de faculteitsvergaderingen te annuleren. Tegen de aanvankelijke verwachtingen in, blijkt de Aula groot genoeg om (vrijwel) alle toehoorders te bevatten.

11   Ondergronds gezelligheidsleven

Convocaties op geschept papier

O P 10 JULI 1941 WERDEN 24 Nederlandse sociëteiten, waaronder die van het USC, Unitas, Veritas en SSR-Utrecht gesloten. De gezelligheidsverenigingen in de andere universiteitssteden bleven −voorzover ze niet reeds waren opgeheven− (voorlopig) buiten schot. Maar ook in andere opzichten was de maatregel verre van doorzichtig. Zo wist niemand van wie het initiatief was uitgegaan. De Geer veronderstelde dat wellicht sprake was van "machtsoverschrijding van plaatselijke autoriteiten".[191] Kruyt, die toch naar Den Haag moest, beloofde er bij mr H.J. Reinink van het departement van Opvoeding, Wetenschap en Cultuurbescherming zijn licht over op te steken. Die kon hem weinig meer vertellen dan dat hem van de bewuste maatregel eveneens iets was gebleken. Hij was het volkomen met Kruyt eens dat de opheffing van de gezelligheidsverenigingen "funeste" gevolgen zou kunnen hebben voor de RUU. "Geen contactcommissie meer die dit jaar het uitnemend verband tussen rector en studentenwereld geweest is, geen sociëteiten, dat wil zeggen: de studenten over café's en restaurants der stad verspreid met alle daaruit te verwachten botsingen, en eindelijk geen localiteiten voor een mensa academica." Reinink, die verzet tegen het opheffingsbesluit volkomen nutteloos achtte, meende overigens dat het 'uitnemende verband' tussen rector en studenten in Utrecht ook zonder de verdwijning van de verenigingen ernstige averij zou oplopen, omdat de Duitsers "overwogen" de NSB-gezinde prof.dr F.M.J.A. Roels tot opvolger van Kruyt te benoemen. De reactie van Kruyt op deze mededeling bleef onvermeld. Wèl tekende hij op dat "Reinink zeer gedeprimeerd (was). Ik heb getracht hem van de waarde en betekenis van zijn werk te overtuigen. Vooral de Duitse plannen met Leiden en de onmacht daar iets tegen te doen, drukten hem zeer."

Op 22 juli, twaalf dagen na de opheffing van de verenigingen, bracht Kruyt een bezoek aan Van Dam in de hoop van hèm wat van de toedracht van de maatregel te kunnen vernemen. Toen Kruyt bij de kamer van de secretaris-generaal arriveerde, deed deze net Linthorst Homan, lid van het 'Driemanschap' der Nederlandsche Unie, uitgeleide. "'Die is ongerust over de loop der dingen', begon Van Dam. Ik zei: 'Wie?' 'O', zei hij, 'kent U Linthorst Homan niet?' Ik zei: 'ja, ik ben lid van de Nederlandse Unie, maar ik ken den Heer

Linthorst Homan niet persoonlijk'." Toen Kruyt het doel van zijn bezoek had toegelicht, bleek ook Van Dam onkundig van aanleiding en strekking van de Duitse maatregel. Hij vroeg zich met name af waarom van de gezelligheidsverenigingen alleen de Utrechtse waren getroffen. Was er de laatste tijd misschien iets gebeurd waaraan de Duitsers aanstoot hadden genomen? Kruyt was zich daarvan niet bewust. Van Dam opperde dat de verenigingen misschien nog voor liquidatie behoed konden worden indien zij zouden opgaan in een grote algemene studentenvereniging. De kans dat zij daartoe bereid waren, achtte hij overigens erg klein. Hij beloofde tot slot de kwestie met Generalkommissar Wimmer te zullen bespreken, en adviseerde Kruyt hetzelfde te doen met de (NSB-) Commissaris van de provincie Utrecht, Müller. Reinink, bij wie Kruyt daarna nog even langsliep, was over de toezegging buitengewoon verbaasd: Van Dam had eerder tegen hèm gezegd niets ten behoeve van de gezelligheidsverenigingen te zullen ondernemen.

Opheffingsbesluit

Niet alleen over de herkomst van het opheffingsbesluit tastte men in het duister, evenmin was duidelijk waarom de UVSV er niet in werd genoemd. Waarschijnlijk hing dit samen met het feit dat deze vereniging kort tevoren op last van de Duitse Weermacht haar clubgebouw aan de Drift had moeten ontruimen, en op 10 juli in een soort schemertoestand verkeerde waarin ze onzichtbaar was voor de Duitse overheid. Ze had weliswaar net een bovenverdieping in het pand Herenstraat 38 betrokken, maar dat was niet algemeen bekend. De ene Duitse maatregel verhinderde met andere woorden de tenuitvoerlegging van de andere.[192] Niet alleen het clubgebouw van de UVSV was gevorderd, ook zijn inventaris. De nieuwe gebruiker van het pand had alle stukken geïnventariseerd, maar het UVSV-bestuur —waarvan ook Hettie Voûte deel uitmaakte, slaagde erin om in een tijdsspanne van enkele dagen ongeveer alles —kroonluchters, piano, bankstellen, Perzische tapijten en al het keukengerief— heimelijk te verhuizen en door minder fraaie dubbelgangers te vervangen. Hettie Voûte: "De ontruiming gebeurde tussen de bedrijven door. Wij volgden practica in Baarn, bij Johanna Westerdijk. Daar gingen we op de fiets naar toe, dat was heel gewoon in die tijd. Van haar kregen we geen vrij, dus het was ren- en vliegwerk om de boel tijdig leeg te halen." De overlevering wil dat mevrouw Vôute de verwijdering van de traploper heeft gemaskeerd door WC-papier —in de kleuren rose, wit en blauw— onder de roeden door te vlechten,[193] maar dat kan zij zich niet meer herinneren. Wat zij wèl heeft gedaan, is de tuin volgooien met goudsbloem-zaad, zodat de nieuwe bewoner in de nazomer op een zee van oranje zou uitkijken.

Ook de andere verenigingen slaagden erin het grootste deel van de inventaris in veiligheid te brengen, al hadden ze daar minder tijd voor dan de UVSV. Het archief van Unitas werd in grote haast naar een aantal in Tuindorp woonachtige families getransporteerd. De Senaatsstoelen verdwenen naar de kamer van een der leden, waar ze overigens de begeerte van zijn hospita opwekten. De rest van de inboedel, waaronder gebrandschilderde ramen, werd over een aantal leden verspreid, of in de tuin van de huismeester begraven.[194]

De rector van het USC, Van Hasselt, nuttigde op de ochtend van de tiende juli een bord taptemelkyoghurt toen hij bezoek kreeg van een aantal hem onbekende personen die de sluiting van de sociëteit aan de Nachtegaalstraat kwamen melden. Na in de gelegenheid te zijn gesteld "ruhig unsere Suppe weiter zu essen", begaven Van Hasselt en de fiscus van de Senaat (een huisgenoot van Van Hasselt) zich per Duitse politie-auto naar de sociëteit waar een plakploeg bezig was de boel te verzegelen. Het personeel was op staande voet ontslagen, van de inboedel die zich op dat moment in het gebouw bevond (een groot deel was al elders, onder andere het Academiegebouw, ondergebracht), mocht niets meer worden meegenomen. "Zelfs het postzegelbusje werd gelicht", schreef de kroegcommissaris J.J. de Kat Angelino naderhand. De aanwezige Senatoren en Commissieleden handelden nog enige formaliteiten af terwijl zij kersen aten en de sigaren oprookten. Daarna maakten zij een rondgang door het gebouw. "Iedere deur sloot zich voor het laatst achter ons en werd verzegeld met een bruin papiertje met stempels".[195]

'Vuile Beekman, die moet hangen'

Pas eind augustus wijst de 'commissaris voor niet-commerciële vereenigingen en stichtingen', Müller Lehning, een liquidateur aan voor de ontbonden verenigingen en hun subgezelschappen. De keuze valt op de Utrechtse advocaat en procureur mr L.A.J. Beekman. Hij is een getuigend NSB'er en als reünist van het USC goed op de hoogte van de structuur van de Utrechtse studentenwereld. Aan die expertise is een grote behoefte: de Duitse autoriteiten hadden geen wegwijs kunnen worden in het complex van Senaten, kroegcommissies, subverenigingen en huisgezelschappen. Dat Beekman lid was geweest van het USC bracht voor hemzelf geen loyaliteitsproblemen met zich mee. Integendeel. Aan zijn studententijd had hij een grondige aversie tegen die vereniging overgehouden. Van Hasselt tast over de reden van zijn houding in het duister. "Van die Beekman was mij nooit opgevallen dat hij NSB'er was. Hij was een beste vent. Niemand had bezwaar tegen hem, al werd 'ie evenmin op handen gedragen. Maar wat hem bezield heeft om zich bij die Müller Lehning als liquidateur op te werpen? Ik weet het waarachtig niet." De rector van het jaar 1938-'39, Van Rhijn (die Beekman meer van nabij heeft meegemaakt), heeft echter wel een idee. "Hij is aangekomen in 1934, en dat jaar had erg geleden onder de groentijd, vooral door toedoen van de jaren 1932 en '33. Dat ware zware jongens die een ware terreur hadden uitgeoefend onder de foeten van '34. Dat had gevolgen natuurlijk: van dat getergde jaar is maar een hele kleine groep in het corps blijven hangen. Ik zou mij kunnen voorstellen dat Beekman op enigerlei wijze door die gebeurtenissen is beïnvloed. Hij maakte in elk geval deel uit van een verknipt jaar dat tot het uiterste is getreiterd." Dat Beekman niet alleen tot het 'verkeerde jaar' behoorde, maar ook nog een hazelip had, moet hem wel tot een bijzonder aantrekkelijk mikpunt hebben gemaakt. De vraag of het USC misschien zijn eigen monster heeft gecreëerd, is binnen deze vereniging echter nooit aan de orde gesteld. Beekman is er als de verzinnebeelding van het kwaad, als de archetypische vadermoordenaar blijven gelden. Tot op de dag van heden, wordt een welbekend corpslied afgesloten met de volgende regels: "En vuile Beekman, die moet hangen. Hiep hiep hoera, hiep hiep hoera" (2x).

Het werk dat Beekman met kennelijk genoegen op zich had genomen, wordt ernstig bemoeilijkt door de slordige wijze waarop veel verenigingen (Unitas vormde een uitzondering) hun administratie hadden bijgehouden, en door het feit dat hij door de liquidatie-slachtoffers naar vermogen wordt tegengewerkt. Met het te gelde maken van de inventaris, het betalen van uitstaande schulden en het innen van tegoeden is hij ruim een jaar bezig. Daarbij wordt hij niet alleen door studenten voor de voeten gelopen, maar ook door Duitse instanties. Zo kan hij lang niet alles wat hij in de sociëteitspanden had aangetroffen ook metterdaad onder de hamer brengen, omdat Weermacht of SD er reeds beslag op hebben gelegd.[196] Ten aanzien van de inventaris die was overgebleven, krijgen nationaal-socialistische organisaties het eerste recht van intekening. Daarvan wordt gretig gebruik gemaakt. De leider van het Studentenfront, Houdijk, maakt een keuze uit het meubilair van de Utrechtse verenigingen, en vraagt Beekman enige tijd later "hoeveel ik U heb te betalen voor de goederen welke ik van U kocht".[197] Van de USC-inboedel gaat de grootste aantrekkingskracht uit, getuige onder andere dit briefje dat Beekman op '23 herfstmaand 1941' ontvangt van de leider van de Jeugdstorm, afdeling Zeist. "Kameraad, Vandaag heb ik getracht je te spreken te krijgen. Van Fons Roels (de zoon van de Utrechtse hoogleraar, SvW) vernam ik dat je echter in Wageningen was om daar studentenvereenigingen te liquideeren. De reden waarom ik je wil spreken, is de volgende: een paar weken geleden heeft de Jeugdstorm dankzij jouw protectie, die zeer gewaardeerd is, aankoopen mogen doen uit te liquideeren inboedels van het USC. In den loop van de vorige week is echter ingebroken in een van onze nieuwe gebouwen die momenteel ingericht worden, en is het grootste deel van de door ons gekochte messen, vorken, kopjes enz. gestolen. Terwijl we eerst van alles goed voorzien waren, zoo zitten we nu practisch weer aan de grond. (...) Daarom kom ik nu weer tot je met het verzoek of ik uit de inboedel in Wageningen een keuze zou mogen doen, zeer speciaal op het gebied van eetgerei. Is er in Utrecht misschien nog iets van dien aard te krijgen van Unitas, SSR of Veritas? Ook zou je ons zeer kunnen verblijden met den verkoop van een piano (kwaliteit doet niet ter zake. In Utrecht is de piano ons door den neus geboord!) en een stencilmachine. Als jij me kan helpen uit den bovengeschetsten noodtoestand, zou ik gaarne bericht ontvangen wanneer ik in Wageningen samen met jou of een afgevaardigde kan komen kijken. Je antwoord met belangstelling tegemoet ziend, teeken ik met Nederlandschen groet: Hou Zee!".[198] De mogelijkheid dat de voormalige eigenaar verantwoordelijk was voor de diefstal is te aantrekkelijk om ongenoemd te blijven, maar kon niet bevestigd worden.

Beekman is ook niet wars van enige zelfbegunstiging. Een aantal kostbaarheden uit verschillende sociëteiten, waaronder de stoelen van de Senaat van het USC, verhuist naar zijn privé-adres. Hij probeert eveneens beslag te leggen op twaalf kruiken gedestilleerd die de firma NV Blankenheym & Nolet op 17 oktober '41 bij de sociëteit van het USC aan de Nachtegaalstraat had willen afleveren, omdat die tot de inboedel van de geliquideerde vereniging zouden behoren. Door deze handelwijze komt hij echter in aanvaring met de directeur van het Rantsoeneringsbureau voor Gedestilleerde Dranken te Schiedam. Die deelt hem in een bits briefje mee dat levering van drank aan ontbonden verenigingen of aan hun zaakwaarnemers in strijd is met de rantsoeneringsvoorschriften. De door Beekman voorziene transactie gaat dus niet door.

De faculteiten

Beekman heeft −ofschoon hij daar geen opdracht toe had gekregen− ook de studentenfaculteiten bij de liquidatie betrokken, en laat het kantoor van het centraal bestuur (Drift 3) verzegelen. Er zijn aanwijzingen dat Beekman een nieuwe faculteitenorganisatie −dit maal onder leiding van een 'driemanschap' van het Studentenfront− in het leven wil roepen. De waarnemend rector magnificus, prof.dr L. van Vuuren, laat −als hem het nieuws van de 'coup' ter ore komt− de verzegeling van Drift 3 meteen ongedaan maken. Hij ontbiedt Beekman en het 'driemanschap' en dwingt hen met een "krachtvol optreden" op hun sporen terug te keren.[199] Van Vuuren benoemt daarop drie eigen kandidaten −de studenten Van Valkenburg, Leopold (beiden van het voormalige USC) en Van Hinsbergh (Veritas)− in het faculteitenbestuur. Het Studentenfront reageert opvallend mild op de tegencoup van Van Vuuren. In zíjn versie van de gebeurtenis heet het dat de waarnemend rector-maginificus "de volle verantwoordelijkheid" voor de faculteiten op zich had genomen. Hierin klinkt echter ook een (loos) dreigement door: Van Vuuren zal op de daden van 'zijn' faculteitenbestuur worden aangesproken. En dat bestuur dient, aldus het Front, "meer begrip voor de veranderde tijdsomstandigheden" aan de dag te leggen dan zijn voorganger had gedaan. Het spreekt de (niet geheel oprechte) hoop uit dat Van Vuuren −ofschoon hij "zich niet verplicht tot een positieve opbouw in nationaal-socialistische zin"− het stelsel van zijn vele tekortkomingen (zoals de te nauwe band met de gezelligheidsverenigingen) zal verlossen.[200]

De rol van Van Vuuren

Binnen de RUU oogst Van Vuuren vooral lof met zijn afhandeling van de faculteitenkwestie. De Geer is er zelfs opgetogen over, en verzoekt 's Jacob hem zijn gelukwensen met het behaalde succes te doen toekomen.[201] In de ogen van de studenten en (sommige) hoogleraren heeft Van Vuuren weer iets van het vertrouwen teruggewonnen dat hij met zijn dienstreis door Duitsland was kwijtgeraakt. Het optreden van Van Vuuren in het onderhavige geval was kenmerkend voor zijn hele rectoraat (dat tot mei 1945 duurde). Daarmee is allerminst gezegd dat het algemene oordeel over de wijze waarop hij zijn ambt vervulde positief was. Van Vuuren gold, en geldt nog steeds, als de 'foute' rector-magnificus van de RUU. Er schuilt dus iets ambivalents in Van Vuuren. Enerzijds schuwt hij de confrontatie met de bezettingsautoriteiten of hun Nederlandse companen niet, anderzijds raakt hij −zoals we eerder zagen− in een competentiestrijd met het college van curatoren verwikkeld, en komt hij geregeld in aanvaring met de studenten. De uitkomst van en waardering voor zijn handelwijze verschillen per geval, maar het richtsnoer van zijn optreden is steeds hetzelfde: hij wil een absoluut gezag uitoefenen, maakt daarbij gebruik van alle volmachten die de secretaris-generaal hem toekent (en dat zijn er meer dan waarover Kruyt nog had beschikt), en duldt niemand –Duitsers, 'foute' noch 'goede' Nederlanders– op zijn weg. Dat brengt weliswaar conflicten met de bezettingsautoriteiten met zich mee, maar vaker lopen hun belangen synchroon. De oud-militair Van Vuuren was weliswaar geen werktuig in handen van de bezetter, maar zijn autoritaire neigingen zijn de andere partij niet vreemd. Het gevolg van een en ander is overigens wel geweest dat 'van bovenaf' geen pogingen (meer) zijn ondernomen om Utrecht een 'nieuwe orde' onder aanvoering van het Studentenfront op te leggen. Men had immers Van Vuuren al.

Rectorloos tijdperk

Wie Kruyt zou opvolgen is onduidelijk tot de dag waarop de rectoraatsoverdracht zou plaatsvinden, 15 september 1941. Kruyt had eerder, in het voorjaar, een dringend beroep van Van Dam om nog een jaar aan te blijven naast zich neergelegd. Op basis van hun anciënniteitspositie in de academische Senaat komen daarop de volgende hoogleraren voor het weinig begerenswaardige ere-ambt in aanmerking: prof.dr L.M.R. Rutten (op dat moment secretaris), prof.dr F.M.J.A. Roels (hoogleraar empirische en toegepaste psychologie) en prof.dr A.G. van Hamel (hoogleraar Germaans en Keltisch). Op 18 maart 1941 passeren alle kandidaten de revue in een gesprek met De Geer. "Hij vindt ze eigenlijk geen van allen goed: Van Hamel is gecompromitteerd door zijn proces van jaren geleden, Roels leeft met een juffrouw, Rutten is wel een uitstekend man en organisator, maar 'laat zich meer door zijn ethische gevoelens dan door zijn verstand leiden'. Ik ben het over de hele linie met hem oneens".[202] De academische Senaat wil het liefst Rutten benoemd zien, maar deze voordracht wordt door het college van curatoren niet overgenomen. Het feit dat Rutten persona non grata van de Duitsers is, zal niet vreemd zijn geweest aan deze ongebruikelijke actie van het college.

Op 15 september is de impasse nog niet doorbroken. "Om 11.45 uur belt De Geer", schrijft Kruyt in zijn dagboek. "Schölvinck van het Departement heeft laten weten dat Duitsers machtiging hebben gegeven Roels tot rector te benoemen. De Geer heeft hem terstond ontboden. Roels wist van niets, is nooit gepolst, denkt er niet over het aan te nemen".[203] Kruyt houdt vast aan de weigering zijn ambt te prolongeren, zodat de rectorszetel tijdens de overdrachtsplechtigheid die die middag in de Aula plaatsvindt, onbezet blijft. De scheidende rector wordt door de curator jhr dr H.W.L. de Beaufort ('s Jacob is "ernstig ongesteld") gelauwerd met de voorbarige uitspraak dat "de geschiedschrijver van de universiteitsgeschiedenis van deze jaren Uw naam met gouden letters (zal) boekstaven". Daarna is er langdurig applaus voor Kruyt. "Het was een duidelijke, en voor mij ontroerende ovatie."

De RUU zal daarop een jaar geen rector magnificus hebben, maar een *waarnemend* rector magnificus. En die positie valt toe aan de oudste der assessoren, prof.dr L. van Vuuren. Pas in 1942 zal deze het adjectief 'waarnemend' kunnen weglaten.

Niemand, Van Vuuren zelf misschien uitgezonderd, is blij met deze noodgreep. De nieuwe rector wordt in hoge mate gewantrouwd en is in zekere zin een vreemde in zijn eigen huis. Zo wordt hij onkundig gelaten van het bestaan van de Contactcommissie van studenten en hoogleraren. Evenmin verneemt hij iets van de oprichting, in september 1941, van Dubbel Zeven: een overlegorgaan van twee 'betrouwbare' vertegenwoordigers van elke faculteit.

Leven na de dood

De praesides van de gezelligheidsverenigingen (UVSV uitgezonderd) hadden op het hoofdkwartier van de SD aan de Maliebaan een verklaring moeten ondertekenen waarin zij onderschreven dat zij zich ervan bewust waren dat iedere activiteit van hun club verboden was.[204] Zij achtten zich aan die verklaring gehouden, met het gevolg dat de verenigingen aanvankelijk geen teken van leven vertoonden. Spoedig kwam hierin echter verandering. Het streven "het vuur onder de asch" brandende te houden, leidde in het najaar alweer tot allerlei –per definitie clandestiene– activiteiten zoals een groentijd, samenkomsten in openbare gelegenheden, toneeluitvoeringen, zangavonden en het uitgeven van verenigingsalmanakken. De verenigingsbesturen, die zich aan het opheffingsbesluit hadden gecommitteerd, droegen hun verantwoordelijkheden over aan zaakwaarnemers voor wie een nieuwe titulatuur werd gecreëerd. Zo kreeg Unitas in 1942 een zogenoemd college van Ephoren, dat in 1943 op zijn beurt werd afgelost door (alweer) een driemanschap.[205] De belangen van de 'natuurlijke gemeenschap van Utrechtse studenten' –die werd gevormd door de leden van het voormalig USC– werden vanaf 5 februari 1942 behartigd door een Consilium dat een jaar later werd gedechargeerd om (op termijn) te worden vervangen door een zogenoemde Corpscommissie. Daarnaast werden disputen en jaarraden in het leven geroepen.

Op plaatselijk niveau pleegden de verenigingen overleg met elkaar in het College (of Raad) van Vertegenwoordiging, waarvan elke universiteitsstad een eigen versie had. De sfeer binnen het Utrechtse college werd door de vertegenwoordiger van Unitas "koel doch correct" genoemd. In een geschreven instructie van de praeses van het college van Ephoren, D. de Moulin, aan zijn opvolger ("Geheim. Na lezing verbranden!") ontraadt deze intieme contacten met de vertegenwoordigers van het USC. "Laat dus nooit een woord los over interne USR-aangelegenheden." De Moulin waarschuwt tevens voor het streven van het USC de studentenfaculteiten volledig onder zijn controle te brengen. Unitas moet zich niet de kaas van het brood laten eten, en moet zich –aldus De Moulin– in de faculteiten laten vertegenwoordigen door mensen die niet zozeer populair zijn, maar vooral "haar op hun tanden" hebben. In maart 1942 ontstond op instigatie van, onder anderen, de Utrechtse student Wim Eggink ook een landelijke contactcommissie, de Raad van Negen genoemd. Hierin hadden student-vertegenwoordigers van de (negen) universiteiten en hogescholen zitting. Het reeds bestaande illegale blad 'De Geus' was zijn spreekbuis. De Utrechter A.J. Andrée Wiltens representeerde de Raad van Negen in het overleg met andere illegale organisaties, en werd als zijn informele leider beschouwd.

Voor de illegale verenigingen was het voortbestaan tot de bevrijding doel op zich. Hoewel individuele leden in toenemende mate betrokken raakten bij het verzet en daarbij gebruik maakten van de relatienetwerken van de verenigingen, hadden de organisaties als zodanig geen verzetsoogmerk. Men wilde, voorzover dat mogelijk was, enige continuïteit behouden in het van mores en wij-gevoel afhankelijke verenigingsleven. Al was het alleen maar om te voorkomen dat men ooit, na de bevrijding, tot de conclusie moest komen dat niemand meer wist hoe het vroeger geweest was. Vandaar dat het organiseren van een groentijd niet −zoals men nu geneigd zou zijn te denken− als een onnutte bezigheid werd gezien, maar als een voorwaarde voor een toekomstige herrijzenis.

Tot Unitas traden in 1941 nog 45 nieuwe leden toe. Een jaar later werden 27 novieten geïnstalleerd in het nieuwe onderkomen van de vereniging aan de Brigittenstraat. Daaraan was een groentijd van een maand voorafgegaan. Die speelde zich in studentenkamers of achterzaaltjes van horeca-gelegenheden af, of tegen de achtergrond van de "fraaie Maartendijksche landauwen" waar, naar oud gebruik, een wandeltocht werd gehouden.[206] De aspirant-leden waren tevoren uitvoerig op hun 'politieke betrouwbaarheid' getest, wat ertoe had geleid dat vijf hunner werden afgewezen. Helemaal deugdelijk was deze screening overigens niet: een van de leden van het eerstejaarsbestuur zou zich in een later stadium van de bezetting bij de SS aansluiten. Unitas was −getuige na-oorlogse gedenkschriften− vooral trots op zijn berichtensysteem dat ten doel had betrouwbaar geachte leden snel te mobiliseren. Hiertoe werd de stad in acht rayons met elk één of twee 'wijkleiders' verdeeld. Die wijkleiders liepen de 'goede' leden langs om verenigingsactiviteiten aan te kondigen, contributie te innen of −in een later stadium van de bezetting− stakingsoproepen te verspreiden. Voor dat laatste doel stelde Unitas zijn berichtendienst beschikbaar in december 1942, nadat Mussert zich van Hitler 'Leider van het Nederlandsche Volk' mocht noemen. De leiders van het studentenverzet hadden eerder afgesproken dat bij een machtsgreep van de NSB de universiteiten 'plat' zouden gaan, en achtten dat moment bij het bekend worden van Musserts vermeende promotie gekomen. Omdat Unitas als enige over eigen koeriers beschikte, waren −zo claimt de vereniging na de oorlog− zijn leden de eerste Utrechtse studenten die van de staking op de hoogte waren. De snelheid waarmee een en ander in zijn werk was gegaan, was bij het bestuur van Veritas verkeerd gevallen. Het verweet Unitas voor de stoet uit te hebben willen gaan. De actie was overigens niet helemaal smetteloos verlopen. Twee wijkleiders, Bos en Vos, raakten −toen zij lazen wat zij precies aan het distribueren waren− bevreesd voor de mogelijke gevolgen, verbrandden de nog niet verspreide pamfletten, en namen de benen. Dit zou hen, nog tijdens de bezetting, op een schorsing (als verenigingslid) van drie maanden komen te staan.[207]

De matige, soms "bedenkelijk flauwe", belangstelling van de leden voor de 'vrijdagavond-bijeenkomsten' die na de opheffing van Unitas in sociëteit De Vereeniging werden belegd, vormde een voortdurende bron van zorg voor het college van Ephoren. Ook de respons op de oproep een geldelijke bijdrage te leveren aan het zogenoemde Toonfonds, waaruit verenigings-

*Mars op het Domplein voor
het Academiegebouw tijdens
de tweede landdag van
het Nationaal Socialistisch
Studentenfront.*

—

14 November 1942

Quix,
rector magnificus
—

1939-1940

Kruyt,
rector magnificus
—

1940 - 1941

Van Vuuren,
rector magnificus
—

1941 - 1945

"Deze maatregel beteekent voor mij
een miskenning van het
Nederlandsche volkskarakter,
dat dit alles moet gevoelen als een
beleediging van de Nederlandsche
Universiteiten, van de Nederlandsche
Wetenschap en daarmee van
het Nederlandsche Volk zelf."

25 november 1940

*Prof.dr V. J. Koningsberger,
vermoedelijk de eerste hoogleraar in het land die protesteerde tregen de schorsing
van joodse collega's.*

—

*hoogleraar
Wis- en Natuurkunde*

Ondergeteekende . *Jan Lul*

geboren ~ *Hazebroek* te *in 't jaar nul*

wonende *te Vreeswijk Lakkensteeg 11* .

verklaart hiermede plechtig, dat hij de in het bezette Nederlandsche gebied geldende wetten, verordeningen en andere
beschikkingen naar eer en geweten zal nakomen en zich zal
onthouden van iedere tegen het Duitsche Rijk, de Duitsche
weermacht, of de Nederlandsche autoriteiten gerichte handeling,
zoomede van handelingen of gedragingen welke de openbare
orde aan de inrichtingen van hooger onderwijs, gezien de
vigeerende omstandigheden, in gevaar brengen.

Ⓐ 7180 - 3 - 6 - '43 - K 983   *Jan Lul G.*

*Uit protest aan de rector
gestuurde loyaliteits-
verklaring.*

—

8 of 9 april 1943

Kriegsgefangenenlager   Datum: *18 Mei 1944*

Weledel.Gestr.Heer! Ter gelegenheid van de 55e verjaardag op 30 Mei 1944 bieden wij U hierbij onze hartelijke gelukwensen aan en wenschen U toe, nog vele lustra in een gelukkige toekomst. Neubrandenburg, Oflag 67, 18 Mei 1944,

W. Reijn
1e Luit. Veld Artillerie

Vaandrig Lu.A.

Vdg. Lu.A.

(W.A.M.Ruyten)
(Vdr. Inf.)

A.H.G.KUIPERS
ADSP. RES. DER. ART.

Kaartje met felicitaties uit
een Kriegsgefangenenlager
in Duitsland.
Ter gelegenheid van de
verjaardag van Veritas.

—

18 Mei 1944

HOOG rijst het bolwerk der menschelijkheid
Boven studie en vreugd' van 't verleden.
En vol ernst zijn wij één met ons volk in een land,
Waar vrijheid door dwang werd vertreden.
Wij wachten niet lijdzaam, maar strijden waar 't kan
In 't verborgene heir, vrij van geest.
Minerva, gelouterd herrijst ons Uw beeld,
Wij weten Uw eeuwigheidsglans.

U. V. S. V.
1899 - 1944

*Prent en gedicht
ter gelegenheid van het
lustrum van de UVSV.*

—

Maart 1944

Kranslegging bij de onthulling
van het oorlogsmonument.

—

18 September 1950

activiteiten werden bekostigd en waaruit ontslagen personeelsleden een aanvullende uitkering ontvingen, stelde teleur. Was de opbrengst in 1942 nog enigszins bevredigend, in 1943 lieten de leden massaal verstek gaan –indringende verwijzingen naar de financiële noodsituatie van de vereniging ten spijt.[208] Men nam vooral aanstoot aan het feit dat de laatste Senaat van het bovengrondse Unitas, de rector uitgezonderd, zelden of nooit meer van zijn belangstelling voor de vereniging blijk gaf. "Deze Senatoren (hebben) hun 'en retraite gaan' zoo consequent doorgevoerd, dat zij meestentijds geheel onzichtbaar waren. Ten hoogste hebben zij zich een enkele keer in De Vereeniging vertoond. Het moge dan misschien juist zijn dat redenen van veiligheid hen geboden zich op de achtergrond te houden, het moge ook waar zijn dat zij als Senaatslid sinds eind november 1941 demissionair waren, dit neemt niet weg dat zij als Senator moreele verplichtingen droegen. En in deze moreele verplichtingen zijn zij op zeer ernstige wijze tekort geschoten".[209]

Cohesie

Ook het USC moest zich grote inspanningen getroosten om de cohesie enigszins te bewaren, maar had het voordeel dat veel oud-leden (honorair Senatoren vooral) de vereniging financieel en anderszins bleven steunen. Daarnaast werden in 1941 nog zo'n 80, en in '42 36 nieuwe leden in 'de natuurlijke gemeenschap van Utrechtse studenten' opgenomen. Om de personeelsleden van de gesloten sociëteit emplooi te bieden, en hen daarmee aan de Duitse arbeidsinzet te onttrekken, werd een zogenaamd dienstenbedrijfje in het leven geroepen dat de naam PeHa –Praktisch en Handig (een verwijzing naar de sociëteit PHRM aan het Janskerkhof) meekreeg. Het verzorgde kleine transporten en voerde allerlei huishoudelijke klusjes uit. De leden van het USC werden geacht vier gulden per maand aan de exploitatie bij te dragen.[210]

Deze verenigingsactiviteiten konden moeilijk onopgemerkt blijven. Temeer omdat het het USC moeilijk viel de discretie in acht te nemen die onder te toenmalige omstandigheden geboden was. Van Hasselt: "Wij bleven aan de oude vormen vasthouden, ook toen dat wat link begon te worden. Zo hadden wij tijdens de groentijd van 1942 een traditionele senaatsnacht willen beleggen in het studentenhuis Zuilenstraat 13. De convocatie ging op keurig geschept papier, onder vermelding van naam en toenaam de deur uit. De honorair Senator Liefrinck, die een hoge positie bekleedde in Den Haag, zag dat papier daar opduiken. Hij heeft mij toen aangeraden de zaak af te blazen. De Duitsers zijn toen inderdaad nog gekomen om te zien wat er aan de hand was. Ze werden ontvangen door een van de bewoners van dat huis, Staverman. Hij was in ochtendjas gehuld, en hield zich voortreffelijk van de domme: 'Sammlung, Sammlung? Wo denn?'." De chef van de afdeling Hoger Onderwijs van het departement van Opvoeding, Wetenschap en Cultuurbescherming, jhr L.P.D. op ten Noort, had er ook lucht van gekregen dat er een senaatsnacht in voorbereiding was. Hij drong er bij De Geer op aan de zaak uit te zoeken, en vroeg hem er "het Uwe aan te doen dat men gaat inzien dat dergelijke dingen toch werkelijk niet meer kunnen".[211] Van Vuuren bevestigt dat de bedoelde convocatie is uitgegaan, maar kan De Geer melden dat de bijeenkomst inmiddels is geannuleerd. "Ik weet nog niet waarom, maar in ieder geval om redenen van anderen aard dan gelegen zouden zijn in het besef van de begane *domheid*. Gij kunt derhalve aan Op ten Noort berichten dat de heeren blijkbaar tot het inzicht gekomen zijn, en de vergadering is *afgelast*. Zij gaat *niet* door."

Esplanada-incident

Als corpsleden het oude zaalleven in openbare etablissementen willen voortzetten, komen daar geregeld moeilijkheden uit voort. Zoals op 30 september 1941, toen een vierdejaars jaarclub zijn Dies vierde in het schouwburgrestaurant Esplanada aan het Lucas Bolwerk. Het nostalgische karakter van de bijeenkomst bleek onder andere uit het feit dat de twaalf studenten hun eigen bedienden – die voorheen in dienst waren van het USC – hadden meegenomen. De afloop van het diner viel, volgens het verslag dat Van Vuuren naderhand van de gebeurtenis opstelde, samen met de pauze van een vergadering van de Duitse Kultuurgemeenschap (die elders in het gebouw was belegd). "De heeren studenten hebben zich toen in de toch al volle doorgang naar de foyer opgesteld met hun bloemen (anjers volgens sommige ooggetuigen, SvW) en het glas bier in de hand. Kortom: hun geheele houding verried een onaangename stemming over de aanwezigheid der Duitsche leden van de cultuurgemeenschap, die allen het insigne van de partij droegen, en waaronder zich – behalve den Beauftragte, de Heer Brandes – ook als gast bevonden de fungeerende commissaris in de Provincie Utrecht, de heer Müller, en de beide hoogleeraren dezer Universiteit Westra en Nieschultz met hunne dames".[212] Er waren door de corpsleden ook – door Van Vuuren "ontoelaatbaar" geachte – plaagstootjes geplaatst: had men prettig vergaderd, was de Dietsche Taveerne (waar NSB'ers bijeen plachten te komen) geen geschiktere lokatie voor de bijeenkomst, et cetera. Toen een woordenwisseling met prof. Westra dreigde te ontstaan, maakte Brandes zich bekend, en gelastte hij de studenten naar de eetzaal terug te keren. Daar moesten zij hun persoonsbewijzen aan een Nederlandse politie-inspecteur afgeven. "Dit alles is niet verloopen zonder duidelijk verzet van de Heeren. Zij hebben daarbij niet alleen gevraagd aan den Nederlandschen inspecteur zich te legitimeeren, maar hebben zich ook feitelijk verzet bij het binnengaan en voorgegeven niet te weten wat 'Ausweise' noch wat 'Beauftragte' beteekende."

Brandes vroeg de SD in Den Haag de zaak justitieel af te handelen. "Daar was men volkomen van de noodzakelijkheid doordrongen dat hier een gestrenge straf moest worden toegepast, en wel een langere of kortere hechtenis, althans opsluiting", aldus Van Vuuren in zijn negen pagina's tellende verslag. "Het ging erom een voorbeeld te stellen van (wat) men te wachten had na een soortgelijk optreden van zonen onzer beste families." Van Vuuren meende overigens dat de –door hem ten volle onderschreven– voorbeeldfunctie van de straf meer zou zijn gediend bij een afhandeling van de zaak door hem zelf. Hij eiste dit in een onderhoud met Brandes niet als recht op, maar vroeg hem op de meest deemoedige wijze die 'gunst' te willen verlenen. Op voorspraak van Brandes stemde de SD hierin toe. Van Vuurens erkentelijkheid kwam in de strafmaat tot uiting. Hij schorste de aanstichters van wat het 'Esplanada-incident' werd genoemd voor zeven dagen (de maximum straf die een rector magnificus mocht opleggen), en gaf het college van curatoren in overweging die termijn tot zes maanden te verlengen. Het college volgde deze aanbeveling. De aankondiging van de twaalfvoudige schorsing werd publicitair intensief begeleid. Op affiches die Van Vuuren in alle onderwijspanden liet bevestigen, sprak hij namens de universiteit zijn droefenis over het voorval uit, bracht hij zijn erkentelijkheid tot uiting voor het hem toegekende sanctierecht, en vroeg hij de studenten "begrip (te) toonen voor de moeilijkheden van de bezettende overheid".

'Vlerkenstreken'

Volgens 'Studentenfront' solliciteren de Utrechtse studenten met hun 'onbeschoftheden' en 'openlijke sabotage' welbewust naar sluiting van hun universiteit. "Men kan het in Utrecht (...) zoo slecht verkroppen dat Leiden zich toen zoo veel flinker en mannelijker gedragen heeft dan de oude Bisschopsstad".[213] Het verzuim van november 1940 moet, aldus Studentenfront, worden goed gemaakt. Dus stapelt men provocatie op provocatie. De nauwelijks verhulde groentijd is hier een voorbeeld van. "Zoo kon men, omstreeks de datum waarop in vroegere jaren deze paedagogische cursus een aanvang nam, merkwaardige processies door Utrechts straten zien trekken: voorop eenige HH Studenten, op passende afstand daarachter eenige in vale regenjassen gehulde, armoedig uitziende jongelieden, weliswaar zonder de –in andere jaren zoo gebruikelijke– groenenattributen, maar met dezelfde domme, afgetrokken smoelen, toonbeelden van zielige ellendigheid." Tot andere sabotagedaden rekent Studentenfront de reactie van studenten op de benoeming van prof.jhr dr D.G. Rengers Hora Siccama (Rechtsgeleerdheid) tot lid van de "apefout"[214] geachte Nederlandse Cultuurraad. Stonden zij vroeger op wanneer prof. Siccama bij de aanvang van zijn college de zaal betrad, nu onthielden zij hem dit eerbetoon. Nòg bonter maakte het bestuur van de Indologenvereniging het. Naar aanleiding van de Japanse inval in Nederlands Indië deelden de leden prof.mr dr H. Westra mee zijn colleges niet langer te zullen volgen. Het gevolg van dergelijke "vlerkenstreken" zal volgens Studentenfront níet de sluiting van de RUU zijn, maar de liquidatie van de Indologenvereniging en alle andere bolwerken van de 'vorigen'.

In werkelijkheid gaan voor sluiting van de universiteit nog weinig stemmen op. Het Utrechtse model blijft intact, al wordt het standpunt der studenten niet meer rechtstreeks door de gezelligheidsverenigingen vertolkt, maar uitsluitend nog door de vertegenwoordigers der faculteiten. Die zijn eind '42 nog niet toe aan radicale oplossingen voor de problemen van de RUU. Nog geen half jaar later denken zij hier echter anders over. Na de razzia's in februari en de loyaliteitsverklaring van april zou immers níets in Utrecht meer hetzelfde zijn.

12 De razzia's van februari 1943

'De stemming is voortreffelijk'

IN DE TWEEDE HELFT van 1942 neemt in Utrecht, zoals overal in bezet Nederland, de spanning zienderogen toe. Het academisch leven wordt ernstig ontwricht onder invloed van de arbeidsdienst voor aankomende studenten. Zij moeten zes maanden in een werkkamp hebben doorgebracht alvorens met hun studie te mogen beginnen. Hoewel de Nederlandse regering in ballingschap heeft opgeroepen tot verzet tegen deze maatregel, schikken de universiteiten en hogescholen zich in het ongemak. Alleen de Leidse vertegenwoordiger in het CIO heeft principiële bezwaren tegen de arbeidsdienstplicht, die —zo betoogt hij tijdens de vergadering van 21 november '42— een miskenning inhoudt van het artikel in de Hoger Onderwijs Wet dat bepaalt dat geen andere dan wetenschappelijke criteria een rol mogen spelen bij de toelating tot de universiteit.[215] Voor de collega's van de Leidenaar, die metterdaad met de gevolgen van de Duitse dwangmaatregel worden geconfronteerd, gelden vooral praktische bezwaren. De eerstejaars zullen pas tegen de kerstvakantie met hun studie kunnen beginnen, dus hun academisch jaar loopt niet meer synchroon met dat van de andere studenten. Met inhaalonderwijs wordt geprobeerd aan de problemen die hieruit voortvloeien het hoofd te bieden. Het CIO bespreekt mogelijkheden de 'inpasbaarheid' van de arbeidsdienst in de academische studie te vergemakkelijken, bijvoorbeeld door de dienstperiode van zes maanden in twee tranches van drie maanden op te splitsen zodat de dienst tijdens de zomervakanties kan worden vervuld. De Groningse rector magnificus, De Burlet (die in beginsel afwijkende standpunten lijkt in te willen nemen), acht dit voorstel moeilijk uitvoerbaar, maar heeft er vooral bezwaar tegen omdat het de arbeidsdienst —volgens hem "een volksbelang van de eerste orde"—[216] ondergeschikt maakt aan de academische studie. En daarmee is hij het principieel zéér oneens.

Een ander onderwerp dat de gemoederen bezighoudt, betreft de op handen zijnde benoeming door de bezettingsoverheid van een "organisator en leider van de geheele Nederlandsche Studentenwereld" (zoals deze functionaris in de CIO-notulen wordt genoemd). Van Vuuren, die al enige tijd voorzitter van het CIO is, meldt dat deze sterke man aan het hoofd zal komen te staan van een landelijke organisatie waarvan het lidmaatschap weliswaar facultatief maar in feite onontkoombaar is. Niet-leden zullen namelijk geen gebruik kunnen maken van verschillende collectieve voorzieningen, zoals mensa, gezondheidszorg en sportfaciliteiten. Als kandidaat voor deze post werd aanvankelijk de Utrechtse hoogleraar Nieschulz genoemd. Maar die trok zich terug nadat Van Vuuren massale oppositie tegen de benoeming van een Rijksduitser had voorspeld. Het onbedoelde gevolg van deze actie van Van Vuuren was, dat hij zèlf voor de functie werd gevraagd. Daar voelde de Utrechtse rector, die overigens ijdel genoeg was om zich door het aanbod gestreeld te voelen, niet veel voor. Aan een nieuwe organisatie had hij zelf niet de geringste behoefte. In Utrecht had men immers het faculteitenstelsel, dat ook elders werd nageaapt. Dat voorzag in de behoefte aan contacten tussen universiteitsbestuur en studenten, meende Van Vuuren. "Er mag tusschen deze beiden geen nieuwe macht komen".[217] Na twee keer bot te hebben gevangen, wendde Generalkommissar Schmidt (uit wiens koker het ideetje kwam) zich vervolgens tot twee andere kandidaten: de Utrechtse hoogleraar Roels, en zijn Leidse collega Posthuma. Hun reactie is niet bekend, maar deed er ook niet zoveel meer toe; na de gebeurtenissen die zouden volgen, zou de door hen te bestieren studentenwereld volledig desintegreren.

Op lokaal Utrechts niveau zorgt het feit dat het Studentenfront zijn tweede Landdag in de Aula van het Academiegebouw wil houden voor veel commotie. Van Vuuren, die een grondige weerzin koestert tegen de provocatieve houding van het Studentenfront, verleent de gevraagde toestemming echter niet. Hij beroept zich daarbij overigens niet op de ideologische inslag van de bijeenkomst, maar op het feit dat de Landdag geen Utrechts maar een nationaal karakter heeft. Het Studentenfront had de toestemming van Van Vuuren overigens helemaal niet nodig; bevriende instanties vorderden de Aula gewoon.

Van Vuurens collega De Burlet meent dat de pogingen van de RUU om het Studentenfront buiten de deur te houden van kortzichtigheid getuigen. "De Rector durft geen bijeenkomst van andersdenkenden te laten doorgaan uit vrees voor relletjes. Hoe is het dan mogelijk om den Nederlandschen student kennis te laten nemen van het nieuwe dat doorbreekt", vraagt hij zich af. Hij betrekt ook de studentenfaculteiten bij zijn litanie. "Hebben (zij) geen ander doel dan zich krampachtig vast te houden aan het oude?" Het Utrechtse model, of wat daar nog van restte, is voor De Burlet niet meer dan "een schijnbeweging welke tracht het nieuwe tegen te houden".[218] Dat moge zo geweest zijn, het driemanschap dat de faculteiten leidt (de studenten R.A. van Valkenburg, W.Ch.M. van Hinsbergh en J.A. Kernkamp —die de afgestudeerde Leopold was opgevolgd) is evenmin gediend van openlijke protesten tegen de Landdag. In reactie op een stakingsoproep plaatst het op 13 november een tegenmanifest in het Faculteitenblad: "In verband met het feit dat zekere lieden op onverantwoordelijke wijze trachten door middel van een opruiend pamflet de orde en rust aan onze Universiteit te verstoren, raadt het bestuur van de Utrechtsche Studenten Faculteiten alle studenten aan géén gehoor aan de in dit pamflet gestelde oproep te geven".[219] Van Vuuren doet een soortgelijk appèl uitgaan, al verzòekt hij de studenten niets maar volstaat hij met het *bevel* de stakingsoproep te negeren.

Brandstichting

In november werkte de gecombineerde aanpak nog, maar de maand daarop werden de 'tegenkrachten' bijna onbeheersbaar. Op 2 december kreeg Generalkommissar Schmidt de opdracht nog voor het einde van het jaar 25.000 Nederlandse arbeidskrachten te ronselen voor evenzoveel vacatures in de Duitse oorlogsindustrie. Een week later deelde secretaris-generaal Van Dam de rectores magnifici mee dat zesduizend dwangarbeiders bij de universiteiten en hogescholen gevonden moesten worden. In verband hiermee vroeg hij de namen van alle ingeschreven studenten op. Alleen De Burlet gaf aan dit verzoek gehoor. Aan de Duitse voornemens werd door de Raad van Negen de grootst mogelijke ruchtbaarheid gegeven, met het gevolg dat in Utrecht de voorstanders van actief verzet de overhand leken te krijgen. In de nacht van 11-12 december werd brand gesticht in de studentenadministratie van het Academiegebouw. Over de omvang van de schade liepen (en lopen) de ramingen uiteen. In sommige bronnen wordt gesproken van "volledige vernietiging" van de persoonsgegevens, elders wordt de schade "aanzienlijk" genoemd, en Van Vuuren meende dat ze "beperkt" was. Hoe het ook zij: over de bedoelingen van de daders heerste geen misverstand. Toen Van Vuuren terstond begon met de reconstructie van het register, en daarbij de hulp van de studenten inriep, werd hem die slechts mondjesmaat verleend.

In verband met de brandstichting (en de daarop volgende stakingsoproep) werden op 16 december twaalf Utrechtse studenten en een medisch analiste gearresteerd. Bij enigen van hen werd 'bezwarend materiaal' aangetroffen (zoals een vlugschrift, witkalk, en een ploertendoder), maar met de aanslag bleek geen der betrokkenen iets te maken te hebben. Zij werden allen na kortere (enige dagen) of langere tijd (een paar maanden) weer in vrijheid gesteld. Een van hen, de geoloog S. Bottinga, deed kort daarop bij de rector magnificus verslag van zijn ervaringen in Duitse detentie. Hij zei eraan te twijfelen of bij de aanslag überhaupt studenten waren betrokken. Op de vraag van een politieman "waarom de studenten zoo dom waren geweest" zich met sabotage in te laten, had Bottinga geantwoord "dat de Nederlandsche student normaliter niet dom is, zoodat hij de vaste overtuiging had dat de brand niet door studenten van de Utrechtsche Universiteit kon zijn gesticht".[220] Van Vuuren was met Bottinga's beheersing van het deductionisme zó in zijn sas, dat hij deze uitspraak onder de aandacht bracht van de chef van de afdeling Hoger Onderwijs van het departement, Op ten Noort. Tot degenen die in verband met de brandstichting waren opgepakt, had echter wel degelijk —al had niemand dat opgemerkt— een vette vis behoord, namelijk de in het plaatselijke en landelijke studentenverzet zeer actieve S. Lijftogt. Bij de brandstichting was hij weliswaar niet betrokken geweest, maar wel bij vele andere activiteiten waarin de Duitsers ongetwijfeld belang hadden gesteld (zoals de vervaardiging van illegale bladen, het helpen van onderduikers en het leiden van een koerierscentrum). Kenmerkend voor de manier waarop de verzetsorganisaties opereerden, was het feit dat Lijftogts 'positie' ook onopgemerkt was gebleven in andere sectoren van de Utrechtse illegaliteit. Zo sprak de vertegenwoordiger van Unitas in de contactgroep van gezelligheidsverenigingen, D. de Moulin, er zijn verbazing over uit dat zich onder degenen die naar aanleiding van de brandstichting waren gearresteerd "geen vooraanstaande figuren" behoorden.[221] En dat terwijl Lijftogt ook lid was van Unitas, en namens de Indologen deel uitmaakte van het college van vertegenwoordiging.

De echte plegers van de aanslag op de studentenadministratie maakten echter deel uit van weer een andere illegale organisatie: het zogenoemde Kindercomité waarvan (onder anderen) Geert Lubberhuizen en Hettie Voûte deel uitmaakten. Dit gezelschap, dat uit acht mensen en een variabel aantal 'hulpengelen' bestond, had zich toegelegd op het onderbrengen en verzorgen van de kinderen van joodse ouders die op transport waren gesteld. De initiator en leider van het Kindercomité, Jan Meulenbelt, had er weliswaar bezwaar tegen dat zijn medewerkers ander illegaal werk deden (omdat zij daarmee het werk van het Kindercomité aan 'exposure' blootstelden) maar kon dit toch niet helemaal verhinderen. "Hij had een bende onder zich, een ongeorganiseerde bende", zegt Hettie Voûte. "En die kluste er links en rechts zo'n beetje bij. Zo waren enkele leden van ons Comité verantwoordelijk voor die brandstichting, zonder dat Jan er iets van wist. En diezelfde mensen gingen de volgende dag weer kinderen halen en onderbrengen... Het was een bende, een verrukkelijke bende."

Stakingsoproep

Veel studenten vreesden dat de arrestatie van de twaalf vermeende daders van de brandstichting een golf van aanhoudingen zou inluiden (gevolgd door transport naar Duitsland). Het gevolg was, aldus De Moulin, "een ware exodus van studenten". Enige uren na de arrestaties was Utrecht uitgestorven. Daardoor was niet duidelijk wat de uitwerking was van de stakingsoproep die kort tevoren door de Raad van Negen was verspreid als reactie op de dreigende tewerkstelling van zesduizend studenten in Duitsland, en de (eerder vermelde) 'promotie' van Mussert tot 'Leider van het Nederlandsche Volk'. "Op zich brengt dit geen veranderingen mee", schreef De Moulin later die maand over dat laatste feit. "Toch wordt (...) wel degelijk een nieuwe periode van nazificeering ingeluid." Een kleine, vooralsnog onbetekenende, stap naar het einddoel volgens de Duitse receptuur der geleidelijkheid.

Toen Van Vuuren het stakingsrumoer opving, greep hij naar een vertrouwd middel om openlijke onrust onder de studenten te voorkomen: hij kondigde een vervroegde, per 15 december ingaande, kerstvakantie af. Daarnaast vroeg hij de Nederlandse èn Duitse autoriteiten hem bij het bewaren van rust en orde bij te staan. Het bestuur van de faculteiten was ditmaal níet bereid tegen de staking te opponeren. Het dreigde zelfs te zullen opstappen als studenten naar Duitsland zouden worden gedeporteerd. Het hoefde echter niet de daad bij het woord te voegen: op 15 december deelde Van Dam de rectores magnifici op gezag van Schmidt mee dat de Duitsers nooit van plan waren geweest studenten op te pakken. Dat dit idee had kunnen postvatten, moest volgens de secretaris-generaal worden toegeschreven aan het eigen initiatief van een lagere ambtenaar die een dergelijk idee ooit had geventileerd. De Moulin was allerminst gerustgesteld. Schmidt had slechts een terugtrekkende beweging gemaakt om later, wanneer de door hemzelf gecreëerde onrust was weggeëbd, het oorspronkelijke scenario te kunnen uitvoeren. Als de Duitsers slim zijn, schreef De Moulin in een (niet geheel foutloos) verslag van de gebeurtenissen van 13-19 december, "reageren ze helemaal niet, om –als straks na de vacantie iedereen weer in de stad is– hun slag te slaan. Daarom móet na de vacantie de staking doorgezet worden, desnoods met geweld, als de studenten het gevaar dat er dreigt niet willen inzien."

Eind december circuleert weer een stakingsoproep in Utrecht. Alhoewel slechts weinig studenten die in verband met hun uitstedigheid onder ogen gekregen zullen hebben, laat Van Vuuren een brief bij alle studenten van de RUU bezorgen waarin hij hen op het hart bindt na de vakantie weer naar Utrecht terug te keren. "De Rector Magnificus maakt van deze gelegenheid gebruik Uwe aandacht erop te vestigen, dat hij Uwe belangen slechts dan met al de kracht die hem tot nu toe gelukkig nog geschonken werd, zal kunnen verdedigen, indien gij onvoorwaardelijk zijne leiding aanvaardt en aan de door hem gegeven bevelen gevolg geeft. Alleen dan zal hij te bevoegder plaatse de volle verantwoordelijkheid voor U, voor Uwe rechten en plichtsvervulling op zich kunnen nemen." In de marge meldt hij nog "dat hem officieel is medegedeeld dat uitzending van studenten definitief van de baan is".[222] Van Vuuren vreest dat de Duitse autoriteiten in de brandstichting en de stakingsparolen aanleiding zullen zien de RUU te straffen. De uitnodiging voor een gesprek met Generalkommissar Wimmer ('Verwaltung und Justiz'), dat op 8 januari 1943 moet plaatsvinden, brengt hij hiermee in verband. Hieraan voorafgaande, bestookt hij de Duitse autoriteiten met brieven die de indruk moeten wegnemen dat Utrechtse studenten verantwoordelijk zijn voor de brandstichting en voor de stakingsoproepen. Van Vuuren meent dat de illegale acties van de laatste weken voortvloeien uit een vergadering die de "algemeen gevolmachtigden" (AG's) van alle Nederlandse gezelligheidsverenigingen (hij doelt wellicht op de Raad van Negen) op 12 december in Utrecht hadden belegd. Hiermee wil hij eigenlijk zeggen: Utrechtse studenten mogen misschien medeverantwoordelijk zijn voor de tijdens die bijeenkomst genomen beslissingen, zij delen die verantwoordelijkheid in elk geval met anderen. De rector magnificus zegt tegenover De Geer over een informant te beschikken die van het doen en laten van de AG's goed op de hoogte is. Wat daarvan waar was, is niet meer na te gaan. Feit is wèl dat Van Vuuren doorgaans goed op de hoogte is van de beraadslagingen van de Raad van Negen (al gebruikt hij die naam dus niet). Zo weet hij De Geer al op 4 januari 1943 te melden dat de Raad van Negen van voortzetting van de staking ná de kerstvakantie heeft afgezien. En die informatie blijkt juist. In een op de drieëntwintigste uitgegeven pamflet, verdedigt de 'vertegenwoordiger der universiteiten en hoogescholen', zoals de Raad zich meestal noemt, zijn handelwijze. Hierin wordt betoogd dat de staking van december '42 (die eigenlijk slechts een bijna-staking was) een succes was, omdat zij tot (voorlopige) afwending van het deportatiegevaar zou hebben geleid. Reden voor voldoening is er echter niet, omdat de gedwongen tewerkstelling nu niet in hoofdzaak de studenten zal treffen, maar iederéén die een schop kan vasthouden. De Raad acht uit strategische overwegingen een terugkeer van de studenten naar hun universiteit evenwel wenselijk, omdat dit een hechter onderling contact mogelijk maakt. Daarmee zegt hij geen enkele waarde te hechten aan de verzekering van Van Dam dat de deportatie van studenten van de baan is. Verre van dat. De studenten zijn dan niet vandaag het slachtoffer van ronselpraktijken, morgen kan dat alweer anders zijn. "Daarom vragen wij U, bezweren wij U: weest solidair, weest paraat, om zoodra wij het parool doorgeven met de mededeeling dat de studentenwereld −hoe gering, hoe plaatselijk ook maar− is aangetast, in verzet te gaan. Tracht dan niet Uw verantwoordelijkheid op de schouders van Uw professoren af te wentelen door hun advies te vragen. Scheidt U dan niet af omdat U het nog niet de tijd vindt. Het gaat om onze hoogste, onze eenige troef. Laten we die tenminste niet door gemis aan eenheid verspelen!"[223]

6-9 februari

Na de kerstvakantie hernam het universitair onderwijs zijn (vrijwel) normale gang. De eerstejaars begonnen, na hun arbeidsdienst te hebben vervuld, met hun studie. En de overige studenten keerden −al dan niet gehoor gevend aan de oproep van Van Vuuren− van hun vakantieadressen terug. De overheden legden een grote −volgens De Geus zelfs meer dan gebruikelijke− belangstelling aan de dag voor de gang van zaken. Wimmer liet in zijn onderhoud met Van Vuuren op 8 januari weten de studenten die niet aan het onderwijs deelnamen als stakers te beschouwen. Van Dam verzocht de rectores magnifci op 15 januari hem van het verloop der colleges op de hoogte te houden, en vroeg hun "in studentenkringen mondeling bekendheid te geven aan het feit dat zij die na eenige tijd nog niet tot het normale studentenleven zullen zijn teruggekeerd door mij niet langer als student, doch als werkeloos zullen worden beschouwd en derhalve voor uitzending naar Duitschland in aanmerking zullen komen".[224] Leden van het Studentenfront stelden zich de eerste week na het kerstreces geregeld, en doorgaans ongevraagd, van de onderwijsparticipatie op de hoogte. Soms riepen zij hiervoor politie-assistentie in. Zoals op 25 januari, toen twee leden van het Front in gezelschap van één Duitse en twee Nederlandse rechercheurs een alom als inval ervaren bezoek brachten aan een biologie-college. Zij veroorzaakten hiermee zoveel paniek, dat alle aanwezigen de zaal uit vluchtten. Van Vuuren was woedend, en gaf daaraan uiting in een onderhoud met één der betrokken Front-leden. De rector magnificus zag de wankele rust die aan zijn universiteit heerste, ernstig in gevaar komen door het onbehouwen optreden van het Studentenfront, en gaf de namen van de twee Frontleden door aan de politie en de secretaris-generaal.[225]

Ofschoon de Duitse overheid de door De Moulin voorziene razzia na de hervatting van het onderwijs op elk willekeurig moment kon uitvoeren, wachtte ze op een voorval dat een dergelijke actie −althans in eigen parochie− een schijn van legitimiteit kon geven. Op 5 februari kreeg ze het argument om gericht tegen studenten op te treden in de schoot geworpen door de aanslag op de commandant van het Nederlandse Legioen, en kersverse 'gemachtigde' in Musserts Secretarie van Staat, generaal H. A. Seyffardt. Het slachtoffer zou, voor hij aan zijn verwondingen bezweek, tegenover de politie hebben verklaard door studenten te zijn beschoten.

Daarvan waren de studenten die op de koude, nevelige ochtend van zaterdag 6 februari de Utrechtse collegezalen bevolkten niet op de hoogte. Eén van hen, de in Vught woonachtige treinstudent Reinier Braams (tweedejaars natuurkunde), was zelfs onkundig van de aanslag op Seyffardt. Hij vermoedt dat dit voor de meeste aanwezigen gold. "Anders waren wij die dag misschien wel helemaal niet naar Utrecht gegaan." Braams volgde die ochtend met circa dertig andere studenten, onder wie zijn broer en een aantal —eveneens uit Brabant afkomstige— paters, college bij prof.dr J. A. Barrau. "Tegen kwart voor tien stormde ineens een groep kerels met getrokken revolvers en zo die zaal in het Academiegebouw binnen. Prof. Barrau protesteerde aanvankelijk nog tegen hun komst, maar hij werd op zijn stoel gedrukt en moest lijdzaam toezien hoe wij werden afgevoerd. Dat heeft Barrau vreselijk gevonden, dat hij zich dat allemaal heeft moeten laten welgevallen".[226]

Het voor Braams ongelukkige toeval wilde dat hij zich net op het pad van de illegaliteit had begeven. Vlak vóór het college had een medestudent hem, conform een eerder gemaakte afspraak, een pak pamfletten toegestopt met het verzoek deze onder andere treinstudenten —die in de regel slecht op de hoogte waren van wat zich in Utrecht afspeelde— te verspreiden. Braams had nog geen gelegenheid gehad om van de inhoud van die pamfletten kennis te nemen toen hij tot zijn grote ontzetting moest vaststellen slachtoffer te zijn van een Duitse represaille-actie. "Ik voelde mij met die illegale lectuur in mijn binnenzak bepaald ongemakkelijk. Maar het is gelukkig net goed afgelopen, omdat ik —toen we met de handen omhoog moesten staan— gelegenheid zag die paperassen op de grond te gooien, waarna ik ze met een voet onder een grote projectielantaarn kon schuiven. Bij het fouilleren had ik dus niets meer bij me."

Ontsnappingsroutes

Braams en de andere studenten die college hadden gelopen in het Academiegebouw werden in de centrale garderobe, bij de trap naar de Senaatszaal, met het gezicht naar de muur opgesteld. "Je stond daar onwillekeurig mogelijke ontsnappingsroutes in je op te nemen. Zo was daar ergens een deur die mij nooit eerder was opgevallen, en waarvan ik mij toen afvroeg waar die naar toe leidde. Later heb ik vernomen dat een der paters hem heeft geopend, en is weggewandeld. Enfin, we hebben daar een hele tijd gestaan, met de handen op het hoofd. Als er niemand in de buurt was, praatte je wat met elkaar. Vooral om te weten te komen wat er nu eigenlijk aan de hand was. Na zo'n anderhalf uur in die garderobe te hebben doorgebracht, zijn we met bussen naar Amsterdam vervoerd, waar we voor de tweede keer werden geregistreerd. Van daaruit zijn we per trein naar Vught gebracht, waar wij 's avonds omstreeks zeven uur arriveerden.."

Bij de razzia's van 6 februari 1943 —die behalve in Utrecht ook in Amsterdam,

Delft en Wageningen waren gehouden (Rotterdam was per ongeluk overgeslagen)– werden in totaal 602 studenten, onder wie 119 Utrechtse, opgepakt. De lokaties van de RUU waarop de keuze was gevallen (en waar men minder studenten had aangetroffen dan waarop was gerekend) waren het Academiegebouw en het belendende administratiegebouw Trans 10, alsmede de onderwijsgebouwen van Chemie en Farmacie aan de Catharijnesingel. Het in deze panden aanwezige personeel werd voor de duur van de actie vastgehouden. Twee ambtenaren en de emeritus hoogleraar Cohen werden eveneens naar Vught afgevoerd, en na korte tijd weer vrijgelaten. Behalve de pater over wie Braams sprak, ontkwam een aantal geneeskunde-studenten aan de razzia. Zij waren door prof.dr J. Boeke, wiens ongerustheid was gewekt door het grote aantal Duitse overvalwagens dat hij op weg naar de Catharijnesingel was tegengekomen, gewaarschuwd voor het onheil dat hen mogelijk bedreigde, en hadden de gevarenzone tijdig verlaten. Boeke zelf dook onder.[227] Kennelijk heeft hij geen gelegenheid gezien buiten zijn eigen kring alarm te slaan.

Van Vuuren verbleef die dag in Den Haag, waar hij pas 's middags over de gebeurtenissen werd ingelicht. Zijn plaatsvervanger, prof.dr S. van Brakel, was echter meteen na aanvang van de drijfjacht gewaarschuwd, en begaf zich samen met de assessoren Rutten en Ten Bokkel Huinink naar het Academiegebouw. Op hun vraag wat deze hoogst onaangename interruptie van het onderwijs te beduiden had, kregen zij ten antwoord dat het een represaille betrof op "de moordaanslag op een hoogen vertegenwoordiger van de nieuwe Nederlandsche Regeering". Zij kregen inzage in de lijst met de namen van aangehouden studenten, en stelden onmiddellijk hun ouders of voogden van het voorval in kennis. "Hierbij werd groote medewerking ondervonden van de zijde der posterijen." Rutten zamelde –geholpen door een aantal studenten– kleding, dekens en voedsel in voor de razzia-slachtoffers, en bracht de goederen de volgende dag naar Vught. Hoogleraren van de zwaarst getroffen faculteiten poogden onderwijl informatie te verzamelen over het lot van de geïnterneerden. Aan de hand van verklaringen van studenten die kamp Vught weer hadden mogen verlaten, stelde prof.dr J.M.W. Milatz –de opvolger van Ornstein– op 11 februari een kroniek op die hij de naaste familieleden van de achterblijvers toezond. Hij deed die vergezeld gaan van een situatieschets van het stenen gebouwtje waarin de Utrechtse studenten waren ondergebracht. Zij hadden er de beschikking over twee slaapzalen, een eetzaal met een grote kachel, een wasvertrek en latrines. De stemming onder de gebruikers van deze voorzieningen was aanvankelijk nogal bedrukt geweest, schreef Milatz. Hierin kwam pas enige verandering toen op zondagavond, ruim een dag na hun aankomst in Vught, een sobere maaltijd werd verstrekt: "⅓ groot brood met reuzel benevens een pan slappe koffie per twee man".[228] Dekens kregen de studenten pas op maandag. Het menu bestond die dag uit raapsoep, in de schil gekookte aardappelen, koffie –of wat daar in 1943 voor moest doorgaan– en ⅓ brood met jam. De restanten van dit avondmaal dienden de volgende ochtend tot ontbijt. De organisatie van het barakleven was in handen gelegd van de bewoners. Zij wezen een zogenoemde 'Stube-älteste' aan die supervisie uitoefende over kamer-, was-, corvee- en slaapploegen die elk weer een eigen chef hadden. "De houding van de studenten is: wij zullen de Duitschers laten zien dat wij dit organiseeren zelf voortreffelijk kunnen zoodat zij hier niet voor noodig zijn", aldus Milatz. Vandaar dat de zaak op Duitse leest werd geschoeid; in de zitkamer had een ieder zijn eigen plaats. Het barakbestuur had zich, zoals het een piramidale organisatie betaamt, een eigen tafel toebedeeld. "Wanneer een SS-man de kamer binnenkomt, roep één van de studenten: Achtung, en springen allen in de houding." Verder werd die eerste dagen "druk geconfereerd" over de constitutie van studiekringen, werden spelletjes gespeeld en liederen gezongen. De stemming kon, kortom, "zonder voorbehoud als voortreffelijk" worden gekenschetst. Milatz sloot zijn als geruststelling bedoelde verslag af met de verzekering dat geen der razziaslachtoffers naar Duitsland was overgebracht, zoals alom was gevreesd.

Actie-zonder-vader

De razzia's van 6 februari wekten niet de indruk reeds vóór de moord van Seyffardt te zijn beraamd –zoals De Geus betoogde. Maatregelen tegen studenten waren ongetwijfeld voorwerp van discussie geweest, zeker na de capitulatie van het zesde Duitse leger bij Stalingrad en de introductie van het begrip 'totale oorlog' (die een massale mobilisatie van arbeidskrachten met zich meebracht). Maar de bezettingsautoriteiten waren vermoedelijk nogal door de ontwikkelingen overvallen en hadden nog geen draaiboek gereed toen met de moordaanslag het licht op groen sprong. Op wiens initiatief de studenten zijn opgepakt is –tekenend genoeg– niet bekend. Zowel SS-voorman Rauter als Rijkscommissaris Seyss Inquart eisten de verantwoordelijkheid voor zich op.[229] Maar met het resultaat van deze actie-zonder-vader was niemand tevreden. De NSB-top was woedend: niettegenstaande Musserts promotie tot Leider van het Nederlandse Volk was hij niet in de plannen gekend. De NSB zou er niettemin wèl op worden aangezien, vreesde Mussert terecht. De razzia's waren immers een reactie op de 'liquidatie' van een prominent NSB'er (al had Seyffardt op zijn sterfbed gezegd zijn dood niet vergolden te willen zien) en zouden de hem zeer onwelgevallige polarisatie in de samenleving verder aanjagen. Die ontwikkeling zou het Mussert onmogelijk maken zich buiten de eigen (partij-) kring een machtsbasis te verschaffen. Eventuele wraakacties van het verzet, dat juist dezer dagen in hoog tempo radicaliseerde, zouden daarenboven vooral op NSB-prominenten worden gericht, meende Mussert. Hoe gegrond die vrees was, bleek al op 7 februari, toen de net benoemde secretaris-generaal van volksvoorlichting en kunsten, mr H. Reydon, bij een aanslag (die werd uitgevoerd door de moordenaar van Seyffardt) ernstig gewond raakte.

De razzia's kwamen ook secretaris-generaal Van Dam buitengewoon ongelegen. Zijn pogingen om de rust in het hoger onderwijs te herstellen, leken net vruchten af te werpen toen de Duitse olifant door de academische porseleinkast dreunde. Van Dam was door toedoen van de bezettingsautoriteiten in een onmogelijke positie geraakt. Zijn in december gedane toezegging dat de studenten geen deportatie behoefden te vrezen was van nul en generlei waarde gebleken. Gesteld dat hij zèlf nadien nog enig vertrouwen had in het woord van de Duitse gezagdragers: zíjn geloofwaardigheid had in elk geval onherstelbare schade opgelopen.

De razzia gaf de uitvoerders evenmin enige reden tot voldoening. Dat zij onder de opgepakte studenten de dader(s) van de aanslag op Seyffardt zouden aantreffen, werd erg onwaarschijnlijk geacht, zeker toen de man die zij zochten −geen student overigens− op 19 februari (door toedoen van de provocateur Anton van der Waals) werd gearresteerd. Over de vraag wat men dan wèl met de gegijzelden moest aanvangen, liepen de meningen uiteen. Hun onmiddellijke en onvoorwaardelijke vrijlating −waarop onder andere de NSB had aangedrongen− zou gezichtsverlies voor de Duitsers met zich hebben meegebracht, en werd dus niet overwogen. Rauter opperde tijdens een bespreking waaraan ook Van Geelkerken deelnam (in zijn nieuwe hoedanigheid van 'gemachtigde voor binnenlandse zaken en nationale veiligheid' in het bestuursorgaan van Mussert) vijftig studenten −voor het gemak allen 'calvinistische Oranje-gijzelaars' genoemd− te executeren als represaille voor de politieke moorden die in februari waren gepleegd. Van Geelkerken wierp tegen dat mèt de geëxecuteerden dan ook de NSB ter aarde kon worden besteld aangezien zíj voor deze actie verantwoordelijk gehouden zou worden. Dit vooruitzicht maakte bij Rauter evenwel geen *second thoughts* los. Van Geelkerken en zijn 'bondgenoot' Generalkommissar Schmidt vreesden dat Rauter zijn ideetje aan de hiervoor ontvankelijk geachte Himmler zou voorleggen, en bepleitten 'hun zaak' daarop bij Hitler's rechterhand Martin Bormann. Die besprak de kwestie met zijn baas, en liet nog dezelfde avond weten dat Hitler geen executies wenste.[230] Het voornaamste bezwaar tegen de executie van studenten was dat rust en orde er niet mee zouden zijn gediend zoals Rauter had betoogd− maar dat het verzet er alleen maar een impuls van zou krijgen. Seyss Inquart kwam daarom met de volgende 'gezichtsbesparende' uitweg uit de impasse: de in Vught gedetineerde studenten zouden geleidelijk worden vrijgelaten na een onthoudingsverklaring te hebben getekend −dat wil zeggen, na te hebben beloofd geen verzetsactiviteiten te zullen ontplooien− en hun plaats zou vervolgens worden ingenomen door telgen uit invloedrijke, bij voorkeur anti-Duitse, families. Aldus geschiedde. In het kader van de zogenoemde 'plutocratenactie' werden op 9 februari zo'n 1.200 jongeren in de leeftijd van achttien tot 25 jaar opgepakt en naar Vught overgebracht (van waaruit de meesten hunner op den duur naar Duitsland verdwenen). De plutocratenactie was echter niet minder willekeurig dan de razzia's van 6 februari. Er waren met behulp van (vooral) NSB-burgemeesters weliswaar lijsten aangelegd met de namen van 'plutocraten-zonen', maar van hen waren er zoveel onvindbaar dat de actie zich weldra uitstrekte tot iedereen die jong èn grijpbaar was. De razzia van 9 februari had zich in zijn meer selectieve karakter van zijn voorganger moeten onderscheiden −en werd derhalve met instemming van de NSB uitgevoerd− maar was er in werkelijkheid een (grootschaliger) reprise van.

Niet aan alle studenten die sinds 6 februari in kamp Vught verbleven is de door Seyss Inquart genoemde onthoudingsverklaring ook metterdaad voorgelegd. Velen van hen zijn in vrijheid gesteld zonder zo'n document te ondertekenen –het betrof vooral de Nederlands Hervormden onder hen die na twee weken gevangenschap naar huis konden terugkeren– anderen zeggen ondertekening te hebben geweigerd maar niettemin te zijn vrijgelaten. Hoe het ook zij: twee maanden na de razzia van 6 februari waren vrijwel alle slachtoffers (op vijftien, vooral Delftse, studenten na) uit gevangenschap ontslagen. De verklaring die zij hiervoor al dan niet hadden moeten ondertekenen zou weldra (in gewijzigde vorm) aan àlle Nederlandse studenten worden voorgelegd.

'*De Duitsers zijn ontzettend stom geweest, onmetelijk stòm*'

ET HOGER ONDERWIJS was naar aanleiding van de hierboven beschreven gebeurtenissen vrijwel volledig stil komen te liggen. Deelneming aan colleges en practica was een potentieel linke bezigheid gebleken, met het gevolg dat de meeste studenten −ook in de steden die niet door razzia's waren getroffen− weg bleven. De colleges van curatoren sloten hun instelling daarop ook formeel. De Utrechtse universiteit werd in eerste instantie voor de duur van vier dagen gesloten −de maximale sluitingsduur die curatoren mochten afkondigen− maar deze termijn werd vervolgens herhaaldelijk door secretaris-generaal Van Dam (op verzoek van het college van curatoren) verlengd. Tot 1 juni zou aan de RUU geen onderwijs meer worden gegeven. In tegenstelling tot de meeste andere universiteiten en hogescholen werden hier nog wel examens afgenomen (van welke mogelijkheid gretig gebruik werd gemaakt toen van studenten de ondertekening van de loyaliteitsverklaring werd verlangd).

De situatie was hoogst onbevredigend voor de Nederlandse en Duitse overheden. Dat de studenten geen onderwijs meer volgden zal de meeste autoriteiten −de secretarissen-generaal wellicht uitgezonderd− tamelijk onverschillig hebben gelaten. Wat hun meer zal hebben verontrust, is het feit dat de studenten als groep onzichtbaar waren geworden en dus ook niet meer in aanmerking kwamen voor de massale arbeidsmobilisatie waarop in Berlijn met toenemende kracht werd aangedrongen. De meer visionaire geesten onder de Duitsers moeten bovendien hebben beseft dat de in de schemerzone verblijvende studenten makkelijker voor verzetsactiviteiten konden worden gerecruteerd, dan wanneer zij een min of meer geregeld bestaan leidden. Niet zonder reden werd aan de verklaring van generaal Seyffardt over de indentiteit van zijn belagers veel betekenis toegekend. De SD had eerder vastgesteld dat zich onder de verzetsstrijders relatief veel studenten bevonden. Terugkeer van de studenten naar hun universiteit of hogeschool werd dus alom wenselijk geacht, al liepen de motieven die hierbij een rol speelden uiteen. Van Dam wilde de bezettingsautoriteiten geen enkel voorwendsel geven om de instellingen voor hoger onderwijs te sluiten. Daarom moesten deze zo spoedig mogelijk hun hoofdtaak weer hervatten. Seyss Inquart wilde de studenten weer traceerbaar maken, al was het alleen maar om hen structureel te kunnen betrekken bij de arbeidsinzet. En de NSB –die stond te trappelen om zijn machtsaanspraak te kunnen waarmaken– wilde de universiteiten heropenen om ze naar eigen inzicht te kunnen 'hervormen'. Een van de dingen die diende te veranderen, was dat studeren niet als een recht van de bevoorrechte enkeling moest worden gezien, maar als een gunst die niet alleen op grond van intellectuele kwaliteiten werd verleend, maar ook op grond van andere –'karakterologische' (lees: ideologische)– verdiensten. (Curieus genoeg huldigden Mussert's meest radicale tegenstanders hetzelfde standpunt, al hadden zij een ander soort *political correctness* op het oog). In Volk en Vaderland van 15 maart lichtte Mussert zijn zienswijze toe. "Het minste wat de Duitsche bezettende Overheid mag verlangen, is dat –als zij het universitaire leven laat voortgaan– de universiteiten en hoogescholen zich onthouden van iedere actie tegen de bezettende overheid en tegen het nationaal-socialisme, dat de drijvende kracht is voor het winnen van den oorlog".[231] Afzien van "negatieve actie" was, aldus Mussert, wat anders dan omhèlzen van het nationaal-socialisme. Daar zou men nog volop de gelegenheid toe krijgen "wanneer de oorlogsomstandigheden de juiste uitvoering van zijn principes niet langer in de weg staan".

Studeren als gunst
Wat Mussert, Van Dam en Seyss Inquart in dezen met elkaar gemeen hadden, was hun opvatting dat studeren –zeker onder de toen heersende omstandigheden– als een gunst moest worden gezien, waar de studenten iets tegenover hadden te stellen. De verlangde contraprestatie zou de geschiedenis ingaan als loyaliteitsverklaring. Op 13 maart 1943 kondigde Van Dam in het Verordeningenblad (de oorlogsversie van de Staatscourant) aan dat het recht om aan een universiteit of hogeschool te worden ingeschreven slechts zou worden toegekend aan studenten die de volgende tekst met hun handtekening hadden bekrachtigd:
"De ondergeteekende (…) verklaart hiermede plechtig dat hij de in het bezette Nederlandsche gebied geldende wetten, verordeningen en andere beschikkingen naar eer en geweten zal nakomen, en zich zal onthouden van iedere tegen het Duitsche Rijk, de Duitsche Weermacht of de Nederlandsche autoriteiten gerichte handeling, zoomede van handelingen welke de openbare orde aan de inrichtingen van hooger onderwijs gezien de vigeerende omstandigheden in gevaar brengen".[232]
De tekst die Van Dam voor het ter perse gaan had gefiatteerd, week in één opzicht af van de versie die hij in het Verordeningenblad aantrof; Van Dam had de regeling willen laten ingaan bij het academisch jaar 1943-'44. Seyss Inquart (of een van zijn medewerkers) had echter bepaald dat de verklaring ook tijdens het lopende cursusjaar moest worden getekend, en wel één maand na de bekendmaking van de verordening. Op 13 april dus.
In hetzelfde Verordeningenblad waarin de loyaliteitsverklaring werd aangekondigd, waren ook twee maatregelen opgenomen die daar ten nauwste mee samenhingen. De eerste voorzag in een (niet nader gespecificeerde) numerus clausus –dat wil zeggen: beperkte instroming van studenten in hogescholen en universiteiten. De tweede bepaalde dat (mannelijke) afgestudeerden en studenten die buiten de numerus clausus vielen in aanmerking

kwamen voor de arbeidsinzet. In een op 6 april gehouden radiorede legde Van Dam er de nadruk op dat studenten die tijdig —dat wil zeggen: op 13 april— hadden getekend, hoe dan ook hun studie konden voortzetten. Door de verklaring te ondertekenen, vrijwaarde men zich dus van gedwongen tewerkstelling. Althans: voor de duur van de studie. Nadien moest iedereen eraan geloven. De loyaliteitsverklaring was volgens Van Dam eigenlijk een soort contract tussen overheid en student waarin beide partijen verklaarden elkaar gedurende een bepaalde periode met rust te laten. Dat contract kon, zo beklemtoonde Van Dam, ook voortijdig door de studenttekenaar worden beëindigd. Hij zou daarmee overigens wel te kennen geven niet langer als student beschouwd te willen worden, wat een gewisse oproep voor de arbeidsdienst met zich zou meebrengen.

Van Dam meende dat de in het Verordeningenblad aangekondigde maatregelen weliswaar niet met instemming, maar dan toch zeker wel met "begrip" zouden worden begroet door hen die het aanging. Het feit dat zo'n 400 studenten die in Vught waren geïnterneerd een onthoudingsverklaring hadden getekend, sterkte hem in die opvatting. Van Vuuren viel hem aanvankelijk in die taxatie bij. De eerste reacties op de arbeidsdienstplicht waren volgens hem "niet ongunstig". Ten aanzien van de numerus clausus voorzag hij evenmin problemen. En wat de loyaliteitsverklaring betreft: die had onder zijn collega-rectores alleen bij prof. Dorgelo (TH Delft) bezwaren opgeroepen.[233]

Propagandaslag
Deze luchtigheid is kenmerkend voor de kloof die tussen Van Dam en Van Vuuren enerzijds, en de studenten anderzijds was gaan gapen. De Raad van Negen was buitengewoon snel en resoluut in zijn verwerping van alle maatregelen. Dankzij zijn goede contacten met enkele ambtenaren op het departement van Opvoeding, Wetenschap en Cultuurbescherming was de Raad al van de inhoud van het Verordeningenblad op de hoogte vóór het was verschenen. Het studentenverzet kon in de propagandaslag die daarop zou volgen meteen het initiatief nemen. Zijn pijlen werden vooral op de loyaliteitsverklaring gericht. Hoeveel succes daarbij werd geboekt blijkt onder andere uit het feit dat de onthoudingsverklaring die Van Dam c.s. trachtten te slijten door toedoen van de oppositie weldra onder de veel beladener naam 'loyaliteitsverklaring' bekend zou worden. Op 6 maart riep de Raad van Negen de studenten op de verklaring "onder geen voorwaarde" te tekenen, geen gehoor te geven aan een oproep voor de arbeidsinzet en geen medewerking te verlenen aan het reanimeren danwel draaiende houden van het hoger onderwijs. De Geus, spreekbuis van de Raad, hield de lezers voor "dat ons volk, gezien onze onafhankelijke positie, terecht bij ons studenten een zuiverder principiële houding (mag) verwachten dan bij al die Nederlanders die door financiële omstandigheden of door hun gezin min of meer gebonden zijn".[234]

De oproep van de Raad van Negen vond in Utrecht in elk geval weerklank bij de 59 bestuursleden van de studentenfaculteiten. Op 22 maart dienden zij collectief hun ontslag in. Niet bij de rector magnificus, maar bij de academische Senaat. In een brief lichtten zij hun besluit als volgt toe:

"Kennis genomen hebbende van de verordening van den Rijkscommissaris en van den Secretaris-Generaal van Onderwijs overwegen zij dat zij hun bevoegdheden, rechten en plichten niet wenschen te dragen op last van, noch ten behoeve van diegenen die door het in werking treden dezer verordening nog slechts van het Hooger Onderwijs kunnen profiteeren, nl. diegenen die aan de in de verordening genoemde voorwaarden zullen hebben voldaan en tot de studie zullen worden toegelaten. Voorts overwegen zij dat de gedwongen inschakeling van afgestudeerden in het productieapparaat van het met Nederland in oorlog zijnde Duitschland een zoo onrechtmatige aanslag en onteerende verminking van het Nederlandsche Hooger Onderwijs, zijn karakter en doelstellingen beteekent dat iedere medewerking, al ware het slechts een stilzwijgende, in welken vorm ook, aan het doen van voortbestaan van een Universiteit die aldus verwordt tot een opleidingsschool voor werkkrachten voor een tegen het Vaderland gekeerde vijandige macht, onmogelijk is".[235]

Van Vuuren werd over de stap van de student-vertegenwoordigers ingelicht tijdens een op 22 maart belegde Senaatsvergadering die geheel in het teken stond van de loyaliteitsverklaring, en waarvoor −ter verschaffing van nadere tekst en uitleg− ook secretaris-generaal Van Dam was uitgenodigd. Dat de rector magnificus van derden moest vernemen dat de faculteitsbestuurders het stelsel dat hem zo lief was hadden opgeblazen −want daar kwam hun werkweigering op neer− heeft hem buitengewoon gestoken. Hij ontbood alle ondertekenaars van de ontslagaanvraag bij zich (lang niet iedereen kwam opdagen) en poogde hen onder dreiging van hel en verdoemenis weer in het gareel te krijgen. Bij zeven van hen had hij succes. Zij stelden zich weer voor het faculteitenwerk beschikbaar. De overigen werden door Van Vuuren voor zes maanden als student van de RUU geschorst. Tegen deze maatregel werd door zo'n 1.500 Utrechtse studenten (bijna de helft van het totaal aantal ingeschrevenen) geprotesteerd. Zij maakten hierbij gebruik van een door de contactgroep van student-vertegenwoordigers opgestelde en gedistribueerde verklaring die zij de secretaris van de Senaat, prof.dr H. Schornagel, toezonden. "Ondergetekende heeft de eer U ervan in kennis te stellen dat, gezien het Besluit van den Rector-Magnificus in zake schorsing van een 52-tal afgetreden vertegenwoordigers der Utrechtse studenten, zijn/haar vertrouwen in den Rector zeer ernstig is geschokt; dat hij/zij dit schorsingsbesluit afkeurt; dat hij/zij haar instemming betuigt met de houding die door de bovengenoemde 52 bestuursleden is aangenomen; dat hij/zij deze zienswijze hiermede kenbaar maakt, erop vertrouwend dat deze zienswijze dezelfde is die welke de Academische Senaat is toegedaan".[236] Prof. Schornagel gaf de bij hem binnengekomen protesten door aan Van Vuuren, die ze in een bureaula opborg. De Senaat, aan wie de petitie was gericht, vernam er pas iets van toe zij haar houding tegenover de loyaliteitsverklaring allang had bepaald. De zeven spijtoptanten werden in De Geus met naam en toenaam als stakingsbreker aan de schandpaal genageld (een methode waarvan dit overigens zeer ingetogen blad zich vaker bediende). Daarnaast werd grote druk op hen uitgeoefend de herroeping van hun ontslag weer ongedaan te maken. Zo werd op 7 april een ompraatsessie belegd in het studentenhuis Kromme Nieuwegracht 37 waarbij −in de rol van slachtoffer− de student W.A.J. Kooper aanwezig was, en zijn voormalige faculteitscollega's Van den Berkhof, Stoffel en Kernkamp, alsook de rector van het USC (waarvan allen lid waren) als inquisiteurs optraden. Laatstgenoemde, Van Hasselt, was overigens niet van plan Kooper aan een bits kruisverhoor te onderwerpen. "Hij had het al moeilijk genoeg, en het was gewoon een heel aardige knul. Het probleem was alleen dat zijn vader sympathiseerde met de NSB. Ik vermoed dat Kooper junior hem had verteld dat wij hem op andere gedachten probeerden te brengen. Kooper senior op zíjn beurt heeft prof. Van Vuuren hierover ingelicht, en Van Vuuren zal er wel voor hebben gezorgd dat de SD ervan op de hoogte was. Hoe het ook zij: zo'n tien minuten na aanvang van de gedachtenwisseling stonden de Duitsers op de stoep."

Alle aanwezigen werden naar het hoofdbureau van de SD aan de Maliebaan overgebracht. Kooper werd na een kort verblijf in het souterrain weer vrijgelaten. De overigen werden in een kamer en suite op de begane grond onder de gemoedelijke bewaking van een WA-man gesteld. Zij keuvelden wat en probeerden, volgens het verslag dat Van den Berkhof naderhand van het voorval optekende, her en der een raam open te schuiven. Na verloop van tijd maakte een SD'er een eind aan deze 'ongewenste toestand' door de arrestanten hardhandig met het gezicht naar de muur te plaatsen. Van den Berkhof werd vervolgens naar de belendende hal gebracht, van waaruit hij via een wandspiegel de wachthoudende WA-man −gezeten achter een typemachine aan de balie bij de ingang− kon observeren. Toen deze zijn post even had verlaten, zette Van den Berkhof −in de woorden van Van Hasselt− zijn hoed op, en wandelde hij in afgemeten tred naar buiten. Pas op de hoek Maliebaan/Maliestraat zette hij een sprint in.[237]

Van Hasselt, die de eerste acte van deze ontsnapping vanuit zijn ooghoeken had gadegeslagen, werd met het uitgedunde clubje lotgenoten naar het SD-bureau aan de Euterpestraat in Amsterdam overgebracht. De reis werd met publieke transportmiddelen afgelegd, en begon bij de tramhalte aan het einde van de Biltstraat. Vanaf de overzijde van de straat werd het gezelschap opvallend onopvallend gadegeslagen door een ander corpslid, J.Ph.M. Muus. Vermoedelijk was hij verantwoordelijk voor de verdwijning van een koffertje dat Van Hasselt tijdens zijn aanhouding bij zich had, en dat −omdat het wellicht compromitterend materiaal bevatte− mee naar Amsterdam werd genomen. "De enige man die mij de toedracht had kunnen vertellen, is daar niet meer toe in staat omdat hij de oorlog niet heeft overleefd. Maar àls Muus dat koffertje achterover heeft gedrukt, was dat een overbodige heldendaad: zoveel bijzonders zat er namelijk helemaal niet in." De Nederlandse politieman die Van Hasselt cs begeleidde (het Nederlandse bewakingspersoneel had kennelijk zijn dag niet), merkte de verdwijning pas in de Amsterdamse tram op, en bekrachtigde zijn ontdekking met een malse vloek.

Motie academische Senaat

De loyaliteitsverklaring werd ook door de hoogleraren druk besproken. De laatste aanslag op de academische vrijheid van weleer wierp twee vragen op: moeten wij de verklaring met een positief of negatief advies aan de studenten voorleggen, en is het openhouden van de universiteit onder de gegeven omstandigheden nog wel nastrevenswaardig? De Utrechtse Senaat sprak zich op 22 maart als eerste in het land over de kwestie uit. Dat was geen voordeel: hij kon zich niet richten op beraadslagingen die elders hadden plaatsgehad. Maar daar was het Van Vuuren, die de Senaat had bijeengeroepen, nu juist om te doen. Voor hem was het openhouden van de universiteit inmiddels een doel op zich geworden, en als aanvaarding van de recente verordeningen dienstig was aan dit streven wilde hij deze graag verdedigen. En bij voorkeur in een zo vroeg mogelijk stadium. Want ook Van Vuuren had begrepen dat de tijd in het voordeel werkte van de oppositie. En die oppositie was zich ook binnen de Senaat gaan roeren. Door een groot aantal hoogleraren, onder aanvoering van prof.dr F.A. Vening Meinesz (Geodesie en Kartografie), was een motie opgesteld waarin loyaliteitsverklaring, numerus clausus en gedwongen tewerkstelling "onaanvaardbaar" werden genoemd en waarin op drastische wijzigingen van de gewraakte maatregelen werd aangedrongen. Van Vuuren moet het oordeel van de Senaat over de motie hebben gevreesd, want hij nodigde secretaris-generaal Van Dam uit om zijn beleid ten overstaan van de Utrechtse hoogleraren te komen toelichten.

En zo geschiedde. Tijdens een bijeenkomst die aan de eigenlijke Senaatszitting voorafging, kreeg Van Dam vele kritische vragen te beantwoorden. Hij slaagde er evenwel niet in het ongenoegen onder de hoogleraren weg te nemen of zelfs maar te verzachten. Niettemin werd de motie van Vening Meinesz c.s. enigszins afgezwakt om haar voor Van Vuuren meer acceptabel te maken. De rector magnificus vertolkte tijdens het besloten gedeelte der vergadering het minderheidsstandpunt dat inhield dat de universiteit bij de studenten op ondertekening van de loyaliteitsverklaring moest aandringen. De vijftien overige sprekers waren het met hem oneens. De studenten moesten weliswaar in de gelegenheid worden gesteld de verklaring te tekenen, maar moesten hier niet toe worden opgeroepen. In de met grote meerderheid aangenomen motie werd overigens aangedrongen op volledige intrekking van de loyaliteitsverklaring. Was deze eis onverhoopt niet inwilligbaar, dan zou de verklaring op een later tijdstip dan 13 april aan de studenten moeten worden voorgelegd, aldus de Senaat. Aan alle op dat moment ingeschreven studenten zou verder de verzekering moeten worden gegeven dat zij hun studie hoe dan ook konden voortzetten. In de algemene situatie zag de Utrechtse Senaat overigens geen aanleiding om op sluiting van de universiteit aan te dringen. De enige voorwaarde die hij aan hervatting van de colleges verbond, was vrijlating van de nog in Vught vast zittende studenten.[238]

De overige Senaten lieten de Utrechtse in strijdbaarheid ver achter zich. Aan de VU, in Rotterdam, Nijmegen en Tilburg werd geen gelegenheid geboden de loyaliteitsverklaring te tekenen. De hoogleraren van deze universiteiten en hogescholen hadden bovendien laten weten hun ambt te zullen neerleggen als de gewraakte maatregelen ongewijzigd van kracht zouden worden. In deze zin lieten ook Amsterdam en Groningen zich uit. Vooral het standpunt van de Groningse Senaat was opmerkelijk: hij ging hiermee immers de confrontatie aan met de eigen rector magnificus –De Burlet– en kwam, volgens De Geus, in één keer in de voorhoede van het afwijzingsfront terecht na jaren het toonbeeld van dociliteit te zijn geweest.[239]

De Senaat van de TH Delft baarde op een andere manier opzien: hij spoorde —als enige van het land— de studenten aan de loyaliteitsverklaring te ondertekenen. Dit hield wellicht verband met het feit dat op dat moment nog 110 technische studenten in Vught vastzaten.

De ferme houding die de meeste hoogleraren hadden aangenomen, wekte onder de Utrechtse studenten de hoop dat de Senaat van de RUU alsnog een scherper geluid zou laten horen. In een memorandum dat het bestuur van de Utrechtse Biologen Vereniging (UBV) namens 22 faculteitsverenigingen opstelde, werd de Utrechtse Senaat opgeroepen het niet op een breuk met de (doorgaans meer radicale) studenten te laten aankomen.[240] De geadresseerde gaf echter niet thuis. Op 13 april nam de Senaat een motie aan waarin niet eens meer op afstel, maar slechts op enig úitstel van de maatregelen —"zoo mogelijk tot het begin van den volgenden cursus"— werd aangedrongen. Op instigatie van Van Vuuren voegde de Senaat aan deze toch al verre van kruidige motie de als handreiking aan Van Dam bedoelde bereidheidverklaring toe "alsnog pogingen te steunen en middelen te zoeken om zonder belasting der gewetens van docenten en studenten het Universitaire onderwijs in vollen omvang voor het Nederlandsche volk te behouden".[241] Na de oorlog werd —onder anderen door Koningsberger— de indruk gewekt dat een van verontwaardiging en strijdbaarheid kolkende Senaat voortdurend door Van Vuuren in zijn rechtmatige neigingen werd geremd. In werkelijkheid wilde hij het niet, zoals in Groningen, op een breuk met de rector magnificus laten aankomen —wellicht omdat niemand dit ambt onder de toenmalige omstandigheden ambieerde. Van Vuuren heeft de rol die velen hem naderhand hebben kwalijk genomen kunnen vervullen dankzij, en niet ondanks de Senaat. "De uitingen van de Senaat waren", aldus een der hoogleraren, "altijd zo geredigeerd dat de meerderheid medeging. Dit ging ten koste van de scherpte in de formuleering".[242]

Onderduikers
De verbale flinkheid van veel niet-Utrechtse hoogleraren werd in de praktijk overigens lang niet altijd gestand gedaan. Nadat secretaris-generaal Van Dam hen op 27 april het recht had ontzegd om ontslag te nemen, bleken zij in overgrote meerderheid bereid aan voortzetting van het hoger onderwijs mee te werken, ook al was de voorwaarde die zij aan hun aanblijven hadden verbonden —herziening van de verordeningen van 13 maart— niet ingewilligd. De hoogleraren van de confessionele instellingen —Tilburg, Nijmegen, VU Amsterdam— en de juridische faculteit van de Rijksuniversiteit Groningen vormden een uitzondering op die regel. Zij namen, in de meeste gevallen vóór de secretaris-generaal hen verbood dit te doen, ontslag. Daarnaast doken enkele hoogleraren, die het onverdraaglijk vonden onderwijs te moeten geven aan tekenaar-studenten, vroeger of later onder. In Utrecht waren dat prof.dr W.P.J. Pompe, prof.dr H.M.H.A. van der Valk (beiden verbonden aan de faculteit der Rechtsgeleerdheid) en prof.dr H.Th. Fischer (Indologie). Veel collega's die, zoals zij het zelf beliefden te zien, 'op hun post bleven' namen hen die 'retraite' buitengewoon kwalijk en gingen volkomen voorbij aan de persoonlijke risico's die de onderduikers

−die door de bezettingsautoriteiten als saboteurs werden aangemerkt− liepen. De woningen van de verdwenen hoogleraren werden als represaille leeggeroofd, en hun familieleden raakten aangewezen op noodhulp van het verzet. Op de betrokkenen zelf werd jacht gemaakt. Volgens een rapport van de Geusgroep informeerden de Duitsers ook bij president-curator 's Jacob naar de verblijfplaats van de onderduikers. In zijn naïviteit −of mateloze gezagstrouw− "is deze de echtgenooten van de betreffende hoogleeraren daaromtrent gaan uitvragen, zonder te vertellen waarvoor hij die adressen wilde weten".[243]

Over het ontbreken van universitaire, en vooral facultaire, ruggesteun toonden Pompe en Van der Valk zich later −toen zij voor de zuiveringscommissie verschenen− zeer verbitterd. Pompe hekelde de neiging van Rechten om "hals over kop te capituleeren" zodra de druk van de overheid om het onderwijs te hervatten werd opgevoerd. En Van der Valk vertelde dat hem in het najaar van '43 was gebleken dat hij de enige op dat moment in functie zijnde hoogleraar van de RUU was (geestverwanten zoals Koningsberger verbleven op dat moment in Sint Michielsgestel) die zijn morele bezwaren tegen hervatting van het onderwijs had geuit. Dit was hem duidelijk gemaakt door De Geer nadat die door middel van een schriftelijke enquête had geïnventariseerd welke hoogleraren hun colleges inmiddels hadden hervat. "Ik mocht alle brieven lezen", zei Van der Valk. "De heer De Geer heeft niet erop aangedrongen dat ik mijn brief alsnog zou veranderen. Wel heeft hij mij in de gelegenheid gesteld hem eruit te halen. Dat moment was zeer moeilijk. Ik zag mijn collega's in hun ware gedaante. Het was het ergste wat mij in den oorlog was overkomen. Ik stond heelemaal alleen, en kon niet anders handelen".[244]

Studenten weigeren

De houding van de hoogleraren deed er inmiddels echter niet meer zoveel toe (althans: wat haar reële betekenis betreft). Het lot van het hoger onderwijs lag, na de verordeningen van 13 maart, vooral in handen van de studenten. Als zíj zich weigerachtig zouden opstellen, hield alles op −wat de hoogleraren ook deden of níet deden. Zoals gezegd, werd in Utrecht (evenals in Delft, Wageningen, Groningen en Amsterdam) gelegenheid geboden de loyaliteitsverklaring te tekenen. Studenten van universiteiten die hadden geweigerd aan de regeling mee te werken, konden bij het departement hun handtekening zetten, of konden hiervoor terecht bij de 'loyale' universiteiten of hogescholen. Ofschoon de academische Senaat van de RUU had bepaald dat de verklaring zonder positieve of negatieve aanbeveling aan de studenten zou worden voorgelegd, maakte Van Vuuren in een brief die bij alle Utrechtse studenten werd bezorgd geen geheim van zijn standpunt. De brief ging vergezeld van een door prof.dr J.A. Beyers (Diergeneeskunde) opgesteld verslag van de Senaatsvergadering van 22 maart waarin geen melding werd gemaakt van de kritiek waarmee secretaris-generaal Van Dam en Van Vuuren waren bestookt, laat staan van de motie die de Senaat had aangenomen. Met deze gechargeerde voorstelling van zaken, namen Dubbel Zeven en de Senatus Contractus geen genoegen. Zij droegen Van Vuuren op een nieuw, beter, verslag van de bijeenkomst −dit maal van de hand van prof.dr H. Wagenvoort (Letteren en Wijsbegeerte)– aan de studenten toe te zenden. Van Vuuren deed dat, maar voegde aan het rapport van Wagenvoort (als een soort tegengif) de tekst van de radiorede van Van Dam van 6 april toe. De gevolgen van zijn eigenmachtig optreden beperkten zich tot een brief van vier van zijn voorgangers (onder wie Kruyt en Quix) waarin zij hem erop wezen dat de rector magnificus niet de overheid had te dienen, maar de Senaat.

Maar Van Vuuren was niet de enige die in strijd met de Senaatsmotie handelde. Zes hoogleraren van de faculteit Diergeneeskunde –dr J.A. Beyers, dr F.C. van der Kaay, dr A. Klarenbeek, dr C.F. van Oyen, dr H. Schornagel en dr L. Seekles– riepen hun studenten in een gezamenlijk schrijven op de loyaliteitsverklaring te tekenen. Zij poogden na de oorlog hun handelwijze (die allen op een openbare berisping kwam te staan) te rechtvaardigen met het argument dat tekening van de loyaliteitsverklaring de studenten vrijwaarde van tewerkstelling in Duitsland.

Toen in april de balans van de tekencampagne kon worden opgemaakt, bleken de meeste studenten zich niet door het eigenbelang te hebben laten leiden. Van de circa 14.600 landelijk geregistreerde studenten hadden slechts 2.046 de loyaliteitsverklaring getekend. Dit kwam neer op een percentage van iets meer dan veertien. Het beeld verschilde sterk per instelling; de confessionele universiteiten hadden de minste tekenaars: vijftien aan de VU (1,1 procent), negen in Tilburg (2,2 procent) en niet meer dan twee in Nijmegen (0,3 procent). In Wageningen tekenden ongeveer honderd studenten (14,6 procent), in Groningen 110 (9,3 procent), in Rotterdam 95 (11,7 procent), in Amsterdam 545 (17,5 procent), in Delft –waar de Senaat tot tekening had opgeroepen– 715 (25,6 procent) en in Utrecht 455 (12,6 procent). De oppositie, die toch nogal beperkt was in haar mogelijkheden om propaganda te bedrijven, had een opmerkelijk succes geboekt. Er had rondom de loyaliteitsverklaring een ware pamflettenoorlog gewoed, en tot het laatst waren 'omkletsploegen' in de weer geweest om weifelaars over de streep te trekken. In Utrecht hadden zij in maart en april het Domplein bevolkt om, desnoods op de trappen van het Academiegebouw, studenten die naar binnen wilden gaan met de kennelijke bedoeling de verklaring te tekenen op andere gedachten te brengen. Volgens het Studentenfront werd intimidatie daarbij niet geschuwd, maar dat laat het feit onverlet dat de overgrote meerderheid der studenten –in Utrecht bijna negentig procent– beëindiging van de studie verkoos boven het aangaan van een verbintenis met de vijand. "Veel weigeraars gooiden eigenlijk alles weg waaraan zij jaren hadden gewerkt", zegt Backer Dirks. "Je wist immers niet hoelang die oorlog nog zou duren. Dat de Duitsers de oorlog zouden verliezen, wilden wíj wel geloven, omdat wij gelovigen waren. Maar er waren ook velen die daar toen nog helemaal geen vertrouwen in hadden. Dus het niet-tekenen van die verklaring was voor menigeen echt een daad van grote onbaatzuchtigheid." Dat de loyaliteitsverklaring een tamelijk vrijblijvend karakter had –ze kon volgens Van Dam immers weer zo worden opgezegd– deed aan het principe kennelijk geen afbreuk. En dat principe luidde: een overheid die zich misdraagt komt geen belofte van 'goed gedrag' toe. Zij die hun ondertekening rechtvaardigen door te zeggen dat zij zich er niet aan gebonden achten, houden zichzelf voor de gek, zo betoogde De Geus.[245] Een woord dat zonder directe pressie wordt verlangd, kan beter helemaal niet worden gegeven. "Hier beginnen, kan eindigen bij een eed van trouw aan Mussert of Hitler." Zo heeft ook de eerder genoemde treinstudent Reinier Braams, die eind februari het kamp Vught kon verlaten, het ervaren. "De kwestie werd in heel principiële termen besproken. Zou men tegenwoordig misschien iets hebben van: 'ik teken dat ding wel, maar trek mij er vervolgens niets van aan', toen dacht men daar fundamenteel anders over. Voor mijn broer en mij was het een uitgemaakte zaak dat je níet tekende. Je meende dat ook aan je hoedanigheid als student verplicht te zijn. Je had het gevoel dat van jou, als potentiële leidinggevende in de samenleving werd verwacht dat je weigerde. Mijn ouders hebben dan ook op geen enkele wijze druk op mij uitgeoefend om anders te handelen. Ik kan mij niet herinneren dat mij ooit een advies heeft bereikt om wèl te tekenen. De kwestie lag gewoon heel duidelijk."

Gehoorzaamheid

Het massale 'nee' hoeft niet noodzakelijkerwijs op een omslag in het denken te duiden. Het tegendeel zou zelfs kunnen worden betoogd; zowel in 1940 als in 1943 hadden gehoorzaamheid en gezagstrouw het handelen van de meeste studenten bepaald. Maar juist omdàt dergelijke begrippen eertijds een reële en positieve betekenis hadden, woog het doen van een belofte aan een overheid die zèlf onbetrouwbaar was gebleken bijzonder zwaar. Meer nog dan elders, was aan de confessionele universiteiten en hogescholen de tekenkwestie als een gewetenszaak ervaren. En juist dáár was de afwijzing het meest radicaal. Dat deze instellingen voorheen een toonbeeld van (betrekkelijke) rust waren geweest, is met dat feit niet in strijd. De 'passieven' van weleer gaven met hun weigering de verklaring te tekenen ook niet te kennen dat zij van plan waren zich tegen de overheid te weer te stellen. Het ging hun alleen te ver zich aan deze gedragslijn te committeren. Door dit wel van de studenten te verlangen, had de overheid zich overvraagd. Zij had een bevolkingsgroep die tot dusverre niet van een rebelse gezindheid had blijk gegeven nodeloos tegen zich in het harnas gejaagd. "De Duitsers zijn ontzettend stòm geweest", zegt de Utrechtse alumnus dr G. Puchinger nu. "Onmételijk stòm".[246]

Illustratief voor de legalistische instelling van de weigeraars is dat zij zich meestal niet primair op eigen inzichten beriepen, maar op uitspraken van door hen erkende gezagdragers. Voor de Rooms-katholieke studenten was de oproep van kardinaal De Jong om de verklaring niet te tekenen een gebod (dat slechts door een enkeling werd genegeerd). Voor het studentenverzet was ook van groot belang dat de minister van Onderwijs, Kunsten en Wetenschappen in het Londense oorlogskabinet, dr G. Bolkestein, van studenten en universiteitsbestuurders eiste dat zij geen medewerking aan de tenuitvoerlegging van de Duitse verordeningen zouden verlenen. De Nederlandse regering had zich tot dan toe verre gehouden van het uitvaardigen van dergelijke instructies. Zij wilde het eigen gezag niet nodeloos ondermijnen door van de bevolking daden te verlangen die zij niet kòn of wilde opbrengen. Slechts twee keer gedurende de bezetting spoorde ze tot verzet aan; de eerste maal met betrekking tot de loyaliteitsverklaring, en ruim een jaar later in de vorm van een stakingsoproep aan het spoorwegpersoneel. In beide gevallen werd vrijwel algemeen aan de instructie gehoor gegeven. "Die richtlijn van Bolkestein kwam volkomen onverwacht", zegt Puchinger. "Je hoorde nooit van de regering wat je wel of niet moest doen. Door nu wèl iets van zich te laten horen, bevestigde de regering het grote belang van de loyaliteitsverklaring. En daarmee was de strijd eigenlijk meteen in het voordeel van de weigeraars beslist. Na de oorlog beriepen tekenaars zich er wel eens op dat zij niet op de hoogte waren van de opdracht van Bolkestein. Dat lijkt mij héél onaannemelijk; ze was even bekend als het feit dat je belasting moet betalen."

Tot de positieve neveneffecten van de tekenkwestie behoort het feit dat de alom versmade nihilisten, en met name de treinstudenten onder hen, meer bij academische aangelegenheden werden betrokken. Elke stem tegen de verklaring was er immers één, ook al was die afkomstig van een 'afzijdige'. Zo merkte Braams dat hij –toen de kwestie van de loyaliteitsverklaring begon te spelen– opeens minder werd genegeerd dan voorheen het geval was geweest. "Voorheen kwam ik tijdens het hockeyen wel eens Utrechtse studenten tegen, onder wie een aantal corpsleden, maar daar praatte je niet mee. Zeker niet over 'de toestand'. Niet omdat zij je niet vertrouwden, maar als spoorstudent telde je gewoon niet mee. Vanaf '43 werden de ongeorganiseerden echter wat vaker door de anderen benaderd. Zo hebben we in die tijd een aantal besprekingen gehad met de zoons van de Bossche burgemeester Van Lanschot, beiden corpslid, waar allerlei informatie werd verstrekt. Ik ben mij toen van de nadelen van de afzijdigheid bewust geworden. Vandaar dat ik meteen na de oorlog lid ben geworden van een studentenvereniging. Eerst van Unitas, en vervolgens –toen ik daar meer mensen bleek te kennen– van het corps." De campagne onder de nihilisten was overigens maar ten dele succesvol. Deze groep studenten telde relatief veel tekenaren.[247]

De verordeningen van 13 maart hadden een massale ontvolking van de universiteiten tot gevolg gehad. Op 27 april schreef de Utrechtse presidentcurator 's Jacob een –voor zijn doen– scherpe brief aan secretaris-generaal Van Dam waarin hij constateerde dat diens initiatief "louter scherven" had opgeleverd. Bijna negentig procent van de studenten zal de toegang tot de colleges moeten worden ontzegd, en het moreel van de hoogleraren is tot een bedenkelijk niveau gedaald. 's Jacob zegt een toenemende chaos te vrezen. "Wat blijft er dan over van onze mooie Universiteit met al haar cultuurschatten, het werk van eeuwen?".[248] Of Van Dam deze verzuchting heeft beantwoord, is niet bekend. Maar wellicht heeft hij de vertwijfeling van 's Jacob volkomen gedeeld. Na het fiasco rondom de loyaliteitsverklaring waren de bezettingsautoriteiten hun belangstelling voor het hoger onderwijs (voorzover daar ooit sprake van is geweest) volkomen kwijtgeraakt, en concentreerden zij zich nog maar op één beleidsdoel: het ronselen van zoveel mogelijk arbeidskrachten.

'Is een debâcle niet beter?'

N A DE APRIL-MEI-STAKINGEN werd het bezettingsregime in Nederland verder verscherpt. De uitingen hiervan die het universitair bedrijf het meest raakten, waren de invoering van het standrecht (dat voorzag in snelle – en doorgaans strenge – bestraffing van wetsovertreders) en de oproep aan alle studenten die de loyaliteitsverklaring niet hadden getekend om zich op 6 mei voor tewerkstelling in Duitsland te melden. Ofschoon familieleden van studenten die aan die oproep géén gehoor gaven met represailles werden bedreigd (uiteenlopend van confiscaties van bezittingen tot gevangenneming), meldden zich van de ongeveer 11.500 studenten die het betrof slechts zo'n 2.800. De overigen ontkwamen aan de arbeidsdienst door alsnog de loyaliteitsverklaring te tekenen (ongeveer 2.200 studenten van wie 440 Utrechtse), of doken onder (6.500 studenten).

In de praktijk had de bescheiden aanwas van tekenaar-studenten, die dus de geneugten van het hoger onderwijs mochten ondergaan, geen betekenis. De meesten hunner maakten van het hun verleende recht geen gebruik; dit was òf niet het oogmerk van hun ondertekening van de loyaliteitsverklaring geweest, òf zij schrokken terug voor de mogelijke consequenties. Velen voelden zich buitengewoon onbehaaglijk in de minderheidspositie waarin zij waren geraakt, en hoopten de sociale schade te beperken door aan hun 'zonde' van het tekenen niet die van het 'profiteurschap' toe te voegen. Dit profiteurschap – onderwijs volgen terwijl anderen daarvan verstoken waren – belastte de maatschappelijke vooruitzichten bovendien meer dan het tekenen zèlf. Bij het naderen van de bevrijding werd het steeds duidelijker dat vooral déze categorie studenten een harde dobber aan de zuivering zou krijgen. Tekenen impliceerde dus niet automatisch dat ook metterdaad onderwijs werd gevolgd.

Spijtoptanten

Daarnaast waren er ook tekenaar-studenten die hun belofte herriepen. Van Dam had deze mogelijkheid opengelaten, maar in de praktijk werd de spijtoptanten nogal wat in de weg gelegd. Zo deelde de Utrechtse student J.G. Gerritsen rector magnificus Van Vuuren op 5 juni '43 mee zijn op 10 april getekende verklaring te willen intrekken. Van Vuuren verzocht hem daarop zich persoonlijk bij hem te vervoegen teneinde kennis te kunnen nemen van de consequenties van de herroeping, en getuige te zijn van de vernietiging van het document. Gerritsen antwoordde daarop met "grote bevreemding" kennis te hebben genomen van de brief van Van Vuuren, en wees hem erop dat de secretaris-generaal had verklaard dat spijtoptanten met een schriftelijke lastgeving konden volstaan. Op een mondelinge toelichting van Van Vuuren zei hij bovendien geen prijs te stellen, omdat hij al van de mogelijke gevolgen van de herroeping op de hoogte was. "Om persoonlijke veiligheidsredenen" zag hij er daarom van af naar Utrecht te komen (Gerritsen woonde in Leiden). Zijn brief ging vergezeld van een tweede verzoek tot vernietiging van de verklaring. Van Vuuren was Gerritsen weer niet ter wille. Op 24 juni verzocht hij de student –voor het geval hij in zijn dwaling zou volharden– zijn inschrijvings- en tekenbewijs te retourneren. De rector magnificus attendeerde Gerritsen er verder op dat hij zich bij de SD in Utrecht moest melden, en dat aan de autoriteiten zou worden doorgegeven dat hij beschikbaar was voor de arbeidsinzet.[249] Andere spijtoptanten –het zijn er in Utrecht hooguit enkele tientallen geweest– lichtten hun beslissing uitvoerig toe. Vaak getuigen deze brieven van grote gewetensnood, of –dat was vooral bij de late afmelders het geval– angst voor een mogelijke bestraffing na de oorlog.

Sabotage

Na de hervatting van het onderwijs op 1 juni 1943 is van een massale collegegang dus allerminst sprake. Alle faculteiten laten de president-curator desgevraagd weten dat docenten en ondersteunend personeel hun werkzaamheden hebben hervat (van –openlijke– werkweigering is geen sprake), maar dat hun gehoor meer is uitgedund dan op grond van het teken-percentage mocht worden aangenomen. Zo meldt de privaatdocent dr J.G. van Dillen slechts twee aanmeldingen te hebben ontvangen voor een tentamen dat een jaar eerder nog door 120 studenten was afgelegd. "Blijkbaar bestaat bij de studenten die de verklaring hebben getekend zeer weinig animo om de studie in de tegenwoordige omstandigheden te hervatten".[250] Ook de zojuist tot het professoraat beroepen dr G.C. Hirsch meldt een tegenvallende belangstelling van de zijde der studenten. Hij ziet hierin echter geen reden om hoorcolleges te vervangen door zogenoemde privatissima (vormen van privaat onderwijs), zoals veel van zijn collega's hebben gedaan. "Onze voorouders hebben voor een nog veel kleiner gehoor hun onderwijs gegeven." Hij meent overigens dat de universiteit de thuisblijvers actief moet bewerken om hun schuchterheid te helpen overwinnen. Zelf riep hij de eerstejaars (dier)geneeskunde op hun "onvrijwillige vacantie" terstond te beëindigen.

Een dergelijke ijver legden de meeste hoogleraren niet aan de dag. Prof.dr L.M.R. Rutten uitte in een rapport over de onderwijsparticipatie aan zijn faculteit –Wis- en Natuurkunde– begrip voor het feit dat zoveel studenten het lieten afweten. "De geschiedenis van dezen cursus –laat begin, vier maanden onderbreking ná 6 Februari– is zoodanig, dat van de jongere studenten niemand redelijkerwijze kan hopen 'nog iets van den cursus te maken'." Velen zullen zelfs de heimelijke hoop hebben gekoesterd dat het universitair onderwijs vanzelf kwam stil te vallen. Daarmee zou hen het droevige aangezicht van een handjevol toehoorders, van wie de meesten nog 'fout' waren ook, worden bespaard. Op die gezindheid doelde secretaris-generaal Van Dam waarschijnlijk toen hij president-curator 's Jacob op 21 juni per telegram liet weten dat de Rijkscommissaris was gebleken "dat sommige hoogleraren (de) getroffen maatregelen saboteeren en geen studiehulp verleenen. Blijkt dit waar, dan volgt ontslag zonder pensioen".[251] Het vermoeden dat studenten Van Dam over een en ander hadden ingelicht –het Studentenfront nam deze rol met veel animo op zich– droeg veel bij aan de ergernis die zijn telegram had gewekt. In een brief aan Van Dam wuifde 's Jacob –die over meer temperament bleek te beschikken dan waarvan hij eerder had blijk gegeven– het verwijt van sabotage met een woest gebaar weg; er verschenen weinig studenten op college, akkoord. Maar dat was niet de schuld van de hoogleraren. Evenmin lag het op de weg van de universiteit hiertegen maatregelen te nemen. "Een Universiteit is nu eenmaal geen kazerne, en de orde hier berust op geheel andere beginselen dan daar." En wat de klachten zelf betrof: die waren ongegrond. "Indien het ook eerlijke klachten waren, dan waren er andere manieren om daaraan tegemoet te komen, dan door deze langs duistere wegen aan de Duitsche autoriteiten te onderwerpen. Het is mij ook duidelijk dat de hoogleeraren het slachtoffer zijn van ongure spionage. In den verwarden toestand van tegenwoordig zijn er natuurlijk altijd omstandigheden genoeg die aanleiding tot klachten geven voor lage elementen die dat zoeken." Ontslag voor van sabotage betichte hoogleraren achtte 's Jacob "een bedenkelijke straf" waaraan hij geen medewerking wilde verlenen. Mocht Van Dam er niettemin zijn toevlucht in zoeken, dan wilde 's Jacob het lot van de getroffenen delen. Hij zei tot dan toe te zijn aangebleven, hoewel "het mij dikwijls wel zeer zwaar is gevallen om alle slagen aan te zien die op onze academie vallen", om de instandhouding van de universiteit te bevorderen. "Steeds klemmender rijst bij mij de vraag: heeft de instandhouding nog waarde, is een debâcle niet beter?".[252]

Het studentenverzet oordeelde echter anders over de houding der hoogleraren. Beter dan passief verzet te plegen, konden zij ronduit 'nee' zeggen tegen voortzetting van het onderwijs. "Aan U is thans te toonen dat wij U allen wel degelijk mogen en kunnen vertrouwen, hetgeen wij allen zoo gaarne zouden willen doen", schreven 'de vertegenwoordigers der Utrechtsche studenten' op 2 juni aan de docenten van de RUU. "Aan U is het om ervoor te zorgen dat de gaping die in deze moeilijke tijden reeds tusschen U en ons studenten is ontstaan, niet zoo groot te laten worden dat zij zelfs na afloop van dezen oorlog zal blijven bestaan en dan een enorme hinderpaal zal zijn bij den wederopbouw van het Universitaire Leven alhier, omdat dan vrijwel alle vertrouwen in U en alle eerbied en ontzag tegenover U verloren zal zijn gegaan. En dat alles terwille van Uw persoonlijke en gezinsbelangen en misschien van enkele materieele verliezen aan instellingen, wetenschappelijke verzamelingen enz."[253]

Clandestien studeren

Na de 'groote vacantie' sudderde het universtair onderwijs verder op de waakvlam. Onder de hoogleraren ontstond weliswaar steeds meer wrevel over het feit dat zij zichzelf beschikbaar moesten houden voor een gedurig slinkende groep studenten −in september minder dan de helft van het aantal tekenaren− maar vrijwel niemand verbond aan die onbevredigende situatie de conclusie dat zij er het bijltje beter bij konden neergooien, zoals 'de vertegenwoordigers der Utrechtsche studenten' het liefst hadden gezien. Zoals gezegd, doken slechts drie hoogleraren die principiële bezwaren hadden tegen het geven van onderwijs aan tekenaar-studenten onder (van wie één, Van der Valk, zijn werkweigering in een brief aan het curatorium toelichtte). De overigen bleven, in uiteenlopende gradaties van tegenzin, aan. Daarbij konden overigens wel degelijk nobeler motieven een rol spelen dan die welke het studentenverzet de hoogleraren had toegedicht. De Londense regering had kenbaar gemaakt dat ondergedoken studenten niet verstoken mochten blijven van onderwijs, en de meeste docenten meenden (terecht) dat zij onderduikers beter konden helpen als zíj zelf bovengronds bleven. Dubbel Zeven, het overlegorgaan van 'betrouwbare' hoogleraren, had onderwijs aan tekenaars ook alleen toelaatbaar geacht indien de voorzieningen voor clandestiene studenten ten minste op hetzelfde peil stonden. Wat daar in de praktijk ook onder mocht worden verstaan, de meeste hoogleraren (en overige docenten) namen die instructie buitengewoon serieus. Er zijn geen voorbeelden bekend van hulpweigering aan onderduikers (wellicht ook omdat clandestiene studenten wel wisten wie zij hiervoor in elk geval níet moesten benaderen). Men reisde zelfs stad en land af −onder steeds moeilijker omstandigheden− om de gevraagde diensten te kunnen verlenen. Reinier Braams zocht, toen hij in 1944 in een zomerhuisje op de Veluwe was ondergedoken, contact met prof.dr J.M.W. Milatz teneinde zijn in februari '43 onderbroken studie te hervatten. "De contacten verliepen via mijn ouders. Toen ik de stof na enige tijd nog niet helemaal bleek te beheersen, heeft Milatz een van zijn assistenten naar Oosterbeek gestuurd, waar ik hem heb ontmoet en de hele dag privaat onderwijs heb gevolgd. Ik heb daarop een afspraak gemaakt voor een tentamen dat in september in Arnhem zou worden afgenomen. Maar dat is vanwege de gevechten die daar toen uitbraken niet doorgegaan. Ik heb heel veel gestudeerd tijdens mijn onderduikperiode. De jongens met wie ik het huisje deelde, bridgeden vooral, maar ik had daar nooit zoveel zin in. Dus als ik niet hoefde in te vallen, ging ik met een kruiwagen en wat boeken de hei op, en ging daar −terwijl de hagedissen aan mij voorbijtrokken− lezen. Dat kon ik úren achtereen volhouden."

De lector dr H.P. Bottelier (Biologie) had aan het begeleiden van ondergedoken studenten op den duur een dagtaak. Hij nam tentamens af in alle uithoeken van het land, tot in Maastricht aan toe, maar kon na het uitroepen van de spoorwegstaking alleen nog maar fietsbare afstanden overbruggen. Aangezien zijn activiteiten een illegaal karakter hadden, werd er in code over gecorrespondeerd. Zo schreef zijn contactpersoon in Hilversum, de student F. de Stoppelaar, op 6 maart 1945; "Zeer gaarne zouden enige personen (4) in Hilversum bij U een kopje thee komen drinken. Evenwel kunnen ze door omstandigheden niet naar U toekomen. Zou het mogelijk zijn dat U naar hen toekomt in plaats van dat zij naar U toekomen? Het liefst zagen zij Uw komst tegemoet in de loop van de laatste week van Maart, dus bv 30 of 31 Maart. Een moeilijkheid is dat zelfs in Hilversum de personen niet gemakkelijk bij elkaar te krijgen zijn. In ieder geval wel één maal twee bij elkaar, en de anderen zult U dan apart moeten bezoeken".[254] Over tentamenuitslagen werd mededeling gedaan in meteorologische of medisch aandoende termen, in de trant van: student A is nog niet helemaal gezond, en moet zich nog een keer bij zijn huisarts vervoegen.

Dreigementen

Secretaris-generaal Van Dam was er bevreesd voor dat de bezettingsautoriteiten in de sluimertoestand van de universiteiten aanleiding zouden zien de instellingen te sluiten. Hij verlangde daarom van de hoogleraren dat zij het onderwijs niet langer in de vorm van 'privatissima' gaven, maar in de vorm van –voor iedereen als zodanig zichtbare– hoorcolleges. Aan deze opdracht gaf vrijwel niemand gehoor. De meeste hoogleraren zeiden desgevraagd op praktische gronden een voorkeur te hebben voor individueel onderwijs, een enkeling –zoals Pompe– voerde ook principiële bezwaren aan tegen de college-vorm. Hij schreef het curatorium dat hij het geven van privaat onderwijs nog wel kon verenigen met zijn eergevoel, maar dat hij hervatting der colleges "aan een zoo geschonden Universiteit niet in overeenstemming (kon) brengen met de waardigheid der Universiteit en de solidariteit met mijn studenten".[255] Het Studentenfront zag het privaat onderwijs echter als een vorm van onverholen sabotage waartegen het steeds venijniger ageerde. Een zojuist van de 'Oostinzet' te Lublin (Polen) teruggekeerde student schreef in het novembernummer van Studentenfront; "Ginds hadden wij werk, vaak mooi werk, en wij hadden het gevoel dat ons werk op prijs werd gesteld. En hier komen wij terug in een universitaire wereld die van saboteeren aan elkaar hangt. Vijf maanden waren wij reeds tot nietsdoen gedwongen, en ook thans blijkt er nog altijd maar onderhandeld te worden door heeren die niets liever (doen) dan onderhandelen en tijd winnen. Want het zijn de hoogleeraren die dit spelletje spelen. Zij hebben het nog nooit zoo goed gehad. Geen studenten, geen examens, geen colleges, en wel de vrije beschikking over bibliotheken en laboratoria. En deze toestanden spelen zich af in het vijfde oorlogsjaar. Wij hadden in Lublin een heel gewone kreet voor een vent die niet wou: 'Doodschieten'. Maar oppakken is hier waarschijnlijk ook wel een remedie".[256]

Ook de chef van de afdeling Hoger Onderwijs van het departement van Opvoeding, Wetenschap en Cultuur, Op ten Noort, zinspeelde in een brief aan de faculteit der Rechtsgeleerdheid (dd 10 november 1943) op radicale middelen om de hoogleraren weer in het gareel te krijgen. De bezettingsautoriteiten waren er meer dan ooit van overtuigd dat er –"in het bijzonder in Utrecht"– gesaboteerd werd, schreef Op ten Noort, en hadden er hun verwondering over uitgesproken "dat ik zoo met mij liet 'schlittenfahren'." Zij zouden de verwachting hebben uitgesproken dat een "*exemplarische Bestrafung* of een *gegen die Wand stellen*" van een hoogleraar de schrik bij zijn collega's er wel goed zou injagen. Volgens Op ten Noort kwam vooral de faculteit der Rechtsgeleerdheid voor een dergelijke aanpak in aanmerking. "a. Omdat de juridische faculteit als geheel inderdaad met de colleges geen aanvang heeft gemaakt. b. Omdat de juristen steeds als betrekkelijk onnutte exemplaren van het menschelijk geslacht worden beschouwd in tegenstelling tot artsen, ingenieurs e.a."[257] Alle docenten van de faculteit (op de inmiddels ondergedoken Van der Valk na) kondigden daarop de hervatting van hun colleges aan, of nodigden studenten uit hun belangstelling hiervoor kenbaar te maken. Van die laatste mogelijkheid maakte slechts een enkeling gebruik: je belangstelling voor een college kenbaar maken door middel van een handtekening op een openbare intekenlijst riekte te veel naar masochisme. De studenten die deze 'exposure' níet vreesden, spraken vaak met hun hoogleraar af dat hij zijn onderwijs alsnog in de vorm van privatissima zou geven. Het gevolg van dit alles was dat het hoorcollege zich slechts in naam van privaat onderwijs onderscheidde. Het departement legde zich grommend bij deze stand van zaken neer. De hoogleraren werden voortaan (in de praktijk) vrijgelaten in de manier waarop zij onderwijs gaven.

Ook in een ander geval werpt het passief verzet waarvan nu vrijwel algemeen sprake is vruchten af. Op 22 september 1943 verzoekt secretaris-generaal Van Dam de president-curator hem de namen toe te zenden van de studenten die zijn afgestudeerd, of weldra zúllen afstuderen, en die dus hun arbeidsdienstplicht moeten vervullen. Ten behoeve van hen die belangrijk werk verrichten, of "die aan een proefschrift werken dat zeer hooge wetenschappelijke verwachtingen wekt", kan om dispensatie worden verzocht.[258] Van Dam heeft vooral belangstelling voor degenen die zijn afgestudeerd tussen 13 maart (de dag waarop de loyaliteitsverklaring werd afgekondigd) en 13 april (toen de termijn waarbinnen kon worden getekend was verstreken). Werd voorheen op de Haagse rekesten doorgaans snel gereageerd, nu laat de geadresseerde niets van zich horen. In november wendt Van Dam zich tot De Geer met het verzoek de verlangde informatie alsnog te vergaren. Die doet wat van hem wordt gevraagd, maar vangt bot bij de faculteiten. De reactie van de faculteitsbesturen, waarvan prof.dr L.M.R. Rutten de penvoerder is, komt kort gezegd hierop neer: als Van Dam informatie over onze afgestudeerden wil hebben, moet hij die maar komen halen (waarop De Geer in de marge schreef: "Reuze hoogstaande oplossing!"). Volgens Rutten zijn degenen die in de periode 13 maart-13 april zijn afgestudeerd bovendien niet eens dienstplichtig. Van Dam had —waar het de arbeidsdienst betrof— tot dan toe alleen onderscheid gemaakt tussen tekenaars en niettekenaars. "De studenten die vóór den datum der verplichte onderteekening hun afsluitend examen aflegden, hoorden blijkbaar tot geen van de twee categorieën" en worden door de faculteiten —terecht— als "vrije lieden" beschouwd.[259] De Geer probeert daarop bij de pedel informatie los te peuteren. Die is hem echter evenmin ter wille: "Waar (...) de Faculteiten bezwaar hebben gegevens uit de examenboeken te geven, meen ik niet de bevoegdheid te hebben eigenmachtig, dus zonder opdracht van de Faculteiten,

hiertoe over te gaan".[260] Ten slotte poogt De Geer individuele faculteitsbestuurders tot inschikkelijkheid te bewegen. Dat lukt hem alleen bij
Van Vuuren (in diens hoedanigheid van secretaris van de Verenigde
faculteiten der Wis- en Natuurkunde en der Letteren en Wijsbegeerte).
Die geeft De Geer de namen van vijf alumni die in de periode 7-12 april
zijn afgestudeerd. Van die informatie maakt 's Jacob, wanneer hij Van Dam
op 7 december eindelijk antwoordt, evenwel geen gebruik. Hij noemt
alleen de namen van (tekenaar-)studenten die ná 13 april zijn afgestudeerd.
Van Dam reageert op 17 december heel gepikeerd op de povere respons van
's Jacob: eerst moet ik tweeëneenhalve maand op een antwoord wachten,
en dan krijg ik zóiets op mijn bureau! Hij herhaalt zijn eerder gedane verzoek, beklemtoont met zijn schrijven slechts de belangen van de betrokken
studenten op het oog te hebben gehad (al licht hij dit verder niet toe), en
zegt spoedig een bevredigender antwoord te verwachten.

Wat hij kríjgt, is een voorwaardelijke ontslagaanvraag van 's Jacob (die
dezer dagen vaker met dit bijltje hakt); de secretaris-generaal moet maar
genoegen nemen met de brief van 7 december. Zo niet, dan moet hij maar
zaken zien te doen met een nieuw te benoemen president-curator. Van
Dam blijkt (andermaal) ontvankelijk voor dit argument. Hij laat de kwestie verder rusten.

In december 1943 is het hoger onderwijs klinisch dood. Aan alle nog in
bedrijf zijnde universiteiten en hogescholen zijn in totaal 1.877 studenten
ingeschreven, de meeste in Delft (860), de minste (47) aan de Economische
Hogeschool te Rotterdam – die kort daarop ook zal sluiten. In Utrecht staan
op 1 december nog 285 studenten geregistreerd, van wie niet iedereen ook
metterdaad aan het onderwijs deelneemt.

De loyaliteitsverklaring had ook in andere opzichten haar sporen nagelaten.
Er was aan alle flanken van de universitaire wereld een polarisatie ontstaan;
tussen tekenaren en weigeraars, tussen studenten en hoogleraren, tussen
hoogleraren onderling, tussen de universiteiten en het departement, maar
ook tussen twee 'slachtoffercategorieën': de onderduikers en de 'Duitslandgangers'.

15 Werken in Duitsland

'Hoe kun je nu van een uitstekende leerschool spreken?'

VOLGENS DE GEUS genoot van alle groepen waarin de studentenwereld na 1943 uiteenviel, die van de Duitslandgangers de meeste sympathie van de hoogleraren. De illegale krant wees hierbij op
de moeite die zij zich hebben getroost om de dwangarbeiders moreel, materieel en anderszins te steunen. Inderdaad is de RUU zeer voortvarend te
werk gegaan bij het opzetten van een informatienetwerk ten behoeve van
de studenten die, na de weigering de loyaliteitsverklaring te ondertekenen,
op 6 mei 1943 via het interneringskamp Ommen naar verschillende bestem-
mingen in Duitsland werden afgevoerd.
Zoals ook na de razzia van 6 februari was gebeurd, probeerde elke faculteit
de eigen studenten te traceren en −waar mogelijk− contact met hen te leggen. Hiertoe werden in de eerste plaats de ouders van de gedeporteerden
benaderd met het verzoek de universiteit op de hoogte te houden van de
lotgevallen van hun zoon(s) −meisjesstudenten waren van tewerkstelling in
Duitsland vrijgesteld. Aan de hand van de aldus vergaarde informatie kon de
diaspora van Utrechtse studenten reeds in juni in kaart worden gebracht.
De meesten hunner werden, zo rapporteerde prof.dr J.M.W. Milatz, vanuit
Ommen naar *Durchgangslager* Rehbrücken bij Potsdam vervoerd. "Dit was
goed ingericht. De omgang met mannen en vrouwen van allerlei nationaliteiten deed de moraal 's avonds echter beneden alle perken dalen".[261] Het
doel van het verblijf in dit kamp was verdeling van de geïnterneerden
−indien mogelijk in overeenstemming met hun vooropleiding− over 'werk-
gevers' die dwangarbeiders toegewezen hadden gekregen. De overeenkomsten met een slavenmarkt zullen de studenten zeker niet zijn ontgaan. "De
patroons die 'toewijzingen' voor arbeidskrachten hebben, komen zelf hun
nieuwe werknemers halen", schreef Milatz. "Zij kijken ze aan, praten met
hen en nemen ze of nemen ze niet. Overal staan groote luidsprekers opgesteld, die de geheele dag in alle talen van het Westelijk (sic!) halfrond de
arbeidskrachten zeggen zich bij die of die paal te vervoegen, waar hun
patroon hun wacht."
Vanuit Rehbrücken werden de studenten over verschillende plaatsen verspreid. Sommigen kwamen in 'de bouw' terecht (die uitsluitend oorlogs-
doelen diende), anderen werden in metaal-, munitie- of vliegtuigfabrieken

tewerkgesteld. Het merendeel werd gehuisvest in barakken in de nabijheid van de werkplaats. Vooral de firma Mauser bleek die nogal slecht te hebben ingericht, meldde Milatz. Er waren Fransen en –wat erger was– Russen in ondergebracht, er waren geen WC's laat staan wastafels, en het was er 's nachts "onbeschrijflijk heet". Via het Zweeds gezantschap –dat in het begin wel eens de rol van ombudsman vervulde– kreeg "een handig student" gedaan dat de studenten werden overgeplaatst naar een onderkomen dat geschikter werd geacht voor West-Europeanen.

Uit de correspondentie tussen de Duitslandgangers en hun relaties in Nederland blijkt dat de studenten aanvankelijk hoegenaamd niet met andere arbeiders integreerden. Vaak waren zij apart gehuisvest, en was dat onverhoopt niet het geval, dan zonderden zij zich nadrukkelijk van hun barakgenoten af door hun eigen hoekjes in te richten. In "kameraadschap en hulpvaardigheid" blonken de studenten niet uit, schreef een van hun ouders aan de lector dr H.P. Bottelier. In tegenstelling tot de andere nationaliteiten, zou de groep Nederlanders nogal gefragmenteerd zijn. Milatz waarschuwde de ouders van de Duitslandgangers voor de gevolgen van een dergelijk optreden. "Uit verschillende inlichtingen –van zeer verschillende kant komend– is mij gebleken dat de Nederlandsche studenten in Duitschland door velen gehaat zijn. Het ligt niet op den weg onzer studenten om zich in Duitschland populair te maken, maar in hun belang en dat van hun makkers zou ik hun wèl willen aanraden alle noodelooze daden die ze speciaal gehaat kunnen maken na te laten. Dit is natuurlijk een zeer precaire zaak, die aan den tact van ieder moet overgelaten worden, maar wellicht is het toch goed dat de jongelui op het bestaan van een dergelijke kwestie worden gewezen."

Arbeidsongevallen

Het werk viel de ongeoefende studenten enorm zwaar. Bij de toewijzing van taken werd zelden rekening gehouden met de studie-achtergrond van de betrokkenen. De kunstvezelfabriek te Küstrin-Neustadt "vroeg (...) vijftig transportarbeiders, en men stuurde vijftig studenten in de chemie. Hun geheele dagtaak bestaat in (sic!) het toezien of de loog gaar is... De temperatuur waaronder gewerkt wordt, varieert van 35-40 graden." Reinier Braams werd naar de Hermann Goering Werke te Braunschweig gezonden. "Wij verkeerden aanvankelijk in de veronderstelling dat wij op ons vakgebied werkzaam zouden zijn. In de praktijk echter, stelden wij in een nieuwe afdeling draaibanken af waarop Poolse dwangarbeiders handgranaten moesten vervaardigen. Als zo'n draaibank vastliep, mochten die Polen daar niet zelf aan sleutelen, maar moesten wij dat ding weer op gang brengen. Met dat werk waren wij zo'n 72 uur per week bezig. Daaraan viel niet te ontkomen. Als je te laat kwam, kreeg je ontzettend op je donder." Contacten met de andere arbeiders hadden de studenten in het begin niet, was ook Braams' ervaring. Daarin kwam na verloop van tijd echter verandering. "Toen bleek dat die Polen in de regel goed opgeleide mensen waren met een sterk politiek engagement, zijn wij met hen op goede voet komen te verkeren, en zijn wij gaandeweg ook die produktie gaan tegenwerken. Ik was geen zwaar werk gewend, en was altijd een zwak kind geweest. Maar de leden van onze ploeg hielpen elkaar enorm, en daaraan heb ik veel steun gehad. Verder stuurden mijn ouders ons geregeld voedselpakketten toe. Ik kon mij in Duitsland dus redelijk handhaven."

Een aantal Utrechtse biologie-studenten werd aan een bouwonderneming toegevoegd. "Het werk bestaat uit zandschoppen, stenen sjouwen, kiepkarretjes rijden of werken aan de betonmolen", schreef één van hen aan Bottelier. "Och, het werk verveelt een beetje, maar zo erg zwaar is het niet, je kunt nog wel eens de lijn trekken. Verder werken we middenin de bossen, heerlijk in de buitenlucht, en daar het weer nog steeds behoorlijk is, hebben we nog een gezonder baan getroffen dan in de fabriek staan." Met deze voorstelling van zaken zal de auteur aan wiens brief dit citaat is ontleend vermoedelijk zichzelf moed hebben willen inspreken, want de groep biologen waarvan hij deel uitmaakte was een maand later al zwaar aangeslagen. "Ons buitenwerk en onze handenarbeid moeten toch niet zo bar gezond zijn", schreef een hunner op 21 oktober aan zijn ouders. "Gelukkig voel ik mij nog fit. Viertz heeft spit in z'n rug. Meijer werkt onregelmatig en moet geregeld naar de dokter. Schouten heeft soms moeite op eigen kracht thuis te komen. Hendriks is enige dagen thuis geweest wegens algehele gammelheid, zware hoofdpijnen enz. Deelder heeft ook op het punt gestaan af te knappen en is enige dagen thuis geweest om bij te komen. Laros is op het werk flauw gevallen, en is sindsdien thuis en naar de zenuwarts verwezen. Kuijper heeft last van z'n been, maar is niet ziek verklaard. Hij is benieuwd hoeveel dagen hij het nog volhoudt. Klerkx ligt met angina in 't lazaret. Florschütz is van z'n geelzucht hersteld en weer aan 't werk, maar moet nogal eens stoppen wegens pijn in z'n lever".[262] Laatstgenoemde liep kort daarop "een diepe vleeschwond in zijn voet" op, en bleek bij hetzelfde arbeidsongeval – zo werd een week later vastgesteld– ook zijn enkel te hebben gebroken.

De ouders van een biologie-student die in een vliegtuigfabriek in Hannover werkte, schreven Bottelier op 25 juni; "Hoewel de jongeman, die feitelijk nog een kind van achttien jaar is, in Ommen was goedgekeurd voor lichten arbeid, blijkt wel uit het werk en de werktijd dat hiermee weinig of geen rekening werd gehouden. (...) Heden schrijft hij onder andere het volgende: 'Deze week heb ik dan ook niet anders gedaan dan werken, slapen en eten, en de 'vrije tijd' heb ik besteed aan het schrijven naar huis.' In dezen zin is niets opstandigs, maar hij geeft toch te denken. Toch slaat de jongen, ondanks zijn tengerheid en weinig lichamelijke kracht, zich met mannenmoed door de moeilijkheden heen; het geestdoodende van een langdurigen, monotonen arbeid, terwijl hij nimmer eenige interesse voor techniek heeft gehad".[263]

Een student die zijn eerste kennismaking met de fysieke arbeid een "uitstekende leerschool" noemt, werd door Bottelier per omgaande gecorrigeerd. "De toestand van de meeste van je lotgenoten bewijst voldoende dat dergelijk werk niet dan na goede vóóroefening zonder schadelijke gevolgen kan worden verricht. Het is me dan ook een volledig raadsel hoe je hier van een uitstekende leerschool kunt spreken."

Een aantal biologie-studenten slaagde er in —na een lange weg langs vele instanties— een positie te bemachtigen als laborant aan het botanisch instituut van de universiteit te Wenen. Een van hen hield Bottelier nauwkeurig op de hoogte van zijn werkzaamheden. Deze bestonden "hoofdzakelijk uit fixeren van worteltopjes van Tariscaeum en Agapanthus. Verder het uitplanten van Tariscaeum kiemplantjes, het fixeren van embryonen van Allium soorten en de pollenkorrels in mitrose. Het laatste heb ik vrijwillig op mij genomen, maar het is een hels werk. Wanneer en hoe die mitrose tot stand komt, is mij een raadsel, want òf ze zijn eenkernig, òf er zijn al twee kernen aanwezig. Toch moet het lukken, want ik beschouw het als een proef die, als hij lukt, mij interessanter werk zal verschaffen." Heel wat anders dus dan het roeren in loog en het sjouwen met stenen. De RUU probeerde dan ook te bevorderen dat iederéén een passende werkkring vond. Ofschoon deze pogingen zelden het gewenste resultaat hadden, verwierp De Geus het streven van de universiteit op principiële gronden. Het adagium 'de juiste man op de juiste plaats' mocht voor de betrokken man dan heel aantrekkelijk zijn, het leidde tevens tot versterking van het Duitse oorlogspotentieel. En er waren wat De Geus betreft meer redenen om het verblijf van de studenten in Duitsland niet nodeloos te veraangenamen; bevoordeling van de student ten opzichte van de overige tewerkgestelden –de 'gewone' arbeiders voor wie het begrip 'passende arbeid' geen betekenis had– was uit den boze. Dat was volgens De Geus namelijk één van de weinige positieve aspecten van de arbeidsdienst: dat studenten en arbeiders die in Nederland in volstrekte afzondering van elkaar hadden geleefd, in Duitsland met elkaar werkten en woonden.[264] Het Studentenfront had hetzelfde kunnen betogen, en dééd dat ook geregeld (zij het in een andere stijl). We kennen het verschijnsel: de extremen raken elkaar. Ze hadden in programmatisch opzicht meer met elkaar gemeen dan zij zelf misschien beseften.

Klasse-tegenstellingen

De Geus had overigens überhaupt geen hoge pet op van de Duitslandgangers. In het julinummer van 1943 werd gezegd dat zij er beter aan hadden gedaan onder te duiken. Dat zij het hoofd hadden gebogen voor de dreigementen van de bezettingsautoriteiten was hen dan mischien niet kwalijk te nemen, maar het gevolg was wèl dat zij het Duitse oorlogspotentieel hadden versterkt. Ofschoon in twee daarop volgende uitgaven van De Geus werd gepoogd de indruk weg te nemen dat de Duitslandgangers van landverraad waren beticht –zij waren slechts misleid of onvoldoende geïnformeerd– voelden veel betrokkenen zich enorm geschoffeerd. De thuisblijvers hadden makkelijk praten. Zij liepen misschien potentiële risico's, de Duitslandgangers ondergingen de reële gevolgen van hun weigering de loyaliteitsverklaring te tekenen. Hùn kwam daarom de sympathie van De Geus toe, en niet de onderduikers. De wrok jegens de onderduikers –van wie doorgaans werd verondersteld dat zij onder tamelijk gerieflijke omstandigheden leefden– werd nog eens gevoed door het feit dat represailles tegen hun familieleden uitbleven. Toen die wetenschap tot de Duitslandgangers doordrong moeten zij helemaal iets hebben gevoeld van: waar hebben wij het in vredesnaam allemaal voor gedaan. Daar kwam nog bij dat onderduiken als een luxe werd gezien die nu eenmaal niet iedereen zich kon veroorloven: de 'haves' zaten lekker bij een familielid in Blaricum, de 'have-nots' waren in Duitsland met zandkarretjes in de weer. Deze opvatting klonk duidelijk door in een brief van een Duitslandganger aan Bottelier; "Uw welgemeende belangstelling in (sic!) ons wedervaren vormt wel een schril contrast met de houding die bepaalde studentenkringen jegens ons aan denken te moeten nemen! Het behoeft geen betoog dat we voor altijd met (sic!) dergelijke lieden afgedaan hebben, die door financiële positie of andere redenen thuis konden blijven en nu onze handelwijze afkeuren!".[265]

Voor Reinier Braams was het onderduiken in elk geval geen reële optie geweest. "Daar was men op dat moment gewoon nog niet aan toe. Althans: in Brabant. In het noorden was men wat dat betreft al wat verder, maar bij ons begon de onderduikorganisatie pas in de zomer van '43 gestalte te krijgen. Van dat standrecht ging bovendien een reële dreiging uit. Als je je niet meldde, konden je ouders het slachtoffer worden van represailles. Dat daar in de praktijk wel iets op viel af te dingen wist je toen nog niet. Ik ben dus naar Duitsland gegaan op advies van –in mijn ogen– verstandige mensen. De gedachte dat dit mij euvel geduid zou kunnen worden is helemaal niet in mij opgekomen. Dat gebeurde pas later, onder invloed van boeken over de oorlog van protestants-christelijke signatuur."

De vraag hoe er 'thuis' over hen zou worden geoordeeld, hield veel van Braams' lotgenoten echter zeer bezig. Daarvan getuigt onder andere een brief die Bottelier op 7 december '43 aan een van 'zijn' biologie-studenten schreef. "Uit sommige brieven blijkt dat de vraag hoe men hier over de in Duitsland te werk gestelde studenten denkt, jullie enige bezorgdheid geeft. Naar mijn mening –en ik geloof hierin lang niet alleen te staan– kan de vraag of het goed en mogelijk zou zijn geweest anders te handelen, alleen door ieder voor zichzelf beoordeeld worden. Het komt me verder voor dat degenen die zich zo druk hierover maken, een gering percentage van het geheel uitmaken. Deze en dergelijke stormpjes zullen na de oorlog naar mijn overtuiging heel spoedig bedaren."

Bottelier had hierin in zoverre gelijk, dat de na-oorlogse zuiveringscommissies aan tewerkstelling op zich geen aanstoot hebben genomen. De gedragingen van Duitslandgangers werden echter wel veel kritischer tegen het licht gehouden dan die van de overige niet-tekenaars. Hadden zij bijvoorbeeld op te intieme voet verkeerd met Duitsers (waarvan al sprake kon zijn als zij samen voetbal hadden gespeeld), of hadden zij onvoldoende aandrang aan de dag gelegd om te ontvluchten, dan kon hen dit op een berisping of enkele maanden schorsing komen te staan. Dergelijke uitspraken behoren, nog afgezien van het feit dat ze vaak op moeilijk verifieerbare getuigenissen waren gebaseerd, tot de onbillijkste die de zuivering heeft voortgebracht.

Bombardementen

De moraal van de Duitslandgangers werd positief beïnvloed door de bombardementen waarvan zij getuige waren. "Overal om je heen kon je waarnemen dat Duitsland er steeds beroerder kwam voor te staan", zegt Braams. "Wij zaten zo'n veertig kilometer van Hannover. Het bombardement op die stad heeft een week geduurd. Vanaf onze standplaats kon je de vlammen uit de lucht zien opkomen. Je zag dat Duitsland helemaal werd platgegooid, en dat deed je deugd, zeker." De in Berlijn gevestigde dwangarbeiders konden als gevolg van de aanvallen op de Duitse hoofdstad hun werk vaak niet meer bereiken. Een van hen schreef Bottelier op 23 november dat hij 's middags in de binnenstad was blijven steken, en daarna onverrichter zake naar het barakkenkamp was teruggekeerd. "Sombere rookwolken tegen de gele lucht. Ronddwarrelend as in een miezerige motregen. Grote mensenmenigten op de been. Bij de U-Bahn een enorm gedrang. We voelden ons opgelucht toen we weer thuis waren".[266] Van Hasselt werd, na drie maanden in een Amsterdamse gevangenis te hebben gezeten, in het najaar van '43 als dwangarbeider naar Hamburg overgebracht. "Dat verblijf heeft maar heel kort geduurd. Ik heb er geen dag gewerkt. De zondag voordat ik had zullen beginnen, in een schroevenfabriek of zoiets, vond het eerste grote bombardement op Hamburg plaats. Mijn werkplek was daarbij met de grond gelijk gemaakt, en de Duitsers waren zo gedesoriënteerd, dat ik zonder problemen kon ontkomen. Als er iets onverwachts gebeurt, zijn de Duitsers veel eerder uit het veld geslagen dan de Nederlanders, dáár ben ik toen wel achter gekomen. In Hamburg was er totaal geen organisatie meer. Maar de mensen verwachtten die organisatie wèl. Voor het gebouw waarin wij waren ondergebracht, stond vlak na dat bombardement een lange rij mensen een beetje lullig te wachten bij een gamel met soep. Wij vroegen ze wat ze daar deden. 'De Blockführer is er niet', verklaarden ze. Dus ondernamen zij –zolang de tot opscheppen bevoegde persoon er niet was– helemaal níets. Wij, de Nederlanders, hebben hen toen in het gelid gesteld, en zijn met de soepuitdeling begonnen. Een zalig gevoel was dat, om al die Duitsers toe te kunnen blaffen. En ze deden allemaal wat we zeiden... Heerlijk!"

Naarmate de chaos in Duitsland toenam, raakten de dwangarbeiders beter georganiseerd. Er werden contacten gelegd met de Nederlandse illegaliteit en er kwamen valse reisdocumenten beschikbaar. Braams: "In het najaar van '43, toen wij al een paar maanden in Duitsland zaten, bleek het verzet in Nederland zich in een zo hoog tempo te hebben ontwikkeld, dat bij velen van ons de gedachte opkwam om te vluchten. Daarvoor had je valse papieren nodig, en die werden op dat moment op grote schaal in Nederland vervaardigd. Een organisatie onder leiding van de Amsterdamse hoogleraar Oranje zorgde ervoor dat die documenten naar ons toekwamen. In ons kamp onderhield de zoon van de latere minister-president Schermerhorn de contacten met die organisatie. En van hem heb ik mijn vluchtpapieren ontvangen. Op den duur ontbraken op elk appèl wel één of twee mensen. Ikzelf ben begin '44 op een zondagochtend, ik had toen vrij, weggegaan. Het opmerkelijke is dat de achterblijvers ongemoeid werden gelaten, en ook niet werden ondervraagd of zo. Terwijl er toen toch duidelijk sprake was van een systematische uittocht. Men nam nota van zo'n verdwijning, stelde de Gestapo ervan in kennis, en die liet de ouders van de ontsnapte weten dat hun zoon niet op zijn werk was verschenen en dus strafbaar was."

De meeste tewerkgestelden hadden Duitsland al verlaten voor het land in mei 1945 capituleerde. Vermoedelijk veertig studenten, onder wie twee Utrechters, hebben hun arbeidsdienst niet overleefd. Zij zijn van uitputting, als gevolg van de krijgshandelingen of na arrestatie door de SD omgekomen.

16 Herstel en zuivering

'Wij moeten vergelding wensen'

TOEN DE BEZETTING haar −voor de burgerbevolking− gruwelijkste fase was ingegaan, werd de na-oorlogse toekomst bovenaan de agenda van allerlei gespreksgroepen van studenten en hoogleraren geplaatst. In Utrecht troffen Dubbel Zeven en de Contactgroep der Studenten (zoals de 'oude' CC nu werd aangeduid) elkaar geregeld. De rol die de hoogleraren −van wie Boeke en Pompe als de meest prominente vertegenwoordigers werden gezien− voor zichzelf zagen weggelegd, was die van moderator. Zij poogden de studenten, die steeds radicalere standpunten innamen, tot matiging te bewegen. Vooral ten aanzien van de wijze waarop de zuivering van hoogleraren haar beslag zou moeten krijgen, liepen de meningen nogal uiteen. Dubbel Zeven zag hierin geen, of een zeer bescheiden, rol voor de studenten weggelegd. Het had kritiek op de 'zwarte lijsten' met de namen van fout geachte hoogleraren die De Geus pleegde op te stellen −waarbij volgens Dubbel Zeven vaak ernstige beoordelingsfouten werden gemaakt− en wenste niet mee te werken aan het formuleren van zuiveringscriteria voor hoogleraren.[267]

Anderzijds waren de hoogleraren zich ervan bewust dat de studenten een soort ereschuld hadden te innen. Zíj waren de hoogleraren voorgegaan in het verzet en hadden de universiteit daarmee voor een volledig demasqué behoed. Van die deemoedigheid getuigt onder andere het wederopbouwplan 'Ons hooger onderwijs na den Oorlog' dat door het hooglerarencontact (het vertegenwoordigend lichaam van Dubbel Zeven) werd opgesteld. Hierin werd een gedeeltelijke vrijstelling van studenten voor collegegeld bepleit, en werd een aandeel van studenten in het universiteitsbestuur voorgesteld. Prof.dr F.A. Vening Meinesz ging nog wat verder: hij meende dat alle studenten −de manifeste slechteriken uitgezonderd− in aanmerking kwamen voor een mooie onderscheiding. Prof.dr H. Th. Fischer opperde de leden van het studentenverzet versneld te laten afstuderen, zelfs als het hun aan wetenschappelijke kwalificaties zou blijken te ontbreken: zij hadden immers de leerschool van het leven doorlopen, en waren derhalve nuttiger leden van de samenleving dan de houders van een kreukvrije bul.

Ook in De Geus legden plannenmakers geregeld een ei. Volgens hen had de bezettingsgeschiedenis het failliet van het oude stelsel aangetoond.

De universiteit die hen voor ogen stond zou zich niet alleen op het ontwikkelen van intellectuele vaardigheden moeten toeleggen, maar ook op het aankweken van karakter (waaraan het de academische gemeenschap in de achterliggende periode zo evident had ontbroken). Hiertoe zouden de studenten –het was in het begin van de bezetting reeds door anderen betoogd– meer voeling moeten krijgen met de rest van de samenleving. In dit verband werd de instelling van volkshogescholen en arbeidskampen aanbevolen. Zelfs werd geopperd aan de universitaire studie een verplichte militaire of arbeidsdienst vooraf te laten gaan, maar dergelijke ideeën hadden te veel gemeen met soortgelijke 'Duitse' initiatieven om veel enthousiasme los te maken. De Geus hield het er maar op dat de discussie moest worden voortgezet wanneer de studenten die er nu niet aan konden deelnemen –zij noemde met name de Duitslandgangers– in Nederland waren teruggekeerd.

Andere aanbevelingen die in De Geus werden geventileerd, waren onschuldiger (en komen de hedendaagse lezer bekend voor); introduceer een algemeen vormend basisjaar; ga over-specialisatie tegen door studenten het onderling verband van verschillende vakken te tonen; stel meer eisen aan de vooropleiding, et cetera.

Als reactie op de oorlogservaringen, werd er ook voor gepleit de banden tussen de instellingen voor hoger onderwijs en de overheid losser te maken. De Rijksuniversiteit Leiden –die zich op grond van haar houding tijdens de bezetting de gids der natie achtte– wilde alle instellingen verzelfstandigen. In Amsterdam daarentegen, raakte de 'Universitas Neerlandica'-gedachte in zwang: vestig één autonome, centraal geleide universiteit met 'vestigingen' op verschillende plaatsen. Utrecht nam, zoals wel vaker gebeurde, een middenpositie in tussen deze uitersten.[268]

Het 'nihilistenprobleem'

Ook het 'nihilisme' kon zich in een niet aflatende belangstelling van vernieuwers verheugen (net als in het begin van de bezetting). Vooral het spoorstudentschap, volgens De Geus "de ergste vorm van nihilisme", gold als een niet langer te tolereren uitwas van het individualisme. Volgens De Geus was de ongeorganiseerde student de zwakste schakel geweest in het afwijzingsfront. Hij moest weer deel gaan uitmaken van het geheel, 'corps', der studenten zoals dat ook in de negentiende eeuw –vóór de gezelligheidsverenigingen met hun facultatieve lidmaatschap ontstonden– het geval was geweest. In Leiden nam men deze aanbeveling heel letterlijk: alle bestaande verenigingen zouden opgaan in één organisatie waarvan het lidmaatschap voor iedere student verplicht was. Aan dit streven herinnert het feit dat de sociëteit Minerva van het Leidsch Studenten Corps een veelvoud van het huidig aantal gebruikers zou kunnen herbergen: ze was oorspronkelijk bedoeld als ontmoetingspunt voor àlle Leidse studenten. In Leiden is zelfs overwogen de studenten te verplichten domicilie te kiezen in de stad. Hiertoe zou in de nabijheid van het centrum een 'cité universitaire' gebouwd moeten worden. Elders werd naar de haalbaarheid van dergelijke plannen onderzoek gedaan. Wat daar ook de uitkomst van zal zijn, schreef De Geus, financiële overwegingen mogen de oplossing van het 'nihilistenpobleem' niet in de weg staan. "Wij hebben door den oorlog geleerd dat er altijd geld is als het ergens voor noodig is".[269] Zo heeft ieder het zijne van de bezetting opgestoken.

De Gemeente-universiteit van Amsterdam kwam met een minder radicaal model dat voorzag in de oprichting van een organisatie die de bestaande verenigingen zou overkoepelen (zoals ook Stallaert en de NSF hadden bepleit) en die ook faciliteiten op het gebied van cultuur en sport zou gaan exploiteren. Deze Algemene Studenten Vereniging, waarvan alle studenten lid moesten worden, figureerde ook in het zogenoemde Sol-plan dat het Utrechtse studentenblad Sol Iustitiae in 1944 presenteerde. Het werd, als zijnde te centralistisch, van alle kanten onder vuur genomen. De gezelligheidsverenigingen riepen een Toekomstcommissie in het leven die op basis van de bestaande verenigings- en faculteitsstructuren een alternatief moest ontwikkelen. Tegen het Sol-plan werd vooral door het USC geopponeerd. Het vreesde op den duur zijn bestaansrecht te zullen verliezen wanneer het er geen sport-, muziek- en toneelgezelschappen meer op zou kunnen nahouden, en zich zou moeten beperken tot het uitbaten van een sociëteit. "Dat toneel, met zijn eigen tradities en zijn eigen honorairen, dat was indertijd bijna een heilig gebeuren", zegt de eerste na-oorlogse rector van het USC, D. van der Most van Spijk. "Je moest er niet aan dénken als dat zou moeten opgaan in een groter geheel. Dan bleef er van het hele USC natuurlijk níets over." De bezwaren tegen het Sol-plan waren echter vooral principieel van aard. "Het was duidelijk verwant aan wat het Studentenfront met de studentenwereld voor had. En dat was natuurlijk zijn strategische zwakte. Was de zaak in Utrecht op die grondslag geordend –wat gelukkig niet is gebeurd– dan zou iedere student verplicht lid zijn geworden van die overkoepelende vereniging. Om het nihilisme tegen te gaan... Wáánzin natuurlijk. Alsof men iets kan tegengaan door een verplichting op te leggen! Het lijkt wat op het streven om van Engeland en Frankrijk één land te maken. Dat werkt natuurlijk niet. Nee, als je wilt samenwerken, kies je voor een federatieve structuur. Dat hebben de Zwitsers ook gedaan, en daar hebben ze geen spijt van gehad. Dus in Utrecht strookten de verenigingen met de natuurlijke differentiatie onder de studenten. Dat moet je niet kapotmaken. Daar moet je gebrúik van maken".[270]

De Toekomstcommissie probeerde aan de bezwaren die het Sol-plan had opgeroepen tegemoet te komen, maar slaagde daar wat het USC betreft onvoldoende in. In haar meerderheidsvoorstel (waarvan de vertegenwoordiger van het USC zich al had gedistantieerd) was weliswaar geen sprake meer van een overkoepelende organisatie of van een lidmaatschapsverplichting, maar werd meer samenwerking tussen de gezelligheidsverenigingen bepleit dan het corps lief was. Wat de Toekomstcommissie betreft, zouden de gezelligheidsverenigingen namelijk een deel van hun autonomie op het terrein van sport, muziek en toneel moeten overdragen aan een Unie van Utrechtse Studenten (UVUS). In de praktijk zou dit er op neerkomen dat sommige gezelschappen, zoals het 'heilige' Utrechts Studenten Toneel, hun besloten karakter zouden verliezen. Hoewel het UVUS-plan door vier van de vijf gezelligheidsverenigingen (UVSV, Unitas, Veritas en SSR) werd aanvaard, betekende het nee-woord van de ledenvergadering van het USC zijn einde. De meest traditionele vereniging was ook de meest invloedrijke. Vernieuwing van de Utrechtse studentenwereld was alleen maar mogelijk binnen de door het USC bepaalde marges. Had Stallaert eertijds nog een bondgenoot gehad in de persoon van Kruyt, het universiteitsbestuur bemoeide zich na de oorlog hoegenaamd niet meer met de inrichting van de studentenwereld, zodat het USC min of meer vrij spel had. De veranderingen waarmee het uiteindelijk instemde, waren −zeker vanuit hedendaags standpunt− kosmetisch van aard; de verenigingen spraken de (tot niets verplichtende) intentie uit op terreinen van algemeen universitair belang met elkaar samen te werken, de studentenfaculteiten werden −als stichting− verzelfstandigd, en hielden daarmee op het strijdtoneel te zijn van rivaliserende gezelligheidsverenigingen. Van der Most van Spijk wilde echter niet alle −ooit exclusieve− banden tussen zijn vereniging en de faculteiten doorknippen. Hij wist te bedingen dat de rector van het USC q.q. voorzitter van het dagelijks bestuur van de stichting zou worden (tenzij hij daarvoor evident ongeschikt was).

Behoudzucht was volgens Van der Most van Spijk niet de drijfveer van het USC. "Welnee. Wij wilden niet het oude behouden, maar het nieuwe! Dat faculteitensysteem functioneerde pas net, en de stelselwijziging van 1939 wierp net haar vuchten af. Dus het leek ons niet verstandig om daar weer aan te gaan rommelen. Daar kwam natuurlijk bij dat we na de bevrijding de handen vol hadden aan het herstel van de eigen vereniging. Dus om nou meteen dat Studententoneel open te stellen voor leden van andere verenigingen... Nee, dat zou de wanorde alleen maar hebben vergroot. Wij wilden gewoon onszelf blijven."

Chaos

Hoezeer er tijdens de laatste bezettingsfase ook over de toekomst was nagedacht, in mei 1945 lijkt niemand aan de RUU te weten wat er moet gebeuren en naar wie moet worden geluisterd. Op maandag 7 mei vestigt de Contactcommissie zich in Drift 3, het kantoor van de Faculteiten, en roept de studenten op zich te laten registreren. De eerste dagen komen ongeveer 300 inschrijvingsverzoeken binnen. Elke dag meldt zich bij de CC een andere dignitaris die meent het in Utrecht voor het zeggen te hebben. Op 7 mei is dat een voorman van de Binnenlandse Strijdkrachten. Op 9 mei geldt de oud-preases van Veritas, Stallaert, die als eerste luitenant aan de staf van het gewestelijk Militair Gezag is toegevoegd, als de hoogste autoriteit in universitaire aangelegenheden. Maar een dag later blijkt de gewestelijk militair commissaris, luitenant kolonel ir D.C.C. van Boetzelaer, die eer toe te komen. In een gesprek met vertegenwoordigers van de belangrijkste maatschappelijke geledingen −waarbij S.G. Lijftogt namens de studenten aanwezig is− zet deze uiteen wat de bevoegdheden zijn van het Militair Gezag (die zijn schier ongelimiteerd), wat zijn grondslag is (de staat van beleg), en wat zijn tijdsduur zal zijn (enige maanden). Wat zijn eigen bevoegdheden betreft, merkt Van Boetzelaer op dat er in de provincie Utrecht "geen onderwerp (is) dat niet onder mij ressorteert".[271]

De CC had op 7 mei aan de Binnenlandse Strijdkrachten de namen door-gegeven van te arresteren, danwel onder huisarrest te plaatsen personen. Op de arrestantenlijst stonden de namen van de docenten (hoogleraren en lec-toren) Roels, Goedewaagen, Kok, Baudet, Nieschultz, Loohuis, Coebergh, Labouchère en Horbach. Onder huisarrest moesten worden geplaatst de rector magnificus, Van Vuuren, de hoogleraren Rengers Hora Siccama, De Monté ver Loren, Gruys, de assistent dr J.M. Schuurman Stekhoven, de bibliothecaris dr A. Hulshof, en diens zoon, H.C. Hulshof. Wellicht als gevolg van het in Utrecht heersende gezagsvacuüm blijven de meesten hun-ner nog geruime tijd op vrije voeten. Op vrijdag 11 mei verschijnt Hulshof sr weer op de Universiteitsbibliotheek waar hij het personeel oproept om de daarop volgende maandag het werk weer onder zijn leiding te hervatten. Zijn zoon, ex-bibliothecaris van de Nederlands-Duitse Kultuur Gemeen-schap, was intussen in de UB begonnen met de inrichting van een tentoon-stelling over de illegale pers tijdens de bezetting. De CC dringt, na kennis te hebben genomen van deze beroepsijver, opnieuw −maar nu met klem− aan op hun huisarrest.

Ook Van Vuuren was zich er niet van bewust een gezocht man te zijn. Meteen na de vijfde mei was hij weer in het Academiegebouw verschenen alsof er slechts een weekend was verstreken sinds zijn laatste werkdag. Hij riep de Senatus Contractus bijeen om te overleggen hoe het bedrijf weer in beweging kon worden gezet, maar hij kwam hierop terug nadat prof. Van Brakel hem een buitengewoon lage opkomst in het vooruitzicht had gesteld. Van Brakel heeft hem op deze wijze wellicht willen duidelijk maken dat zijn positie nogal omstreden was, maar het is de vraag of Van Vuuren zich dit heeft gerealiseerd. Van het bestaan van het hooglerarencontact was hij niet op de hoogte, laat staan van het feit dat dit orgaan inmiddels prof. Boeke als rector magnificus naar voren had geschoven. Boeke zelf wist ook niet of hij werd geacht de taken van Van Vuuren over te nemen. Officieel was hem nog niets in die zin meegedeeld, dus zolang Van Vuuren kantoor hield in het Academiegebouw was Boeke "tot stilzitten gedoemd".[272] Nog op 18 mei zei Boeke tegen De Geer zichzelf niet als rector magnificus te beschouwen. Wèl verklaarde hij, aldus De Geer in een briefje aan 's Jacob, "stellig te weten dat prof. Van Vuuren huisarrest heeft". De betokkene zelf was hier echter nog niet van op de hoogte.

Over zijn eigen positie tastte De Geer ook in het duister. De chef van de Binnenlandse Strijdkrachten had hem meegedeeld dat het college van cura-toren was ontbonden, maar "ook op dit punt kon ik geen definitieve inlich-tingen krijgen".[273] De Geer moet als een wat eenzame en onthutste 'man van gisteren' door Trans 10 hebben gedoold. De gebeurtenissen gingen vol-komen aan hem voorbij, en instanties waarvan hij de namen niet kende, bepaalden −soms in onderlinge wedijver verwikkeld− de loop der dingen. Van de verschillende contactcommissies had hij nog nooit gehoord. De ver-zetsman S.G. Lijftogt werd door De Geer geafficheerd als "den leider van het illegale Studentenfront". Hij wist niet wie hem meer duidelijkheid kon verschaffen. Wàt hij wist, had hij bij geruchte vernomen, en bleek meestal niet waar te zijn.

'Herovering' sociëteiten

De gezelligheidsverenigingen stond wèl een helder doel voor ogen. Zij wilden zo snel mogelijk weer bezit nemen van hun oude sociëteit. Al ruim vóór de bevrijding waren commissies in het leven geroepen die het herstel van het verenigingsleven moesten voorbereiden. Bij Unitas was het zogenoemde Comité van Actie, dat onder leiding stond van prof.dr H. Th. Fischer, met die taak belast. Reeds op 5 mei begaf het zich naar het Lucasbolwerk om de sociëteit 'Symposion' –tot juli '41 het onderkomen van USR– te inspecteren. Toen het gezelschap zich voor de ingang had geposteerd, bleek de vorige gebruiker het pand nog niet te hebben verlaten en evenmin ontwapend te zijn, "waarop de inspectie onverwijld werd gestaakt". Op 7 mei deed het comité, dat zich ditmaal had voorzien van een faculteitenwimpel (de verenigingsvlag was nog zoek), opnieuw een poging. "Na een korte inspectie van het gebouw, waarbij verschillende merkwaardige requisieten werden aangetroffen, o.a. een Duitse bajonet die onmiddellijk tot rectorshamer werd gepromoveerd en bestemd werd dit tot in lengte van dagen te blijven, werd in de Senaatskamer tot de plechtige vergadering overgegaan onder leiding van prof. Fischer." De Engelse bezettingstroepen, die met ernstige huisvestingsproblemen kampten, hadden evenwel ook hun oog op de ruime sociëteit laten vallen. Tot grote opluchting van de eigenaar werd het gebouw echter niet gevorderd. Na enkele dagen kon hij het definitief betrekken.

De sociëteit PHRM van het USC werd pas op 9 mei door de Duitsers ontruimd. Tot uitbundig vreugdevertoon gaf dat echter geen aanleiding omdat twee dagen eerder vier corpsleden, die deel uitmaakten van een groep van tien, in de omgeving van het Wilhelminapark bij een vuurgevecht met Duitse soldaten om het leven waren gekomen. Het voorval was zo triest omdat de actie die eraan vooraf ging zo nutteloos was. "Die jongens probeerden –op zéven mei nota bene, toen àlles al achter de rug was– een troep Duitse soldaten te ontwapenen", zegt Van der Most van Spijk. "En dat lukte uiteraard niet. Het is nu eenmaal een code dat een militair, of hij zich nu heeft overgegeven of niet, niets door burgers laat gezeggen. Dus beschouwden zij die jongens als franc tireurs, en hebben zij hen allemaal neergeschoten. Eén van hen heeft dat overleefd. Ik vond dat afschúwelijk. Want het was zo zinloos, zo volstrekt zinloos om Duitsers te gaan ontwapenen als overal de vlaggen al zijn uitgestoken. En als het nu nog móedig was, maar zelfs dàt was niet het geval."

Hooglerarenzuivering

In juni 1945 werden de colleges van curatoren ontbonden. Hun werkzaamheden werden voorlopig –dat wil zeggen: tot het leven aan de universiteiten weer was genormaliseerd– overgenomen door de zogeheten colleges van (of: tot) herstel en zuivering. Deze colleges genoten plaatselijk een grote autonomie. De benoeming van hun leden moest weliswaar worden goedgekeurd door de minister van Onderwijs, Kunsten en Wetenschappen –de Groningse hoogleraar dr G. van der Leeuw– maar elk der colleges bestierde zijn eigen koninkrijkje. En in elk koninkrijkje golden andere wetten ten aanzien van de zuivering. Gedragingen die een hoogleraar in de ene plaats niet werden aangerekend, konden elders een berisping (of erger) tot gevolg hebben. In het algemeen gold het regime van het Utrechtse college als 'mild'.

Zoals uit haar naam blijkt, had de hoogste universitaire instantie een twee-ledige opdracht: herstel èn zuivering. Deze taken stonden echter met elkaar op gespannen voet. Een grondige zuivering zou het herstel vertragen, en –omgekeerd– zou een snelle hervatting van het onderwijs een slordige zuivering tot gevolg hebben. Het college probeerde het midden te vinden tussen deze kwaden.

Makkelijk was dat niet. Omdat er sinds 1943 vrijwel geen instroming mogelijk was geweest, was er een enorm stuwmeer van studenten ontstaan. In de zomer van 1945 kreeg de RUU maar liefst 5.000 aanvragen te verwerken. Deze dreigden zulke ernstige logistieke problemen met zich mee te brengen, dat het Utrechtse college van herstel en zuivering de minister voorstelde om de aspirant-studenten die in '45 de middelbare school hadden verlaten (zonder hiervoor overigens eindexamen te hebben hoeven doen) nog maar een jaar te laten wachten. Van andere zijde was gesuggereerd de druk op de universiteiten te verminderen door vrouwelijke HBS- of gymnasium-abituriënten voorlopig het recht op inschrijving te ontzeggen.[274] Minister Van der Leeuw wees dergelijke oplossingen echter van de hand. Hij meende dat de aanstaande oproep van drie lichtingen militair dienstplichtigen wel enig soelaas zou bieden, en riep de universiteiten verder op haast te maken met de zuivering van hoogleraren, zodat deze weer spoedig beschikbaar zouden zijn voor het onderwijs.[275]

De studenten –leden van het voormalig verzet wellicht uitgezonderd– hadden evenmin veel belangstelling voor de zuivering van de hoogleraren. Aan een hervatting der colleges werd in de regel meer waarde gehecht. Bovendien leidde de 'Indische kwestie' de aandacht spoedig af van alles wat aan gisteren herinnerde. De oorlog maakte al snel geen deel meer uit van de actualiteit.

Tegen die achtergrond begon het college van herstel en zuivering op 18 juni 1945 met zijn werkzaamheden. Over zijn samenstelling was in een kleine kring van hoogleraren en (oud-) curatoren overleg gevoerd. "Opeens was dat college er gewoon", zegt een oud-lector. "Wat hier aan vooraf was gegaan, en wat zijn bevoegdheden waren, wist niemand eigenlijk".[276] Tot voorzitter was benoemd de oud-curator en voorzitter van het 'college van vertrouwensmannen' jhr mr dr L.H.N. Bosch Ridder van Rosenthal. De overige leden waren jhr mr M.L. van Holthe tot Echten (secretaris), mevrouw mr M.A. Tellegen, dr N.W. Stenvers en dr A.J. Boekelman. Hoewel vooral Bosch van Rosenthal en mevrouw Tellegen alom grote achting genoten, was er het college veel aan gelegen een zo groot mogelijke legitimiteit te verwerven bij het voormalig studentenverzet. Vandaar dat het, als eerste beleidsdaad, A.J. Andrée Wiltens tot adjunct-secretaris benoemde. In principe moesten alle hoogleraren zich voor hun gedragingen tijdens de bezetting verantwoorden. Iedereen kreeg een (door prof.dr W.P.J. Pompe opgesteld) formulier toegezonden met vragen in de trant van: heeft u

studenten aangeraden de loyaliteitsverklaring te tekenen, heeft u de Senaatsmotie van 22 maart 1943 mede ingediend, heeft u uw diensten aangeboden
aan ondergedoken studenten, heeft u contacten onderhouden met Duitse
collega's, et cetera. Aan de hand van de antwoorden, maakte het college een
eerste selectie tussen de docenten die een (voorlopige) vergunning kregen
om het onderwijs te hervatten, en degenen die nader gehoord zouden worden en in afwachting van een definitief oordeel 'gestaakt' werden, dat wil
zeggen: vooralsnog geen vergunning kregen om college te geven. Sommige 'evident goede' hoogleraren, zoals Koningsberger, hadden er grote
bezwaren tegen zich überhaupt te moeten verantwoorden. Zij gaven niet,
of met duidelijke tegenzin aan het verzoek van het college gehoor.

Het college was uitsluitend bevoegd om docenten zuiver te verklaren. Het
mocht niet zelfstandig tot een berisping of schorsing besluiten. Wanneer
het van oordeel was dat een docent zich laakbaar had gedragen, stelde het
de rector magnificus voor de minister een bepaalde sanctie aan te bevelen.
In verreweg de meeste gevallen kwam het er echter op neer dat de rector
een aanbeveling van het college overnam, en dat de minister op zíjn beurt
de aanbeveling van de rector overnam.

De zuivering van de colleges van curatoren ressorteerde rechtstreeks onder
de minister (die zich hierbij overigens wel liet adviseren door de herstelcol-
leges). Een uitzondering op die regel vormde –om onbekende redenen– de
secretaris van curatoren. De voorzitter en secretaris van het Utrechtse college wilden bij de zuivering van De Geer echter niet betrokken worden,
omdat zij in een recent verleden zèlf deel hadden uitgemaakt van het curatorium. Van Holthe tot Echten had in een gesprek met De Geer overigens
wel laten doorschemeren dat hij er verstandig aan deed zèlf ontslag te
nemen (een constructie die de betrokkene wellicht bekend is voorgeko-
men). De Geer had zich er weliswaar "verbaasd" over getoond dat er
bezwaren tegen hem bestonden, maar volgde de wenk van Van Holthe op.
Met zijn collega-curatoren werd hem door de minister eervol ontslag verleend. Via de achterdeur van het Universiteitsfonds, waarvan hij vervolgens
nog enige tijd secretaris was, zou De Geer de RUU verlaten.[277]

Achtten Bosch van Rosenthal en Van Holthe zich niet competent een oordeel te vellen over De Geer, dergelijke –even legitieme– bezwaren werden
niet gevoeld bij de zuivering van hoogleraren. Dit moet het gezag van het
college en de kwaliteit van zijn werk ernstig hebben geschaad. Bosch van
Rosenthal en Van Holthe waren immers mede-verantwoordelijk voor het
beleid dat de RUU tot diep in de oorlog –Bosch van Rosenthal werd pas
op 27 april 1942 ongevraagd eervol ontslagen– had gevoerd, en waarvan het
gedrag van degenen die zij moesten zuiveren een voortvloeisel was. Tijdens
de zuiveringsverhoren werd vooral Bosch van Rosenthal geregeld herinnerd
aan zijn verleden. Dat gebeurde onder andere tijdens de zitting van 23 augustus 1945 toen de medisch hoogleraar dr C.D. de Langen door het college
aan de tand werd gevoeld over zijn aanwezigheid bij de huldiging van een
Duitse vakgenoot in Marburg. De Langen zei dat hij over de kwestie vooraf nota bene overleg had gevoerd met Kruyt en Bosch van Rosenthal zèlf.[278]
Die ontkende dat in alle toonaarden, maar kon vanaf dat ogenblik natuurlijk

geen geloofwaardig rechter meer zijn. Wat de verdiensten van Bosch van Rosenthal gedurende de bezetting ook geweest mogen zijn: hij was te nauw bij de RUU betrokken geweest om het voorzitterschap van het college van herstel en zuivering naar behoren te kunnen vervullen. Het feit dat hij voortijdig aftrad kan erop duiden dat Bosch van Rosenthal tot hetzelfde inzicht was gekomen (al voerde hij zijn gezondheidstoestand als reden op). De zuivering was toen echter al praktisch voltooid.

Lankmoedigheid

De lankmoedigheid die de oud-rector Kruyt ten deel is gevallen, hangt mogelijk samen met de historische spagaat-houding die Bosch van Rosenthal moest aannemen. Kruyt voerde tijdens zijn rectoraat zeer geregeld overleg met Bosch van Rosenthal (zeker toen die nog commissaris van de koningin was) en meende geheel in diens geest te handelen. Het lijkt er dan ook op dat veel van zijn bewegingen op het hellende vlak die eertijds de expliciete of stilzwijgende goedkeuring van Bosch van Rosenthal hebben gehad, buiten beschouwing zijn gelaten. De positionering tegenover de bezettingsautoriteiten was tijdens het rectoraat van Kruyt weliswaar een veel delicatere aangelegenheid dan in latere jaren, toen er meer duidelijkheid bestond over aard en duur van de bezetting, maar dat is niet de reden geweest waarom het college een mild oordeel heeft geveld over Kruyt. Wat in zijn geval namelijk met de mantel der liefde werd bedekt, werd in andere gevallen ontoelaatbaar geacht. Zo is het Kruyt niet kwalijk genomen dat hij op 28 september 1940 aanwezig was bij de oprichtingsvergadering van de Kultuur Kring in de Haagse Pulchri Studio (in gezelschap van onder anderen Seyss Inquart) terwijl andere leden van de Utrechtse delegatie hier hard op zijn aangevallen – ofschoon hun motieven om op de uitnodiging in te gaan overeenkwamen met die van Kruyt. In het verhoor van prof.dr C.W. Star Busmann (Rechtsgeleerdheid, en rector magnificus in 1933-'34) op 16 juli 1945, kwam de kwestie als volgt aan de orde: "Voorzitter: 'U hebt dus een thee meegemaakt bij de Rijkscommissaris?' SB: 'Ja, dat was toen een andere tijd dan later.' Voorzitter: 'Welneen!' SB: 'Ik voorzag een lange bezettingstijd, en meende er voordeel in te zien voor de Universiteit.' Voorzitter: 'Gastvrijheid aannemen bij Uw vijand... U was toch geen NSB'er?' SB: 'Neen'. Voorzitter: 'U had de reputatie dat U pro-Duitsch was.' SB: 'Dat was ik niet.' Voorzitter: 'Heeft U de inval als een groot onrecht beschouwd?' SB: 'Ja.' Voorzitter: 'Hoe was het dan mogelijk aan deze uitnodiging gevolg te geven?' SB: 'Ik meende in het belang te handelen van de Universiteit, en ook op argumentatie van Roels.' Voorzitter: 'U bent er dus ingeloopen?' SB: 'Zeker, mede als gevolg van de prachtige redevoeringen die in die tijd gehouden werden'".[279] Met die laatste opmerking zal Star Busmann weinig begrip bij het college hebben geoogst, maar voor het overige vertolkte hij toch min of meer de 'officiële' beleidslijn die de universiteit in 1940 had gevolgd. Niettemin zag het in het optreden van Star Busmann, waarvoor zijn aanwezigheid in Pulchri zo kenmerkend werd geacht, aanleiding zijn ontslag te adviseren. De minister volstond overigens met een openbare berisping, waarna Star Busmann zelf zijn ontslag indiende.[280]

En Kruyt? Die kon op 16 juli weer aan het werk, zij het na kennis te hebben genomen van een brief van het college van herstel en zuivering "waarin hem wordt meegedeeld dat de vergadering bezwaren heeft tegen zijn houding, waarbij hij bij de studenten een verwachting heeft doen geboren worden waaraan niet is beantwoord, wat betreurenswaardige gevolgen heeft gehad. Ook gezien zijn persoonlijkheid had hij in deze extra plichten".[281] Veel hoogleraren, vooral de ouderen onder hen, poogden tegenover het college van herstel en zuivering hun 'slap' geachte houding te rechtvaardigen met een verwijzing naar de scheiding tussen politiek en wetenschap. De een zei: "Wij zijn toch geen soldaten?" De ander waande zich "buiten de toenmalige orde der dingen". Illustratief voor die opvatting is het testimonium van de 71-jarige prof.dr W.E. Ringer (Geneeskunde, rector magnificus in 1936-'37). Naar aanleiding van de vraag of hij tekening van de loyaliteitsverklaring kon billijken, zei hij: "Dat behoorden de jongelui met hun eigen familie te bepraten." Over het feit dat de regering het tekenen der verklaring had verboden: "Dat heb ik niet geweten." Over de voortzetting van het onderwijs in 1943: "Ik heb overwogen wat ik doen moest, en kwam tot de conclusie dat het beter was om door te sukkelen." Of hij klandestiene studenten had geholpen? "Zij kwamen niet." Of van hem, als oud-rector, geen "scherpere verzetshouding" mocht worden verwacht? "Wat moet ik daarop antwoorden? Ik meen een goed vaderlander te zijn." En op het verwijt van Bosch van Rosenthal dat hij zich had "gedistantieerd van de verzetshouding", antwoordde Ringer: "Ik leef geheel geïsoleerd".[282]

Het college hield de hoogleraren voortdurend de veel strijdvaardiger houding van de studenten voor (waarbij het de opvatting leek te huldigen dat 'student' en 'verzetsstrijder' uitwisselbare begrippen zijn). Soms leidde dat tot de deemoedige erkenning te hebben gefaald, niet te hebben "medegestreden", dan wel momenten van zwakte te hebben gehad, maar vaak deden de hoogleraren het −door het college gechargeerde− contrast af als een generatieconflict waarbij de bravoure de jongeren toebehoort, maar het onderscheidingsvermogen de ouderen. De lector tandheelkunde dr B.R. Bakker meende bijvoorbeeld dat het al dan niet tekenen van de loyaliteitsverklaring −waarvan hijzelf een pleitbezorger was geweest− niet zozeer een principiële kwestie was, "maar een kwestie van twintig of zestig jaar zijn. De jonge Bakker had het vast niet gedaan, de oude wel".[283] Op de vraag van Van Holthe wie van de twee "het bij het rechte eind had", antwoordde Bakker: "De oude." De oud-rector prof.dr F.H. Quix (Geneeskunde) meende dat het studentenverzet, dat volgens hem bestond uit "een kleine meute heethoofden", de sfeer aan de universiteit had vergiftigd. "Zij hebben veel goeds gedaan, maar (...) hebben verzuimd om leiding te vragen aan ouderen." Bosch van Rosenthal: "Waarom heeft U geen leiding gegéven?" Quix: "Ik voelde mij daarvoor niet geroepen. Ik had dan moeten onderduiken, en ik had een belangrijke zaak om de volksgezondheid te verzorgen. (...) Wij zijn over de studenten zeer ontevreden. Toen de Senaat vergaderde over het teekenen van de loyaliteitsverklaring, waren de studenten al gereed. Dàt was wat wij tegen de studenten hadden".[284] Volgens prof.dr H.W. Julius (Geneeskunde) was een redelijk contact met de studenten op den duur volkomen onmogelijk. "De redactie van De Geus beoordeelde de hoogleeraren onjuist. Zij betoonde geen begrip voor de moeilijkheden, en dat is de oorzaak geweest van de verwijdering tusschen hoogleeraren en de studenten. (...) Ik had contact met Andrée Wiltens en had in meenig opzicht een diepe bewondering voor zijn houding, al was ik het op bepaalde punten zeer oneens met hem. (...) Nadat de verzetsbeweging onder de studenten een vaste vorm had aangenomen, werd zij hoe langer hoe vijandiger tegenover de Hoogleeraren. Zij hadden het gevoel dat zíj wisten wat zij konden en moesten doen. Langzamerhand werd mij dit te kras".[285]

Volgens de assistente van de −op het moment van haar verhoor 'gestaakte'−prof.dr W. Vogelsang (Letteren en Wijsbegeerte) viel op de heldhaftigheid van de studenten overigens wel wat af te dingen. Ze kwamen pas in '43 in het geweer, en dat was wat haar betreft ruim twee jaar te laat. "Ik vind dat ze bij het ontslag van de joden hadden moeten ageeren, dan had ik met ze meegedaan, maar nu niet." En, als terechtwijzing van het college: "Tegenwoordig vindt men dat je ondergedoken geweest moet zijn of in een concentratiekamp gezeten moet hebben, anders is het niet goed".[286]

Naweeën

Soms bleven uit de bezetting daterende verschillen van inzicht ook nadien de verhoudingen nog ernstig belasten. Zo zei de student J.F.Ch. Steyling, die door het college van herstel en zuivering als een soort geweten van de medische faculteit was uitgenodigd, tijdens de bijeenkomst van 5 september 1945 nog elk contact uit de weg te gaan met de hoogleraren Ringer, Nieuwenhuyse, Weve, De Langen, De Snoo en Nuboer omdat hij hen zag als de voornaamste 'niet-gecommitteerden'. "Hadden de studenten niets gedaan, dan waren de profs helemaal tot niets gekomen".[287] Om zich een juister beeld te kunnen vormen van de houding van prof. De Snoo, nodigde het college een andere student, J. Jolles, uit wiens ouders de hoogleraar vaak aan de bridgetafel hadden ontmoet. Jolles vertelde "middenin de tekenstrijd" eens een woordenwisseling met De Snoo over het onderwerp te hebben gehad waarbij de laatste zou hebben gezegd: "Ik vind het zoo geweldig fout dat jullie stemming maken tegen het teekenen. Jij bent ook een van die oproerkraaiers... Het is unfair dat jullie het teekenen trachten tegen te gaan, want nu moeten wíj stemming maken vóór het teekenen".[288] Het college zag in deze niet-verifieerbare uitspraak aanleiding De Snoo aan een nader onderzoek te onderwerpen, en hem in afwachting daarvan te staken.

Maar ook binnen het wetenschappelijk personeel zeurden conflicten die hun origine vonden in de bezetting soms nog enige tijd door. Zo beklaagde de hoofdassistente van het botanisch laboratorium zich er bij het college over dat de, volgens haar, laakbare houding van de conservator dr H.P. Bottelier na de oorlog nooit door het personeel is besproken. Volgens haar was dit de schuld van diens chef, prof.dr V.J. Koningsberger, die Bottelier altijd de hand boven het hoofd had gehouden en die had verzuimd het personeel na de oorlog bijeen te roepen om de ontstane onenigheid uit te praten. De hoofdassistente had nu het gevoel als *troublemaker* te worden gezien, en was intussen naarstig op zoek naar een betrekking buiten de RUU.[289]

'Begunstiging van de vijand'

Het college van herstel en zuivering was zeer gespitst op gevallen van 'begunstiging van de vijand'. Hiertoe werden onder andere gerekend Duitse dienstreizen, publikaties in Duitse wetenschappelijke tijdschriften, maar ook vermeende bevoordeling van 'foute' studenten. Zo had de examencommissie van de faculteit der Rechtsgeleerdheid –bestaande uit de hoogleraren Rengers Hora Siccama, De Monté ver Loren en Zevenbergen– in oktober 1943 erin toegestemd dat de zoon van een gewestelijk bestuurslid van de NSB zijn kandidaatsexamen aflegde zonder aan de daarvoor geldende verplichtingen te hebben voldaan. Bij Geneeskunde had zich iets soortgelijks voorgedaan. Een actief lid van het Studentenfront meende ten onrechte voor het artsexamen te zijn gezakt, en had bij de hoogste bestuursinstanties aangedrongen op een wijziging van de samenstelling van de examencommissie. Daarop waren twee van diens 'vriendjes', zoals Bosch van Rosenthal hen noemde, aan de commissie toegevoegd. Als gevolg van deze mutatie slaagde de student alsnog voor zijn artsexamen. De faculteitsvergadering legde zich met twaalf tegen vier stemmen bij de gang van zaken neer. Volgens prof.dr J.F. Nuboer, die zèlf overigens had tegengestemd, had de zaak hoegenaamd geen commotie tot gevolg gehad omdat men zich niet van zijn politieke dimensies bewust was, en omdat men er van uitging "dat dit examen later toch zou worden vernietigd".[290] De zaak was de faculteit in elk geval geen conflict met de bezettingsautoriteiten of de NSB waard geweest.

Nuboer zèlf werd verweten dat hij op last van de Duitsers sectie had verricht op de slachtoffers van executies. "In begin deden zij het zelf", verklaarde Nuboer, maar zij "maakten toen een vuile boel".[291] Quix zei zichzelf tot medische hulp aan vijandelijke soldaten verplicht te hebben gevoeld, omdat hij nu eenmaal in een "cultuurland" woonde. Prof.dr H.C. Rümke erkende met enige moeite dat hij "misschien wel wat te veel dokter (was) geweest" door op verzoek van een Duitse rechtbank psychiatrische rapporten op te stellen en Duitse danwel Duitsgezinde patiënten te helpen. De meest prominente van hen was Musserts 'gemachtigde' voor justitiële aangelegenheden en leider van het Opvoedersgilde mr R. van Genechten. In 1943 had Rümke hem enige tijd behandeld (Van Genechten was zeer gedeprimeerd geraakt door de aanslagen op Seyffardt en Reydon) in verband waarmee hij ook een keer Mussert in het Stads- en Academisch Ziekenhuis had ontvangen. Rümke erkende 'de Leider' bij die gelegenheid de hand te hebben gereikt, maar volgens ooggetuigen had Rümke zijn gast na hun onderhoud ook nog tot aan de uitgang van het ziekenhuis begeleid. Bosch van Rosenthal wilde van Rümke weten of hij Mussert soms ook een kopje koffie had aangeboden. "Als er geweest was waarschijnlijk wel", antwoordde Rümke, "maar er was geen koffie".[292] Het college van herstel en zuivering beval een openbare berisping van Rümke aan. De minister nam de uitspraak aanvankelijk over, maar kwam hierop terug nadat de zich zeer gegriefd voelende Rümke omstandig bezwaar had gemaakt tegen dit 'vonnis'. De affaire stond Rümke's benoeming tot rector magnificus (in het academisch jaar 1953-'54) overigens niet in de weg.

De hoogleraar Diergeneeskunde dr J.H. Hartog had paarden van het Duitse leger behandeld. Had hij niet het gevoel daarmee het oorlogspotentieel van de vijand te hebben versterkt? "Integendeel. Onze vorm van sabotage was het voorschrijven van een langere rustperiode." Een dergelijk verweer had Hartogs collega dr A. Klarenbeek niet toen hem de al te voorkomende behandeling van de hond van een prominente Duitsers (gefluisterd werd dat het Seyss Inquart was) werd verweten. "Ik zorgde er wel voor dat hij niet wegliep, anders zou ik daar veel last mee krijgen".[293] De klachten over Klarenbeek beperkten zich overigens niet tot dit voorbeeld. Hij zou geregeld Duitsers over het Diergeneeskunde-terrein aan de Biltstraat hebben rondgeleid, en werd bij die gelegenheden "hoffelijker" geacht dan nodig was. "Zelfs de werksters spraken er over", verklaarde de technicus eerste klasse Van de Horst op 12 november '45 tegenover het college. Hij was verder geabonneerd op het 'foute' periodiek De Waag, en zou zich geweldig hebben geamuseerd over de reacties die hij daarmee in zijn omgeving opriep. Anti-Duitse uitlatingen van zijn assistenten accepteerde hij niet, en zelf zou hij in 1940 eens een college met een 'heil Hitler' hebben afgesloten. Hoewel het college bij het vellen van een oordeel over Klarenbeek uitsluitend kon afgaan op geruchten en hoogst individuele waarnemingen, was wel duidelijk dat de hoogleraar ver boven het maaiveld van algehele onverschilligheid uitkwam. Hem werd, conform het advies van het college, ontslag met behoud van wachtgeld aangezegd.

Begin 1946 was de zuivering van het Utrechtse docentenkorps afgerond. Er waren 26 brieven uitgegaan waarin het college zijn bezwaren tegen de handelwijze van de betrokken docent had kenbaar gemaakt. Een dergelijk schrijven werd onder andere verzonden naar Kruyt, Rutten, Botteher, De Langen, Julius en Nuboer (rector magnificus in het academisch jaar 1959-'60). Veertien docenten werden volgens het Zuiveringsbesluit – dat wil zeggen: oneervol– ontslagen. Het betrof onder anderen de hoogleraren Hirsch, Roels, Nieschultz, Rengers Hora Siccama en de lector B.R. Bakker. Acht docenten werden ongevraagd eervol ontslagen, of namen zelf ontslag. Tot deze categorie behoorden de hoogleraren Van Vuuren, Quix, Ringer, Star Busmann (allen oud-rector magnificus), Klarenbeek en De Monté ver Loren. Ten slotte werden er twee niet-openbare en tien openbare berispingen uitgesproken.[294] Wat de minister betreft, kwam alleen lager personeel voor openbare berispingen in aanmerking, en kon ten aanzien van de hoogleraren met de niet-openbare variant worden volstaan. Op dit denkbeeld werd echter zo furieus gereageerd door de zuiveringscolleges, dat de minister het schielijk weer introk.[295]

De toestand in Utrecht was in de zomer van 1946 weer zodanig genormaliseerd, dat het college van herstel (zoals het sinds de voltooiing van zijn zuiveringstaak volledigheidshalve heette) zichzelf op 10 juni kon opheffen en het eerste na-oorlogse college van curatoren kon installeren.

De studentenzuivering

De zuivering van de studenten ging met beduidend meer rumoer gepaard dan die van de hoogleraren, nam veel meer tijd in beslag en bevredigde het rechtsgevoel in het algemeen minder. Het studentenverzet had er geen misverstand over laten bestaan déze zuivering als zíjn zaak te beschouwen. De uitvoering ervan eiste het niet met zoveel woorden voor zich op, maar het wilde er in elk geval nauw bij betrokken worden. Dat werd niet als een voorrecht gezien maar als een recht. En een voorwaarde voor een betere na-oorlogse samenleving. Zo betoogde het (liberale) verzetsblad 'Slaet op de Trommele' op 28 juli 1945 dat een te lankmoedige afhandeling van de studentenzuivering de fleur der natie tot een gefrustreerde afzijdigheid zou brengen. Het verzet van weleer zou nutteloos blijken te zijn als er niet een radicale zuivering op zou volgen.[296] De perscommissaris van de Utrechtse afdeling van de SSR, G. Puchinger, schreef in het mededelingenblad van zijn vereniging: "Vijfennegentig procent van de studenten wist tijdens de bezetting wat hen te doen stond, en redde daarmee de eer van de universiteit. Wij eisen als studenten natuurlijk niet 95 procent op van de leiding der zuivering van onze universiteit, maar wij wijzen er met nadruk op dat noch het Curatorium, noch de hoogleraren, noch de oud-alumni ons richtlijnen hebben gegeven in die vreselijke jaren, maar dat wij ons zelf hebben geleid".[297] Met dit feit moest, met andere woorden, bij de wederopbouw van de academische wereld rekening worden gehouden. Hij riep de studenten op niet naar hun aloude afzijdigheid terug te keren maar de positie die zij nu hadden verworven te consolideren. "Studenten! Degradeert u zelf niet tot onmondigen, en verbreekt de band met onze universiteit niet! Blijft toezicht houden op heel het leven van de Universiteit, en doet dat vandaag! Trekt Utrecht binnen, en weet wat daar geschiedt! Doet dat snel voordat het te laat is!" En wat de zuivering zelf betreft: die diende uiteraard een hoger doel dan het vereffenen van een rekening. "Wij moeten vergelding wensen omdat het een Bijbels beginsel is." En SSR achtte zich bij uitstek in staat te weten wat hieronder moest worden verstaan. "Het behoeft wel niet gezegd te worden dat er zaken zijn waar we meer 'liefhebberij' voor kunnen 'gevoelen' dan de zuivering. Als SSR geloven wij echter dat Gòd het is die ons vandaag voor deze problemen stelt, en dat wij in het aanvaarden van deze problemen onze universiteit hebben te dienen. Laat daarom niemand de zuivering om de zuivering zien. Het feit dat wij als SSR Gods Woord mogen bezitten is oorzaak waarom wij een eigen geluid zullen moeten laten horen."

Ook de Utrechtse Geus, het periodiek van de contactgroep van studenten, meent dat op het voormalig verzet de morele plicht rust zich nadrukkelijk met de studentenzuivering te bemoeien. Ze mag zich niet buiten het publieke domein voltrekken, maar moet het voorwerp zijn van een permanente maatschappelijke discussie. Bij de zuivering zal men weliswaar in het verleden moeten wroeten, maar ze dient vooral de toekomst. Ze moet dan ook 'positief' zijn, en niet gericht op straffen, "al ligt de straf wel in het verlengde van de zuivering", maar op de na-oorlogse ordening van de universiteit. Wat dat aangaat zijn de aspiraties van de Utrechtse Geus tamelijk bescheiden: "Het doel van de universitaire zuivering moet zijn dat zodra de universiteit gezuiverd en en weer geopend is, we elkaar kunnen ontmoeten als goede Nederlanders, zoals we voor deze oorlog veronderstelden dat we waren. Natuurlijk zullen er dan verschillen zijn; de één zal dapperder zijn geweest dan de ander; de één heeft zwaar illegaal gewerkt en de ander was nu niet bepaald het type van Hollands Glorie. Ook dat weten we dan van elkaar. Maar punt één moet bij dit alles zijn dat, zodra de zuivering voltooid is, we weer hard kunnen gaan beginnen te werken op een zakelijk en normale basis... als voorheen".[298]

De aanspraak van de studenten op een hoofdrol in de zuivering werd maar ten dele gehonoreerd. De plaatselijke zuiveringscommissies bestonden weliswaar uit vertegenwoordigers van de gezelligheidsverenigingen, maar wat betreft de op te leggen straffen kregen zij niet hun zin. Het voormalig verzet had 'foute' handelingen tijdens de bezetting in een aantal categorieën opgesplitst, en beval per categorie een vaste strafmaat aan. Zijn schema zag er zo uit; studenten die de loyaliteitsverklaring één maal hadden getekend maar die geen gebruik hadden gemaakt van het hun toegekende recht om te studeren ("eenmaal-tekenaars/non-profiteurs"): één jaar uitsluiting van het hoger onderwijs; "Twee maal-tekenaars/non-profiteurs" (dat wil zeggen: degenen die in april 1943 èn bij de aanvang van het academisch jaar 1943-'44 hadden getekend): twee jaar uitsluiting; "Eenmaal-tekenaars/profiteurs": twee jaar uitsluiting; "Twee maal-tekenaars/profiteurs": tweeëneenhalf jaar uitsluiting; studenten die op 5/6 mei 1943 hadden getekend om aan tewerkstelling te ontkomen ("5/6 mei-tekenaars"): één jaar; "Vrijwillige Duitslandgangers": twee jaar; "Vrijwilligers Duitse oorlogsindustrie in Nederland": twee jaar; "Zij die zich in Duitsland misdragen hebben" (dat wil zeggen: zij die zich aan 'verbroedering' met Duitsers hadden bezondigd en/of geen gebruik hebben gemaakt van de mogelijkheid te vluchten): één jaar; zij die de arbeidsdienstplicht (NAD) hebben vervuld: drie maanden; leden van nationaal-socialistische organisaties: uitsluiting voor het leven. De ministerraad stelde evenwel op 24 juli strafrichtlijnen op die een compromis waren tussen de aanbevelingen van het voormalig verzet −waarvan onder anderen Andrée Wiltens de pleitbezorger was− en de veel mildere lijn die het interacademiaal hoogleraren-overleg voorstond. Zij weken in twee opzichten af van het voorstel van de voormalige illegaliteit: de uitsluitingstermijnen waren in het algemeen korter van duur, en er was geen sprake van een *normstraf* (een vaste strafmaat per categorie) maar van een *maximum straf*. Zo werd tekenaars/non-profiteurs en 5/6 mei-tekenaars een uitsluiting van maximaal negen maanden (tegen twaalf maanden standaard in het voorstel van het voormalig verzet) in het vooruitzicht gesteld, éénmaal-tekenaars/profiteurs: twee jaar, 'september-tekenaars': anderhalf jaar, 'september-tekenaar/profiteurs' en vrijwillige Duitslandgangers: tweeëneenhalf jaar. Daarnaast werden nog enige categorieën toegevoegd aan die welke het verzet had onderscheiden.[299]

Oorlogsprofijt

In de studentenwereld werd woedend op het Haagse compromis gereageerd. Vooral aan de veel te mild geachte straf voor éénmaal-tekenaars −een uitsluiting van maximaal negen maanden− nam men aanstoot. Ze hield een miskenning in van het cruciale belang van de tekenkwestie. Minister Van der Leeuw had in een gesprek dat hij op 9 juli met student-vertegenwoordigers had gevoerd al gezegd 'profiteren' een ernstiger vergrijp te achten dan 'tekenen'. Daarmee ging hij voorbij aan het *principiële* karakter van de zaak en reduceerde hij het tot de vraag: hebben studenten voordeel gehad van hun gedrag. Wat hem betreft moest de uitsluiting van tekenaars/profiteurs ook niet als straf worden gezien, maar als het ongedaan maken van mogelijk oorlogsprofijt.

Wat de studenten het meest stoorde aan de gang van zaken, was dat de hoogleraren er een stempel op hadden gedrukt. In dat verband werd het 'slappe' gedrag van deze beroepsgroep in het algemeen, maar dat van minister Van der Leeuw in het bijzonder gememoreerd. Dat een hoogleraar minister van onderwijs was, was nog tot daar aan toe, maar dat die hoogleraar uitgerekend verbonden was geweest aan de Rijksuniversiteit te Groningen −'s lands enige universiteit die vanwege haar meegaandheid door het Militair Gezag was gekapitteld− was voor het voormalig verzet nauwelijks te verkroppen. Daar kwam bij dat Van der Leeuw, zoals hijzelf in de Tweede Kamer toegaf, als hoogleraar het tekenen van de loyaliteitsverklaring niet had ontraden. Een andere hoogleraar in het toenmalige kabinet, minister-president Schermerhorn, had in één geval zelfs het tekenen aanbevolen.[300] Bewindslieden met een dergelijke achtergrond kwam volgens de verzetsveteranen geen rol in de zuivering toe.

De milde zuivering die sommigen vreesden, werd door anderen daarentegen als hard en onrechtvaardig ervaren. De tekenaar-studenten, die naar goed Nederlands gebruik een belangenorganisatie in het leven riepen, hadden het gevoel te worden berecht door hun vroegere opponenten. "Onze beoordeling ligt in handen van menschen van wien wij moeilijk een zuiver objectief oordeel (...) kunnen verwachten, hoe zuiver de gronden waarop zij hun subjectieve waardeering baseeren, ook kunnen zijn".[301] In een baaierd van brochures poogden de tekenaars begrip te oogsten voor hun eertijds ingenomen standpunt, wezen zij erop dat schorsing voor een beperkte periode in de praktijk vaak zou neerkomen op definitieve beëindiging van de studie, en betoogden zij dat de zuivering geen rechtsgrond had omdat 'oorlogsdelicten' pas werden beschreven nádat ze waren gepleegd.[302]

De 'bond van tekenaars', zoals de belangengroep meestal werd genoemd, vond enige weerklank in de pers −vooral bij de kranten die geen verzetsachtergrond hadden. Volgens de Nieuwe Rotterdamsche Courant (NRC) bevredigden van alle zuiveringsmaatregelen, die welke tegen de studenten werden getroffen, het rechtsgevoel het minst. Het tekenen van de verklaring was een twijfelachtig zuiveringscriterium omdat het onvoldoende rekening hield met de motieven (ook de eerbare) die hierbij een rol gespeeld konden hebben. Evenals de niet-tekenaars, vormden de tekenaar-studenten een te gemêleerd gezelschap om over één kam geschoren te kunnen worden, aldus de NRC. De ernstigste tekortkoming van de studentenzuivering was echter dat tekenaars gestraft werden terwijl hoogleraren op wier advies zij hadden gehandeld in de meeste gevallen ongemoeid waren gelaten. En daar hield het, wat de rechtsongelijkheid betreft, niet mee op. De straffen voor tekenaar-studenten waren onevenredig zwaar in vergelijking met die voor mensen die zich àctief hebben misdragen. De schorsing van 'profiteurs' stond volgens de NRC bovendien in geen verhouding met het mogelijke voordeel dat het tekenen hun had gebracht.[303]

Toen ook enige Kamerleden hun twijfels uitten over de studentenzuivering, zei minister Van der Leeuw: "Wij leven snel, Mijnheer de Voorzitter! Thans zuiver ik te veel, vóór enige maanden zuiverde ik te slap. Beteekent dit bezinning of verval? Mij dunkt dat het van beide iets heeft, maar er is een kwade kans dat het van het tweede meer dan van het eerste zal betekenen".[304]

Uitspraken

De minister sprak deze woorden op 22 januari 1946. De zuiveringscommissies hadden op dat moment, ofschoon het nog even zou duren voor ze werden ontbonden, hun werk vrijwel voltooid. De Utrechtse commissie –die onder leiding stond van prof.dr H.Th. Fischer (Unitas), en waarvan ook de 'precieze' G. Puchinger (SSR) deel uitmaakte– had gedurende haar korte bestaan 650 gevallen behandeld. Op haar advies had de rector magnificus 304 studenten voor kortere of langere tijd geschorst: in 172 gevallen voor de duur van één tot drie maanden, in 71 gevallen voor de duur van negen tot twaalf maanden, in 27 gevallen voor de duur van twaalf tot achttien maanden, in vijftien gevallen voor de duur van negentien tot 24 maanden, in negentien gevallen voor 25 maanden of langer. Hoewel vooral de student-leden van de commissie aanvankelijk meenden niet op basis van de zuiveringsrichtlijnen van de regering te kunnen werken, en zelfs hadden overwogen ontslag te nemen, waren de scherpe kantjes er zuiverenderwijs wat van afgegaan. In de verantwoording die de commissie op 2 februari 1946 van haar werkzaamheden in de Sol Iustitiae aflegde, erkende zij dat het tekenen van de loyaliteitsverklaring geen deugdelijk zuiveringscriterium was gebleken. "Het heeft ons verheugd te constateren dat van de tekenaars bij nadere beschouwing toch een vrij grote categorie minder onprincipieel bleek te zijn dan men had vermoed. In dat licht bezien, is van rechtsongelijkheid tussen studenten en hoogleraren dan ook nauwelijks sprake: in beide gevallen zijn de betrokkenen individueel beoordeeld. De uitsluitingsrichtlijnen van de minister gaven slechts de –in de praktijk: ruime– marges aan waarbinnen de zuivering zich afspeelde. Van grote verschillen in de zuivering van studenten en hoogleraren was in de praktijk geen sprake. Dat de zuivering –gegeven de omstandigheden– zo eerlijk mogelijk is verlopen, is een kwestie van vertrouwen in de studentenzuiveringscommissie".[305]

De consensus die tijdens de bezetting in een woestijn van tegenstellingen en strijdpunten was veranderd, was in een betrekkelijk korte tijdsspanne hersteld. De actualiteit had het nabije verleden in een tempo dat velen verraste, ingehaald. Toen de zuiveringscommissie zich voor haar werkzaamheden in de Sol Iustitiae wilde verantwoorden, moest zij genoegen nemen met een bescheiden plaats op de pagina's vier en vijf; daarvóór was het louter Nederlands-Indië dat de klok sloeg. Naar dat nieuwe strijdtoneel vertrokken vele studenten en net afgestudeerden. Onder hen bevonden zich tekenaars die gehoor gaven aan de oproep van minister Van der Leeuw om zich op deze wijze te rehabiliteren, maar ook voormalige verzetsmensen zoals Andrée Wiltens. "Wij willen vergeten zijn", was volgens Puchinger een sentiment dat velen naar elders dreef.

Wat gisteren nog een gevaarlijke wereld was waarin fel werd geleefd, was nu weer een provinciestad waar gezelligheidsverenigingen met elkaar wedijverden en waar verguisde hoogleraren hun oude posities weer hadden ingenomen zonder dat íemand zich eraan stoorde. Op èchte veranderingen zou Utrecht nog enkele decennia moeten wachten.

17 Ter afsluiting

Voorwaarts en snel vergeten

Het bestuur van de Rijksuniversiteit te Utrecht –het college van curatoren en de academische Senaat– heeft tijdens de Duitse bezetting een verregaande bereidheid aan de dag gelegd om met de overheid samen te werken. Het werd hierin van harte gesteund door alle geledingen van de georganiseerde studentenwereld: gezelligheidsverenigingen en studentenfaculteiten. Tegen de anti-joodse maatregelen werd wel publiekelijk geageerd door enkele hoogleraren, maar zij poogden met hun optreden vooral de onrust onder de studenten te bezweren: als wíj spreken houden zíj misschien hun mond. De politiek van de bezettingsautoriteiten werd bovenal als lastig ervaren: na elke maatregel moest men weer het hoofd bieden aan anonieme 'onruststokers' (vaak voor NSB-provocateurs gehouden) die de studenten opriepen openlijk te protesteren –met alle risico's voor de universiteit. De maatregelen zelf werden echter uitgevoerd met een stiptheid alsof ze van de vooroorlogse overheid afkomstig waren. De kille, van elk engagement gespeende precisie van de universitaire bureaucratie heeft een uitwerking gehad die wellicht niet onder doet voor wat openlijke en enthousiaste collaboratie had kunnen aanrichten. Van een 'creatieve' omgang met de regels was geen sprake, zelfs niet als dat de verstoten joodse hoogleraren en studenten had kunnen helpen. Stelde een richtlijn van de Duitse overheid het universiteitsbestuur voor een exegetisch probleem (wat vaak het geval was), dan moest ruggespraak met het hogere gezag uitkomst bieden. Niet zelden leidde dit ertoe dat maatregelen werden aangescherpt.

Zoals gezegd, kwam dit beleid van de universiteit niet onder vuur te liggen van de studenten. Integendeel. Aan de oproep van rector magnificus Kruyt om de stakingsparolen te negeren, in november 1940, gaven de studenten zonder morren gehoor. Zij waren allang blij dat er enige leiding van het universiteitsbestuur uitging. In dat opzicht heette de Utrechtse universiteit zich positief te onderscheiden van de meeste van haar zusterinstellingen, de Leidse in het bijzonder. Daar waren rector en curatoren niet in staat gebleken de studenten van hun onzalige staking te weerhouden, en gaf men de Duitsers een alibi de universiteit te sluiten.

Tegenover het 'Leidse model' van verzet werd het 'Utrechtse model' geplaatst: voortdurend overleg tussen universiteitsbestuur en student-verte-genwoordigers met het oogmerk het bedrijf gaande te houden. De pleitbe-zorgers van dit beleid achtten zich in hun opvattingen gesteund door de gebeurtenissen in Leiden.

In 'ideologisch' opzicht had de Duitse bezetting betrekkelijk weinig invloed op de Utrechtse studenten. Als men íets wilde, was het continuïteit. En daarvan waren de oude gezelligheidsverenigingen en het nieuwe (uit 1939 daterende) faculteitenstelsel de waarborg. Het nationaal-socialistische Stu-dentenfront was een marginaal verschijnsel. Van de afdeling-Utrecht waren nooit meer dan 25 mensen lid. De programmatische overeenkomsten tus-sen het Studentenfront en andere (niet-nationaal-socialistische) vernieu-wingsbewegingen, zoals de Nederlandse Studentenfederatie, stonden seri-euze hervormingen van de statische studentensamenleving echter in de weg. Het Front bracht élke verandering in diskrediet. In vergelijking met de stu-dentencorporaties in andere universiteitssteden, namen de Utrechtse in de regel de meest behoudende standpunten in. Dat was het geval in het begin van de bezetting, maar ook in haar nadagen. In Leiden en Amsterdam ging de gedachte uit naar de instelling van één grote, algemene studentenvereni-ging –waarvan alle studenten lid móesten worden– die de tot '41 bestaan-de verbanden moesten overkoepelen danwel vervangen. In Utrecht wilde men niet verder gaan dan een federatie van autonome gezelligheidsvereni-gingen die op sommige terreinen zouden kunnen samenwerken.

Pogingen om de wetenschap te 'nazificeren' bleven in Utrecht zonder noe-menswaardig resultaat. De zogenoemde 'jonge wetenschappen' –zoals anthropogenetica of sociaal-economische land-, taal- en volkenkunde– werden uit het academisch assortiment geweerd. Gelegenheid om zich met de benoeming van hoogleraren te bemoeien werd de Duitse overheid zel-den geboden, omdat er –behalve onder invloed van het vertrek van de joodse docenten– weinig vacatures ontstonden. Van lezingen van Duitse wetenschappers, of een 'zwanglos Zusammensein' tussen Duitse en Neder-landse vakgenoten is evenwel geregeld sprake geweest.

Reflex

Tegen de arbeidsdienst (1942) en de loyaliteitsverklaring (1943) is door de RUU niet in principiële termen geopponeerd. Tot het tekenen van de ver-klaring werd in Utrecht, in tegenstelling tot de confessionele universiteiten en hogescholen, gelegenheid geboden. De Utrechtse hoogleraren wilden het tekenen noch ontraden, noch aanbevelen. Niettemin weigerde onge-veer negentig procent van de Utrechtse studenten de verklaring te tekenen. De meeste hoogleraren bleven in functie, al combineerden zij hun 'boven-grondse' activiteiten met klandestiene begeleiding van ondergedoken stu-denten. Slechts een enkeling dook onder om zichzelf het ongerief van col-leges voor een handjevol tekenaar-studenten te besparen. De hoogleraren die 'op hun post bleven' namen hen dat allerminst in dank af.

In 1944 hield de universiteit feitelijk op te bestaan als onderwijsinstelling. Er werd alleen nog enig wetenschappelijk onderzoek verricht, maar dit had vooral ten doel te voorkomen dat de universiteit klinisch dood werd verklaard. En zover wilde men het nog steeds niet laten komen. De argumenten waarvan pleitbezorgers van het Utrechtse model zich eerder bedienden, hadden hun geldigheid verloren, maar de reflex leidde een hardnekkig leven. Niettemin ervoer menigeen het als een genoegdoening toen in 1945 een −in materieel opzicht− vrijwel ongeschonden universiteit de poorten voor een nieuwe lichting studenten kon openen.

Continuïteit

Van vernieuwing was na de bezetting nauwelijks sprake. Het faculteitenstelsel diende als basis van een hervorming die, zeker in vergelijking met het grootscheepse grondverzet in Leiden en Amsterdam, min of meer kosmetisch was. Tijd om zichzelf te zuiveren gunde de universiteit zich nauwelijks. Op snelle hervatting van het academisch onderwijs werd meer prijs gesteld dan op een catharsis. Alleen notoir 'foute' hoogleraren werden geschorst (soms met behoud van hun wedde). Hoogleraren die studenten hadden opgeroepen de loyaliteitsverklaring te ondertekenen, kwamen er met een berisping van af terwijl de studenten die gehoor hadden gegeven aan hun oproep kans liepen voor kortere of langere tijd te worden geschorst.

De zuivering van het hooglerarenkorps werd dan ook uitgevoerd door een commissie waarin mensen zitting hadden die als curator tot diep in de oorlog mede-verantwoordelijk waren geweest voor het beleid. Van de studentenzuiveringscommissie daarentegen, maakten (onder andere) leden van het voormalig verzet uit die in een geheel andere verhouding stonden tot degenen over wie zij een vonnis moesten vellen. Zij legden dan ook meer morele maatstaven aan, en straften doorgaans strenger −al gingen de scherpe kantjes er zuiverenderwijs wel wat van af.

De zuivering bevredigde daarom niemand. De tekenaar-studenten organiseerden zich, en ageerden tegen de rechtsongelijkheid waarvan zij het slachtoffer meenden te zijn. Het voormalig studentenverzet daarentegen, meende dat de zuivering te mild was. Het hield de minister van onderwijs −de Groningse hoogleraar Van der Leeuw− hiervoor verantwoordelijk, en achtte het feit dat uitgerekend een vertegenwoordiger van een verdachte beroepsgroep verantwoordelijk was voor de zuivering kenmerkend voor de gang van zaken.

De meeste studenten tenslotte, vonden dat gezuiver maar hinderlijk. Zij wilden gewoon doen waarvoor zij naar Utrecht waren gekomen: studeren en de geneugten van een hersteld verenigingsleven ondergaan. En als er een maatschappelijk thema was dat hun aandact opeiste was dat niet de zuivering, maar de kwestie-Indonesië (die in het najaar van '45 de zuivering uit de kolommen van de studentenpers begon weg te drukken).

Kortom: continuïteit was het motto in Utrecht. In 1940 én in 1945. Voorwaarts en snel vergeten.

Noten

1   Interview mevrouw H. Voûte, 16 december 1994
2   Interview drs Th. van Rijn, 18 november 1994
3   Interview drs J.B.F. van Hasselt, 15 december 1994
4   Interview drs H. Leopold, 17 december 1994
5   Interview prof.dr O. Backer Dirks, 17 december 1994
6   Interview voormalig lid Studentenfront, 5 november 1994
7   Archief Kruyt I, 29 juni 1941 (UM)
8   Archief college van curatoren, map 2589 (RA)
9   Idem
10 Archief UVSV, inv.nr. 16, map 314 (GA)
11 Archief USC, inv.nr. 313, map 12 (GA)
12 Archief UVSV, inv.nr. 16, map 314 (GA)
13 Vox Veritatis, 23 november 1940
14 Archief UVSV, inv.nr. 16, map 314 (GA)
15 Jaarboek der RUU 1941 (UM)
16 Vox Studiosorum, 14 februari 1941 (CM)
17 Interview dr G. Puchinger, 1 december 1994
18 Archief college van curatoren, map 277 (RA)
19 Jaarboek der RUU 1940 (UM)
20 De Jong, deel 3
21 Jaarboek der RUU 1940 (UM)
22 Van Gelderen was bijzonder hoogleraar in de sociologie vanwege de Socialistische Vereeniging tot Bevordering van de Studie van Maatschappelijke Vraagstukken
23 Archief college van curatoren, map 385 (RA)
24 Idem
25 Archief college van curatoren, map 2573 (RA)
26 Archief college van curatoren, map 380 (RA)
27 Idem
28 Idem
29 Idem
30 Archief Kruyt I, 22 september 1940 (UM)
31 Archief Kruyt I, 25 september 1940 (UM)
32 Archief Kruyt I, 28 september 1940 (UM)
33 Archief Kruyt I, 27 september 1940 (UM)
34 De Jong, deel 2
35 Archief Kruyt I, 25 september 1940 (UM)
36 Archief Kruyt V (UM)
37 Archief Kruyt III (UM)
38 Idem
39 Archief college van curatoren, map 533 (RA)
40 Archief Kruyt I, 7 oktober 1940 (UM)
41 Archief Kruyt I, 9 oktober 1940 (UM)
42 Archief Kruyt I, 23 oktober 1940 (UM)
43 Idem
44 Archief college van curatoren, map 2575 (RA)
45 Idem
46 Archief Kruyt I, 25 oktober 1940 (UM)
47 Archief college van curatoren, map 524 (RA)
48 "1. Jood is een ieder die uit ten minste drie naar ras voljoodsche grootouders stamt. 2. Als Jood wordt ook aangemerkt hij, die uit twee voljoodsche grootouders stamt en a. hetzij zelf op den negenden Mei 1940 tot de joodsche kerkelijke gemeente heeft behoord of na dien datum daarinwordt opgenomen, b. hetzij op den negenden Mei 1940 met een Jood was gehuwd of na dat oogenblik met een Jood in het huwelijk treedt. 3. Een grootouder wordt als voljoodsch aangemerkt, wanneer deze tot de joodsch-kerkelijke gemeenschap heeft behoord."
49 Archief college van curatoren, map 524 (RA)
50 Idem
51 Archief Kruyt I, 21 november 1940 (UM)
52 Archief Kruyt I, 22 november 1940 (UM)
53 Archief college van curatoren, map 525 (RA)
54 Idem
55 Archief Kruyt I, 23 november 1940 (UM)
56 Verslag 'De Utrechtse Universiteit tijdens de bezetting 1940-1945' (UM)
57 Archief Kruyt I, 24 november 1940 (UM)
58 Archief Kruyt II, bijlage F (UM)
59 Archief Kruyt I, 25 november 1940 (UM)
60 Archief Kruyt II, bijlage H (UM)
61 Archief Kruyt II, bijlage L (UM)
62 Herdenkingsbundel 'Universitair verzet TH Delft 1940-'45', 1985
63 Verslag 'De Utrechtse Universiteit tijdens de bezetting 1940-1945' (UM)
64 Idem
65 Idem
66 Idem
67 Archief Kruyt I, 27 november 1940 (UM)
68 Archief Kruyt I, 28 november 1940 (UM)
69 Idem
70 Verslag 'De Utrechtse Universiteit tijdens de bezetting 1940-1945' (UM)
71 Archief Kruyt I, 29 november 1940 (UM)
72 Idem
73 Archief Kruyt I, 30 november 1940 (UM)
74 Archief Kruyt I, 2 december 1940 (UM)
75 Archief Kruyt V, (UM)
76 Verslag 'De Utrechtse Universiteit tijdens de bezetting 1940-1945' (UM)
77 Archief Kruyt I, 7 december 1940 (UM)
78 Archief college van curatoren, map 516 (RA)
79 Archief Kruyt I, 10 december 1940 (UM)
80 Idem
81 Archief college van curatoren, map 380 (RA)
82 Archief college van curatoren, map 561 (RA)
83 Idem
84 Jaarboek der RUU 1943
85 Archief college van curatoren, map 561 (RA)
86 Idem
87 Archief Kruyt I, 21 mei 1941 (UM)
88 Archief academische Senaat, map 529 (RA)
89 Archief college van curatoren, map 552 (RA)
90 Idem
91 Archief academische Senaat, map 439 (RA)
92 Archief college van curatoren, map 561 (RA)

93 Idem

94 Almanak UVSV 1946 (UVSV)

95 Archief college van curatoren, map 561 (RA)

96 Archief Kruyt II (UM)

97 Archief Kruyt I, 26 april 1941 (UM)

98 Archief Kruyt I, 15 november 1940 (UM)

99 Archief Kruyt I, 18 november 1940 (UM)

100 Archief Kruyt I, 13 januari 1941 (UM)

101 Archief Kruyt I, 18 juli 1941 (UM)

102 Archief Kruyt II (UM)

103 Archief college van curatoren, map 277, 14 sept. '45 (RA)

104 Archief Kruyt I, 14 juli 1941 (UM)

105 Archief Kruyt I, 16 februari 1941 (UM)

106 Archief college van curatoren, map 2535 (RA)

107 Idem

108 Archief college van curatoren, map 277, 6 aug. '45 (RA)

109 Archief college van curatoren, map 2480 (RA)

110 Archief academische Senaat, map 643 (RA)

111 Idem

112 Archief college van curatoren, map 2517 (RA)

113 Idem

114 Archief college van curatoren, map 2575 (RA)

115 Idem

116 Archief Kruyt II, (UM)

117 Archief college van curatoren, map 2575 (RA)

118 CIO, 22 november 1941

119 Verslag 'De Utrechtse Universiteit tijdens de bezetting 1940-1945' (UM)

120 Archief college van curatoren, map 277, 27 aug. '45 (RA)

121 Archief college van curatoren, map 277, 14 sept. '45 (RA)

122 Jaarboek der RUU 1940 (UM)

123 Archief Kruyt I, 23 september 1940 (UM)

124 Archief Kruyt I, 27 maart 1941 (UM)

125 Archief college van curatoren, map 2589 (RA)

126 'Het Utrechtsch Studenten Corps 1936-1986', pag. 36

127 Archief Kruyt I, 24 februari 1941 (UM)

128 Archief Kruyt II, bijlage D3 (UM)

129 Archief Kruyt I, 6 maart 1941 (UM)

130 Archief Kruyt I, 31 oktober 1940 (UM)

131 Jaarboek der RUU 1941 (UM)

132 Archief academische Senaat, map 428 (RA)

133 Archief academische Senaat, map 439 (RA)

134 Archief college van curatoren, map 2604 (RA)

135 Archief USC, inv.nr. 313, map 356 (GA)

136 Idem

137 Citadel, derde jaargang, nummer 1, september 1940

138 Archief USC, inv.nr. 313, map 356 (GA)

139 Idem

140 Volk en Vaderland, 24 juli 1940

141 Archief USC, inv.nr. 313, map 356 (GA)

142 Archief Kruyt I, 17 januari 1941 (UM)

143 Idem

144 Archief Kruyt I, ongedateerd (UM)

145 Archief Kruyt I, 4 februari 1941 (UM)

146 Archief Kruyt I, 15 februari 1941 (UM)

147 Archief Kruyt I, 16 februari 1941 (UM)

148 Archief Kruyt I, 17 februari 1941 (UM)

149 Archief Bottelier (UM)

150 Archief USC, inv.nr. 313, map 356 (GA)

151 De Geus no. 6, 15 februari 1941

152 De Geus no. 7, maart 1941

153 Archief Kruyt II, bijlage Z (UM)

154 Archief Kruyt II (UM)

155 Archief Kruyt I, 9 februari 1941 (UM)

156 Archief college van curatoren, map 561 (RA)

157 Archief Kruyt I, 1 juli 1941 (UM)

158 Archief college van curatoren, map 561 (RA)

159 Studentenfront, augustus 1941

160 Studentenfront, 12 november 1941

161 Studentenfront, juli 1941

162 Studentenfront, 12 november 1941

163 Idem

164 Archief Kruyt I, 17 januari 1941 (UM)

165 Archief Kruyt I, 24 maart 1941/ Archief Kruyt II, bijlage CA (UM)

166 Archief Kruyt I, 26 maart 1941 (UM)

167 Studentenfront, mei 1941

168 Archief Kruyt I, 6 mei 1941 (UM)

169 Archief Kruyt I, 30 april 1941 (UM)

170 Archief Kruyt I, 3 mei 1941 (UM)

171 Archief Kruyt I, 13 mei 1941 (UM)

172 Archief Kruyt I, 23 juni 1941 (UM)

173 Archief Kruyt III (UM)

174 Archief college van curatoren, map 2308 (RA)

175 Archief Kruyt II, bijlage BY (UM)

176 Archief Bottelier

177 Archief college van curatoren, map 277, 27 nov. '45 (RA)

178 Archief USC, inv.nr. 313, map 12 (GA)

179 Archief USR, inv.nr.146, map 1125 (GA)

180 Archief Kruyt I, 4 juni 1941 (UM)

181 Archief Kruyt I, 18 juni 1941 (UM)

182 Archief Kruyt I, 21 juni 1941 (UM)

183 Archief Kruyt I, 23 juni 1941 (UM)

184 Archief Kruyt I, 19 juni 1941 (UM)

185 Archief Kruyt I, 22 juni 1941 (UM)

186 Studentenfront, juli 1941
Op de foto zijn deze weliswaar moeilijk te identificeren, maar van hen is in elk geval bekend dat hun banden met het Studentenfront innig waren, getuige ook aanwezigheid bij de eerste Landdag van het Front in november '41

187 Archief Kruyt I, 23 juni 1941 (UM)

188 Archief academische Senaat, map 541-a (RA)

189 Idem

190 Idem

191 Archief Kruyt I, 14 juli 1941 (UM)

192 'UVSV 1895-1949. Een poging tot verantwoording van vijftig jaar Vrouwenstudie', S.J. Suys-Reitsma. Utrecht 1949 (UVSV)

193 'Drift 19 doorgelicht', Utrecht 1984 (UVSV)

194 Archief USR, inv.nr.146, map 1125 (GA)

195 'Het Utrechtsch Studenten Corps 1936-1986', Utrecht 1986

196 Archief USC, inv.nr. 313, map 159 (GA)

197 Idem

198 Idem

199 Verslag 'De Utrechtse Universiteit tijdens de bezetting 1940-1945' (UM)/Archief college van curatoren, map 2589 (RA)

200 Studentenfront, 9 oktober 1941
201 Archief college van curatoren, map 2589 (RA)
202 Archief Kruyt I, 18 maart 1941 (UM)
203 Archief Kruyt I, 15 september 1941 (UM)
204 'Het Utrechtsch Studenten Corps 1936-1986', Utrecht 1986
205 Archief USR, inv.nr.146, map 1125 (GA)
206 Idem
207 Idem
208 Idem
209 Idem
210 'Het Utrechtsch Studenten Corps 1936-1986', Utrecht 1986
211 Archief college van curatoren, map 2589 (RA)
212 Archief college van curatoren, map 2578 (RA)
213 Studentenfront, maart 1942
214 De kwalificatie is van dr G. Puchinger
215 Archief academische Senaat, map 428 (RA)
216 Idem
217 Idem
218 Idem
219 Archief USR, inv.nr.146, map 100 (GA)
220 Archief college van curatoren, map 2580 (RA)
221 Archief USR, inv.nr.146, map 1125 (GA)
222 Archief college van curatoren, map 2580 (RA)
223 Archief USR, inv.nr.146, map 100 (GA)
224 De Geus no. 16, februari 1943
225 Archief academische Senaat, map 428 (RA)
226 Interview prof.dr C.M. Braams, 24 juni 1994
227 Verslag 'De Utrechtse Universiteit tijdens de bezetting 1940-1945' (UM)
228 Archief CM, map 'oorlog'
229 De Jong, deel 6, tweede helft
230 Idem
231 Volk en Vaderland, 15 maart 1943
232 Archief college van curatoren, map 2582 (RA)
233 De Jong, deel 6, tweede helft
234 De Geus, no. 17, 7 april 1943
235 Archief college van curatoren, map 2582 (RA)
236 Archief academische Senaat, map 529 (RA)
237 Archief CM, map 'oorlog'
238 De Jong, deel 6, tweede helft
239 De Geus, no. 16, 7 april 1943
240 Archief Bottelier (UM)
241 Idem
242 Archief college van curatoren, map 277, 16 juli '45 (RA)
243 Rapport Geus-groep over 'gebeurtenissen in de studentenwereld van 6 mei 1943 tot maart 1944'
244 Archief college van curatoren, map 277, 30 aug. '45 (RA)
245 De Geus, no. 17, 7 april 1943
246 Interview dr G. Puchinger, 1 december 1994
247 Archief college van curatoren, map 2582 (RA)
248 Rapport Geus-groep
249 Archief college van curatoren, map 608 (RA)
250 Archief college van curatoren, map 2582 (RA)
251 Idem
252 Idem
253 Idem
254 Archief Bottelier (UM)
255 Archief college van curatoren, map 2309 (RA)

256 Studentenfront, november 1943
257 Archief college van curatoren, map 2309 (RA)
258 Archief college van curatoren, map 2584 (RA)
259 Idem
260 Idem
261 Archief Bottelier (UM)
262 Idem
263 Idem
264 Rapport Geus-groep over 'gebeurtenissen in de studentenwereld van 6 mei 1943 tot maart 1944'
265 Archief Bottelier (UM)
266 Idem
267 Verslag 'De Utrechtse Universiteit tijdens de bezetting 1940-1945' (UM)
268 Rapport Geus-groep over 'gebeurtenissen in de studentenwereld van 6 mei 1943 tot maart 1944'/ Archief college van curatoren, map 277, 26 juli '45 (RA)
269 Rapport Geus-groep over 'gebeurtenissen in de studentenwereld van 6 mei 1943 tot maart 1944'
270 Interview prof.dr D. van der Most van Spijk, 29 september, 1994
271 Archief USR, inv.nr.146, map 351 (GA)
272 Idem
273 Archief college van curatoren, map 380 (RA)
274 Archief college van curatoren, map 277, 23 aug. '45 (RA)
275 Archief college van curatoren, map 277, 20 juli '45 (RA)
276 Uitspraak Bottelier
277 Archief college van curatoren, map 277, 17 sept. '45 (RA)
278 Archief college van curatoren, map 277, 23 aug. '45 (RA)
279 Archief college van curatoren, map 277, 16 juli '45 (RA)
280 Uitspraken college van herstel en zuivering (UM)
281 Archief college van curatoren, map 277, 16 juli '45 (RA)
282 Archief college van curatoren, map 277, 20 aug. '45 (RA)
283 Archief college van curatoren, map 277, 5 sept. '45 (RA)
284 Archief college van curatoren, map 277, 23 aug. '45 (RA)
285 Idem
286 Archief college van curatoren, map 277, 18 okt. '45 (RA)
287 Archief college van curatoren, map 277, 5 sept. '45 (RA)
288 Archief college van curatoren, map 277, 17 sept. '45 (RA)
289 Archief college van curatoren, map 277, 30 aug. '45 (RA)
290 Archief college van curatoren, map 277, 20 aug. '45 (RA)
291 Idem
292 Archief college van curatoren, map 277, 23 aug./25 okt. '45 (RA)
293 Archief college van curatoren, map 277, 30 aug. '45 (RA)
294 Uitspraken college van herstel en zuivering (UM)
295 Archief college van curatoren, map 606 (RA)
296 Archief academische Senaat, map 618 (RA)
297 Archief academische Senaat, map 641 (RA)
298 Archief academische Senaat, map 640 (RA)
299 Idem
300 Verslag van de zeventiende vergadering van de Tweede Kamer, 22 januari '46
301 Archief academische Senaat, map 639 (RA)
302 Idem
303 Nieuwe Rotterdamsche Courant, 5 januari/ 7 januari 1946
304 Verslag van de zeventiende vergadering van de Tweede Kamer, 22 januari '46
305 Sol Iustitiae, 2 februari 1946

Bronnenoverzicht

- Diverse op de jaren 1940-'45 betrekking hebbende stukken in het Utrechts Universiteitsmuseum
  – waaronder rectoraatsdagboeken, verslagen Senaatsvergaderingen, briefwisselingen. De kern hiervan
  wordt gevormd door het archief-Kruyt (rector magnificus in het cursusjaar 1940-'41. Zes mappen.
- (Privé-) archief dr H. Bottelier (brieven van in Duitsland te werk gestelde studenten, stukken die
  betrekking hebben op de arbeidsdienst).
- Het privé-archief van een voormalig lid van het Studentenfront (waaronder enige jaargangen 'Studentenfront')
- Universiteitsgidsen, jaarboeken, gedenkboeken, almanakken.
- Het op de bezettingsperiode betrekking hebbende archief van het voormalige college van curatoren,
  waaronder verslagen van contacten met de bezettingsautoriteiten, ambtelijke briefwisselingen tussen curatoren en hoogleraren, stukken die betrekking hebben op het ontslag van Joodse personeelsleden, blauwdrukken van de inrichting van de na-oorlogse studentenwereld, notulen van de verhoren van het college
  van herstel en zuivering (1945-'46). Achtenzestig mappen.
- Het op bezetting en (studenten-) zuivering betrekking hebbende archief van de academische Senaat.
  Drieëndertig mappen.
- De archieven van de studenten-gezelligheidsverenigingen. Circa dertig mappen. Deze zijn ten dele in
  eigen beheer (USC) of zijn ondergebracht bij het Gemeente-archief aan de Alexander Numankade.
- Geraadpleegde boeken: de voor mij van belang zijnde delen van 'Het Koninkrijk der Nederlanden in de
  Tweede Wereldoorlog' (L. de Jong), 'Een bron van aanhoudende zorg - 75 jaar ministerie van Onderwijs
  (Kunsten) en Wetenschappen' (H. Knippenberg en W. van der Ham), 'Het Utrechtsch Studenten Corps
  1936-1986'.
- Interviews:
Mevrouw H. Voûte, 16 december 1994
Drs Th. van Rijn, 18 november 1994
Drs J.B.F. van Hasselt, 15 december 1994
Drs H. Leopold, 17 december 1994
Prof.dr O. Backer Dirks, 17 december 1994
Dr G. Puchinger, 1 december 1994
Prof.dr C.M. Braams, 24 juni 1994
Een voormalig lid van het Studentenfront, 5 november 1994
Prof.dr D. van der Most van Spijk, 29 september 1994

Colofon

April 1995

Ook al voelt men zich gewond

Auteur

Sander van Walsum

Uitgave

Universiteit Utrecht. *Onder verantwoordelijkheid van*
de Commissie Geschiedschrijving Universiteit Utrecht

Eindredactie en produktie

afdeling In- en Externe Betrekkingen UU, Twan Geurts

Illustraties

illustraties in deze uitgave zijn afkomstig uit de archieven van
het Universiteitsmuseum Utrecht en de Stichting Archieven van het
Utrechtsch Studenten Corps

Reproducties

OMI-groep

Ontwerp en boekverzorging

Hans Lodewijkx & Marian Akkermans, Tilburg

Drukwerk

Brouwer Uithof, Utrecht

© 1995 **Universiteit Utrecht**

ISBN 90-393-0658-3